Rudolf Lorenz, Arius judaizans?

ORDINI THEOLOGORUM ILLUSTRISSIMAE
LITTERARUM UNIVERSITATIS GOTTINGENSIS
QUI THEOLOGIAE DOCTOREM HONORIS CAUSA ME CREAVIT
SACRUM

Vorwort

Die nachstehenden Untersuchungen sind aus meiner Arbeit an dem Teil des Handbuchs „Die Kirche in ihrer Geschichte"[1], welcher das vierte und fünfte Jahrhundert im griechischen Osten behandeln wird, hervorgegangen. Die seit etwa zwei Jahrzehnten neu belebte Forschung über die Ursprünge des Arianismus, die im wesentlichen außerhalb Deutschlands vor sich ging, mußte aufgearbeitet werden. Dabei stellte sich heraus, daß für die Auslegung der Fragmente des Arius, abgesehen von den großen Schlagwörtern des arianischen Streites, nicht soviel geschehen ist, wie man es bei einem so häufig behandelten Thema annehmen sollte[2]. Die Arbeit an diesen Bruchstücken gleicht freilich der Aufgabe, wenige herumliegende Steine und Säulen daraufhin zu untersuchen, ob sie etwas über den verschwundenen Grundriß eines zerstörten Gebäudes aussagen. Bei diesem mühsamen Vorantasten in einem Trümmergelände, das zudem immer noch von den Rauchschwaden einstiger dogmatischer Kämpfe vernebelt ist, bin ich zu einem anderen Ergebnis gekommen, als ich es zu Beginn dieser Studien erwartet hatte. Der Verfasser tröstet sich im Sinne Augustins: De veritate gaudeo.

Der Verwertungsgesellschaft „Wort" in München danke ich für die Gewährung eines Druckkostenzuschusses; dem Verleger, Herrn Dr. A. Ruprecht, für das mir bewiesene Entgegenkommen.

Die Arbeit lag im Dezember 1977 abgeschlossen vor.

Mainz, im Oktober 1978 Rudolf Lorenz

1 Begründet von K.D. Schmidt und E. Wolf. Herausgegeben von B. Moeller. Göttingen, Vandenhoeck & Ruprecht.

2 Nach Abschluß dieser Studien erschien der Aufsatz von G.C. Stead, The Thalia of Arius and the Testimony of Athanasius, JThS 29 (1978) 20–52, in dem diesen Aufgabe ebenfalls gesehen wird.

Abkürzungen

Zeitschriften werden nach den Siglen bei W. Schneemelcher (Herausgeber), Bibliographia patristica, Berlin 1959 ff. zitiert.

Außerdem:

AAH	=	Abhandlungen der Heidelberger Akademie der Wissenschaften, Philos.-hist. Klasse. Heidelberg.
ACO	=	Acta Conciliorum Oecumenicorum, ed. E. Schwartz, Berlin 1914 ff.
BKV	=	Bibliothek der Kirchenväter, Kempten und München 1911–1939.
CSCO	=	Corpus Scriptorum Christianorum Orientalium, Paris-Löwen 1903 ff.
CSEL	=	Corpus Scriptorum Ecclesiasticorum Latinorum, Wien 1866 ff.
DG	=	Dogmengeschichte.
Ders.	=	Derselbe.
Ebd.	=	Ebenda.
GCS	=	Die Griechischen Christlichen Schriftsteller der ersten (drei) Jahrhunderte, Berlin 1897 ff.
MPG	=	J.P. Migne, Patrologiae Graecae cursus completus, series Graeca, Paris 1857 ff.
NGG	=	Nachrichten von der Gesellschaft der Wissenschaften zu Göttingen.
RAC	=	Reallexicon für Antike und Christentum, herausgegeben von Th. Klauser, Stuttgart 1950 ff.
RE	=	Realencyklopädie für protestantische Theologie und Kirche, 3. Aufl. Leipzig 1896–1913.
SAM	=	Sitzungsberichte der Bayerischen Akademie der Wissenschaften zu München.
SB	=	Sitzungsberichte.
SC	=	Sources chrétiennes. Collection dirigée par H. de Lubac et J. Daniélou, Paris 1943 ff.
StudPatr	=	Studia Patristica ed. by F.L. Cross, Berlin 1957 ff. (TU).
s.v.	=	sub voce.
TU	=	Texte und Untersuchungen zur Geschichte der altchristlichen Literatur, Leipzig–Berlin 1882 ff.
ThWNT	=	Theologisches Wörterbuch zum Neuen Testament, begründet von G. Kittel, herausgegeben von G. Friedrich, Stuttgart 1933 ff.

Weitere Abkürzungen nach dem Abkürzungsverzeichnis des Handwörterbuchs: Die Religion in Geschichte und Gegenwart (RGG), 3. Auflage 1957 ff.

Inhalt

Vorwort. 7
Abkürzungen. 8
Bibliographie. 13

1. Kapitel: Die Erforschung der Ursprünge des Arianismus. 23

Newman und Gwatkin. Der Arianismus Abfall zum Judentum oder zum Hellenismus? Antiochenische und alexandrinische Theorie. Altkirchliche Ableitungen des Arianismus. Der Arianismus in der Dogmengeschichtsschreibung des 18. und des frühen 19. Jahrhunderts. Hagemanns origenistische These. Die klassische Dogmengeschichtsschreibung. Harnacks Kompromißtheorie. Versuch eines Neuansatzes durch M. Werner. Das Gespräch über den Ursprung des Arianismus seit 1957.

2. Kapitel: Übersicht über die wichtigsten Auszüge aus Arius bei Alexander von Alexandrien und Athanasius. 37

1. Synoptische Darbietung des Materials 37
Tabelle I: Die berichtenden Auszüge von Alexander u. Athanasius beruhen auf demselben Typ von Exzerpten aus der Thalia. Daneben ein zweiter Exzerptetyp bei Athanasius.
2. Die Abfassungszeit der Thalia. 49

3. Kapitel: Vorläufige Bestimmung des theologischen Ansatzes bei Arius 53

1. Die Theologie des Arius als Christologie. 53
2. Der Sohn als Geschöpf. 54
3. Der kosmologische Rahmen der Christologie des Arius. 55
a) Es war (eine Zeit) als er nicht war. 55
b) Ungezeugt (ungeschaffen) – Gezeugt (geschaffen). 56
c) Relation und Teilhabe. 57
d) Monas – Dyas. 60
4. Das Problem des Platonismus des Arius. 62
a) Der Gedanke des Schöpfungsmittlers. 62
b) Abweichungen der arianischen Kosmologie vom Platonismus. . . . 62
c) „Zeitlichkeit“ des Schöpfungsmittlers und platonische Kosmologie. 64
5. Zusammenfassung. 66

4. Kapitel: Vergleich arianischer Sätze mit der origenistischen Logos- und Trinitätslehre. 67

1. Arius und Origenes.
   - a) Der Sohn als Geschöpf. 67
     - α) Sprüche 8,22. 67
     - β) Der Sohn als Geschöpf aus Nichts 70
   - b) Der Sohn ist nicht aus der Usia des Vaters 72
   - c) „Durch Teilhabe wurde er vergöttlicht". 76
   - d) Sohn von Natur oder durch Adoption? 77
   - e) Die Erkenntnis des Vaters durch den Sohn. 78
   - f) Der Wille des Vaters und der Wille des Sohnes. 79
   - g) Die Epinoiai des Sohnes. 81
   - h) „Es gibt drei Hypostasen". 86
   - i) Zusammenfassung. 92
2. Dionysius von Alexandrien und der Arianismus. 94

   Die „arianisierenden" Formeln des Dionys und ihre spätere Abschwächung. Zusammenhang von Dionys' früherem und späterem Standpunkt. Beziehungen zu Theognost. Gegen die Sabellianer knüpft Dionys an vororigenistische Apologeten an. Dionys kein „Arianer".

5. Kapitel: Das Verhältnis des Arius zur Logoslehre des Klemens und Philos von Alexandrien. 101

1. Arius und Klemens. 101
2. Arius und Philo von Alexandrien. 103

6. Kapitel: „Arianisches" bei Gruppen, die von Origenes und den Origenisten bekämpft werden. 107

1. Gnostiker. Erschaffung der „Sohnschaft" aus „Nichts" bei den Basilidianern. 107
2. Arius und die außerkirchliche Gnosis. 110
   - a) Basilides. 111
   - b) Valentinianische Willensspekulation. 111
   - c) Doppelte Sophia der Valentinianer. 112
   - d) Die mythologische Deutung des Gleichnisses vom verlorenen Schaf. 114
   - e) Ptolemäus' Brief an Flora. 116
   - f) Hermetische Gnosis. 118
   - g) Zusammenfassung. 118
3. Die Gnosis des Arius. Arius als Enthusiast. Berührungen mit der Gnosis des Klemens. Gnosis in der jüdischen Weisheitsliteratur. 119
4. Die Adoptianer. Arianismus und Adoptianismus. 122
   - a) Kritik des Origenes am Adoptianismus. 122
   - b) Adoptianische Züge der arianischen Christologie. 123

c) Die Sohnschaft des Christus und der Christen. 125
d) Zusammenfassung. 127
5. Arius und Paul von Samosata. 128
a) Gegensätzliche Meinungen über Arius' Zusammenhang mit Paul von Samosata. 128
b) Unterschiede beider Lehrtypen. 128
c) Vergleichbare Züge bei Paul v. Samosata und Arius. 129
d) Paul v.S. kennt keinen persönlichen Logos. 133
e) Sittliches Fortschreiten des Christus. 134
f) Zusammenfassung. 135

7. Kapitel: Der Sohn als Geschöpf in der Auslegung von Genesis 1,1. 136

1. Der Sohn als Archē. 136
a) Gott Archē des Sohnes. 136
b) Der Sohn und die jüdische Weisheitsspekulation. 136
c) „Arianisches" bei Tatian? 138
2. Die Deutung von Gen. 1,1 auf die Erschaffung des Sohnes. 139
3. Zusammenfassung. 140

8. Kapitel: Arianismus und Judaismus. 141

1. Das zweite Prinzip der Juden nach Euseb von Cäsarea. 141
2. Spätjüdische Mittelwesen. 142
3. Engel als Schöpfermächte. 145
a) Schöpferengel im häretischen Jedentum. 145
b) Weltschöpfung durch Engel in der Gnosis. Kerinth. 146
4. Christus als Geschöpf, Erwählter und Engel im Judenchristentum. 148
a) Der Engel-Christus der Ebioniten ein Geschöpf. 148
b) Jüdischer Dualismus und Engelchristologie. Elemente „arianischer" Lehre im Judenchristentum. 149
5. Judaismus und „Arianismus" in den Pseudoklementinen. . . 150
a) Engelchristologie bei „Simon" 150
b) in den Homilien. 151
c) Die Arianer und die Pseudoklementinen. Verwandtschaft und Gegensatz. 152
6. Afrahat und der Arianismus. 154
7. „Arianisches" und „Jüdisches" bei Laktanz und Pseudo-Cyprian, De centesima. 157
a) Benutzung der Pseudoklementinen durch Laktanz. Berührungen mit Lukianisten in Nikomedien? 157
b) Laktanz kein Arianer. 160
c) Verbindung der Lehre vom Sohn als Engel und Geschöpf mit jüdischen Überlieferungen bei Pseudo-Cyprian. 161

8. Engelchristologie und himmlische Thronwelt in der Thalia des Arius. 163
a) Der Sohn als „starker Gott“ und Engel. 163
b) Einflüsse (jüdisch-christlicher) Apokalyptik in der alexandrinischen Theologie. 165
c) Thron und Ort Gottes bei Arius und in der alexandrinischen Theologie. Merkabamystik in Alexandrien. Apokalyptische und eschatologische Interessen im frühen Arianismus. 167
d) Ist der Arianismus aus der Engelchristologie abzuleiten? 172
9. Arius und die Magharier. 174
10. Zusammenfassung. 177

9. Kapitel: Abschließende Bestimmung des Verhältnisses von Arianismus und Origenismus. 181

1. Arius und Lukian von Antiochien. 181
a) Synopse der „Lukianisten“ (Tabelle II). 181
b) Das Problem gegenseitiger Beeinflussung der Lukianisten. 181
c) Arius als Zeuge für das Bekenntnis Lukians (Tabelle III). 192
d) Von Arius, Asterius und Euseb von Nikomedien beglaubigte Lehren Lukians. 197
e) Die von Asterius und Arius beglaubigten Lehren. Abweichungen unter den Lukianisten. 198
f) Lukian und Origenes. Übernahme des Origenismus. Abweichung vom origenistischen Systemgedanken. 201
2. Euseb von Cäsarea und die Lukianisten. 203
a) Die Übereinstimmungen mit den Lukianisten. 203
b) Eusebs Ansichten über Anfang und Zeugung des Sohnes. Dynamistischer Emanatismus. Berührungen mit Theognost. 205
c) Euseb von Cäsarea steht Origenes näher als Lukian. 210
3. Vergleich der origenistischen Christologie im engeren Sinne (Inkarnationslehre) mit Arius. 211
a) Der „seelenlose Leib“. Vorbereitung dieser Lehre bei Origenes trotz seines Gegensatzes zu ihr. Ihre Ausbildung im Origenismus. 211
b) Die zwei Christusse. Der Vorwurf einer Verdopplung des Christus gegen Origenes in der Apologie des Pamphilus und in den 15 Anathemen von 553. Vergleich der 15 Anatheme mit Origenes’ Lehre von der Seele Jesu. 215
c) Arius und Euagrius Ponticus. 220
d) Ergebnis. 222

Register. 225

I. Ausgewählte Bibelstellen. 225
II. Antike und mittelalterliche Personennamen 226

Bibliographie

I. Benutzte Textausgaben

Afrahat. Aphraatis Demonstrationes ed. J. Parisot. Patrol. syriaca. Paris Bd. I, 1894. Bd. II, 1907.

Aphrahat's des Persischen Weisen Homilien. Aus dem Syrischen übersetzt und erläutert von G. Bert. Leipzig 1888.

Albinos, Didaskalikos (Eisagoge). Im 6. Band der Platoausgabe von C.F. Hermann, Leipzig 1907, S. 152–89.

Alexander Aphrodisiensis, In Aristotelis metaphysica commentaria, ed. M. Hayduck. Berlin 1891.

Ammonius, In Aristotelis categorias commentarium, ed. A. Busse. Berlin 1895 (Comment. in Arist. graeca Bd. IV, 4).

Anthimus v. Nikomedien, De ecclesia, ed. G. Mercati. Studi e Testi 5 (1901) S. 87–98 (Pseudo-Anthimus).

Arius, Fragmente bei G. Bardy, Recherches sur s. Lucien d'Antioche et son école, Paris 1936, S. 221–78. – Die erhaltenen Bekenntnisse und Briefe werden zitiert nach H.G. Opitz, Urkunden zur Geschichte des arianischen Streits. Berlin u. Leipzig 1934/5.

Apokryphen. Die Apokryphen und Pseudepigraphen des Alten Testaments. In Verbindung mit Fachgenossen herausgegeben und übersetzt von E. Kautzsch. 2 Bände, Tübingen 1900 (Nachdruck Darmstadt 1962).

E. Hennecke, Neustestamentliche Apokryphen in deutscher Übersetzung. 3. Aufl. Herausgegeben von W. Schneemelcher. 2. Bände, Tübingen 1959 u. 1964.

Apologeten. Die ältesten Apologeten. Herausgegeben von E. Goodspeed. Göttingen 1914.

Apostolische Väter. Die apostolischen Väter. Neubearbeitung der Funkschen Ausgabe von K. Bihlmeyer. Tübingen 1924.

Asterius. Fragmente bei G. Bardy (s.o. Arius) S. 341–57.

Asterii Sophistae Commentariorum in psalmos quae supersunt, ed. M. Richard (= Symbolae Osloenses, Suppl. XVI.), Oslae 1956.

Athanasius, Werke. MPG 25 und 26 (= Montfaucon).

Werke. Im Auftrag der Kirchenväter-Kommission der Preußischen Akademie der Wissenschaften herausgegeben von H.G. Opitz. Bd. II, Lieferung 1–8. Berlin 1935/40.

Calcidius. Timaeus a Calcidio translatus commentariisque instructus, ed. J.H. Waszink. Londinii et Leidae 1962.

Constitutiones Apostolorum. Didascalia et Constitutiones Apostolorum, ed. F.X. Funk. Paderbornae 1905.

Cyprian (Pseudo-), De centesima, sexagesima, tricesima. Herausgeg. von R. Reitzenstein, ZNW 15 (1914) 60–90.

Dionysius v. Alexandrien. C.L. Feltoe: The Letters and other Remains of Dionysius of Alexandria. Cambridge 1904.

Dionysius von Alexandrien. Das erhaltene Werk. Eingeleitet, übersetzt und mit Anmerkungen versehen von W.A. Bienert. Stuttgart 1972.

W. Bienert: Neue Fragmente des Dionysius und Petrus v. Alexandrien aus cod. Vatop. 236. Kleronomia 5 (1973) 308–14.

Doxographi graeci. Herausgeg. von H. Diels, 1879. Nachdruck Berlin 1965.

Epiphanius v. Salamis. Ancoratus. Panarion. Herausgeg. von K. Holl. GCS 25 (1915); 31 (1922. Enthält haer. 34–64); 37 (1933. Enthält haer. 65–80).

Euagrius Ponticus. Les Six Centuries des „Kephalaia Gnostica" d'Evagre le Pontique, ed. A. Guillaumont. Patrol. Orientalis 28, 1. Paris 1958.

Eusebius v. Cäsarea, Kirchengeschichte. Herausgeg. von E. Schwartz. GCS 9 (drei Bände). Leipzig 1903/9.

Praeparatio evangelica. Herausgeg. von K. Mras. 2 Bände, GCS 43, 1 u. 2. Berlin 1954/6.

Demonstratio evangelica. Herausgeg. von I. Heikel. GCS 23. Leipzig 1913.

Laus Constantini. Herausgeg. von I. Heikel. GCS 7. Leipzig 1902, S. 193–259.

Jesajakommentar. Herausgegeben von J. Ziegler, GCS, Berlin 1975.

Eusebius v. Nikodemien. Die Reste seines Schrifttums gesammelt bei: G. Bardy, Lucien (s.o. Arius) S. 299–315. Auch bei Opitz, Urk. 2; 8; 21; 31.

Eustathius von Antiochien. M. Spanneut, Recherches sur les écrits d'Eustathe d'Antioche, avec une édition nouvelle des Fragments dogmatiques et exégétiques. Lille 1948.

Eunomius, Apologie. MPG 30, 835–68.

Gnosis. W. Völker (Herausgeber), Quellen zur Geschichte der christlichen Gnosis. Tübingen 1932.

Evangelium Veritatis (cod. Jung F. VIII^{v}-XXXII^{r}), ed. M. Malinine, H. Ch. Puech, G. Quispel. Zürich 1956 u. 1961 (Nachtrag der bis dahin fehlenden Blätter XVII^{r}-XVIII^{v}).

Die koptisch-gnostische Schrift ohne Titel aus Kodex II von Nag Hammadi. Herausgegeben, übersetzt und bearbeitet von A. Böhlig und P. Labib. Berlin 1962.

Koptisch-gnostische Schriften (Pistis Sophia. Die beiden Bücher des Jeu. Unbekanntes altgnostisches Werk). Herausgeg. von C. Schmidt. 3. Aufl. bearbeitet von W. Till. Berlin 1962.

Tractatus Tripartitus (codex Jung F. XXVI^{r}-LII^{v}) ed. R. Kasser, M. Malinine, H. Ch. Puech, G. Quispel, J. Zandee adiuvantibus W. Vycichl et R. McL. Wilson. 2 Bände, Bern 1973 u. 1975.

W. Foerster (Herausgeber), Die Gnosis. Bd. 1 (Zeugnisse der Kirchenväter). Zürich 1969. Bd. 2 (Koptische und mandäische Quellen). Zürich 1971 (Übersetzungen ins Deutsche).

Gregor v. Nyssa, Contra Eunomium (Opera vol. I et II), ed. W. Jaeger. Leiden 1960.

Hahn. Bibliothek der Symbole und Glaubensregeln der Alten Kirche. Herausgegeben von A. Hahn. Breslau 1897.

Hermas. Der Hirt des Hermas. Herausgeg. von M. Whittaker. GCS 48. Berlin 2. Aufl. 1967.

Hermes Trismegistos. Corpus Hermeticum. Texte établi par A.D. Nock et traduit par A.J. Festugière. 4 Bände, Paris 1972.
Hieronymus, Epistulae, CSEL 54–56 (J. Hilberg) 1910/18.
Hippolyt, Refutatio omnium haeresium. Herausgeg. von P. Wendland. GCS 26. Leipzig 1916.
Contra Noetum. Herausgegeben von E. Schwartz: Zwei Predigten Hippolyts, SAM 1936, 3 S. 5–18. Eine weitere Ausgabe veranstaltete P. Nautin, Hippolyte Contre les hérésies, fragment. Paris, 1949.
Irenaeus, Adversus haereses, ed. W.W. Harvey. Cambridge 1857.
Erweis der apostolischen Verkündigung. Übersetzt von S. Weber, BKV Irenäus Bd. 2. Kempten u. München 1912.
Klemens v. Alexandrien. Werke, herausgeg. von O. Stählin. Bd. I (Protrepticus und Paedagogus) GCS, Berlin 1972. Bd. II (Stromata Buch 1–6) GCS 52, 1960. Bd. III (Stromata Buch 7 u. 8. Excerpta ex Theodoto. Eclogae propheticae. Quis dives salvetur. Fragmente) GCS 17 (2. Aufl. 1970). Bd. IV Register. GCS 39, 1936.
F. Sagnard (Herausgeber). Clément d'Alexandrie, Extraits de Théodote, SC 23. Paris 1948.
Lactantius, Divinae Institutiones. Epitome. Rec. S. Brandt. CSEL 19 (1890). De opificio Dei. Rec. S. Brandt. CSEL 27, 1. (1893).
Markell von Ankyra. Fragmente gesammelt von E. Klostermann in Eusebius Werke Bd. IV (Gegen Markell. Über die kirchliche Theologie) GCS, 1972, S. 185–215. Vgl. M. Geerard, Clavis Patrum Graecorum, Turnhout 1972, Nr. 2800.
Methodius (genannt v. Olympus), Werke. Herausgeg. von G.N. Bonwetsch. GCS 27. Leipzig 1917.
Numenius. E.A. Leemans, Studie over den wijsgeer Numenius van Apamea. (Sammlung der Fragmente). Brüssel 1937.
Origenes. Werke. Bd. I und II (Gegen Celsus, herausgeg. v. P. Koetschau), GCS 2 u. 3, Leipzig 1899. Bd. III (Jeremiahomilien, herausgeg. v. E. Klostermann), GCS 6, 1901. Bd. IV (Johanneskommentar, herausgeg. v. E. Preuschen), GCS 10, 1903. Bd. V (De principiis, herausgeg. von P. Koetschau), GCS 22, 1913. Bd. X-XII (Matthäuserklärung herausgeg. von E. Klostermann unter Mitwirkung v. E. Benz), GCS 40 (1935), 38 (1933), 41,1 u. 2 (1941 u. 1968). Bd. VI (Genesishomilien u.a., herausgeg. von W.A. Baehrens), GCS 29, 1920.
Opera ed. C.H.E. Lommatzsch. 25 Bände. Berlin 1831–1848.
Pamphilus, Apologia pro Origene. In: Origenis opera ed. Lommatzsch, Bd. 24, Berlin 1846 S. 293–412.
Philo Alexandrinus. Opera, rec. L. Cohn et P. Wendland. Editio minor. 6 Bände, Berlin 1896–1915.
Philo Supplement. Bd. I Questions and Answers on Genesis. Bd. II Questions and Answers on Exodus. Translated by R. Marcus. Loeb Classical Library. London 1953.
Philoponus, Johannes, De aeternitate mundi contra Proclum, ed. H. Rabe. Lipsiae 1899.
Philostorgius, Kirchengeschichte. Herausgeg. von J. Bidez, 2. überarbeitete Auflage von F. Winkelmann. GCS 21. Berlin 1972.
Plotins Schriften übersetzt von R. Harder (Griechischer Text u. deutsche Übersetzung). 6 Bände, Hamburg 1956–1971.
Porphyrius, Isagoge et in Aristotelis categorias commentarium, ed. A. Busse. Berlin 1887.

Pseudoklementinen. Herausgeg. von B. Rehm. Bd. I Homilien, GCS 42; 2. Aufl. 1969. Bd. II Rekognitionen, GCS 51, 1965.
Routh, M.J., Reliquiae Sacrae. 5 Bände, Oxford 1846–48. Nachdruck Hildesheim 1974.
Rufin, Kirchengeschichte. Herausgeg. von Th. Mommsen. In: Eusebius v. Cäsarea Werke Bd. II, GCS 9, 2 (1908).
Schahrastani. Abu-l-Fath Muhammed asch-Scharastani's Religionsparteien und Philosophenschulen. Übersetzt von Th. Haarbrücker, 1. Theil. Halle 1850.
Simplicius, In Aristotelis categ. comment., ed. C. Kalbfleisch (Commentaria in Arist. graeca Bd. 8). Berlin 1907.
Socrates Scholasticus, Historia ecclesiastica. MPG 67 (ed. H. Valesius).
Sozomenus, Kirchengeschichte. Herausgegeben von J. Bidez-G. Ch. Hansen. GCS 50. Berlin 1960.
Tatian. Tatiani oratio ad Graecos, ed. E. Schwartz. Leipzig 1888.
Tertullian. Adv. Hermogenem. Adv. Valentinianos. Adv. Praxean. (ed. Ae. Kroymann). CSEL 47, 1906.
Pseudo-Tertullian, Adv. omnes hareses. CSEL 47, 1906 (Kroymann).
Theodoret, Kirchengeschichte. Herausgeg. von L. Parmentier, bearbeitet von F. Scheidweiler. GCS 44. Berlin 1954.
Theognost, Fragmente. A. Harnack, Die Hypotyposen des Theognost. TU Neue Folge 9, 3. Leipzig 1903.
Theophilus v. Antiochien. Ad Autolycum, Text and Translation by R.M. Grant. Oxford 1970.
Urkunden zur Geschichte des arianischen Streits. Herausgeg. von H.G. Opitz. (= Athanasius, Werke III, 1). Berlin u. Leipzig 1934/5.

II. Benutzte Literatur

A. Adam: Lehrbuch der Dogmengeschichte, Bd. 1. Gütersloh 1965.
C. Andresen: Logos und Nomos. Die Polemik des Kelsos wider das Christentum. Berlin 1955.
R. Arnou: Arius et la doctrine des relations trinitaires. Gregorianum 14 (1933) 269–72.
W. Bacher: Die Gelehrten von Cäsarea. MGW 9 (1901) 298–310.
E. Bammel: Höhlenmenschen. ZNW 49 (1958) 77–88.
J. Barbel: Christos Angelos. Bonn 1941. Nachdruck 1964 (mit Anhang: Engelchristologie im Lichte der neueren Forschung).
L.W. Barnard: The Antecedents of Arius. VigChr 24 (1970) 172–88.
What was Arius' Philosophy? ThZ 28 (1972) 110–17.
G. Bardy: Cérinthe. Rev. Biblique 30 (1921) 349–73.
Les traditions juives dans l'oeuvre d'Origène. Rev. Biblique 34 (1928) 217–52.
S. Alexandre d'Alexandrie a-t-il connu la Thalie d'Arius? Rev. des sciences rel. 7 (1926) 527–32.
Paul de Samosate. Löwen 1929.
Recherches sur S. Lucien d'Antioche et son école. Paris 1936.
F.Chr. Baur: Die christliche Lehre von der Dreieinigkeit und Menschwerdung Gottes in ihrer geschichtlichen Entwicklung. Erster Teil. Tübingen 1841.

Lehrbuch der Dogmengeschichte. Stuttgart 1847.
J. de Beausobre: Histoire critique de Manichée et du Manichéisme. Amsterdam 1734.
E. Benz: Marius Victorinus und die Entwicklung der abendländischen Willensmetaphysik. Stuttgart 1932.
H. Berkhof: Die Theologie des Eusebius von Cäsarea. Amsterdam 1939.
P. Billerbeck: Kommentar zum Neuen Testament aus Talmud und Midrasch. 6 Bände. 5. Aufl. München 1969.
A. Böhlig: Der jüdische und judenchristliche Hintergrund in gnostischen Texten von Nag Hammadi. In: Le origini dello gnosticismo, Colloquio di Messina 1966. Leiden 1967, S. 109–140.
E. Boularand: Les débuts d'Arius. BLE 65 (1964) 175–203.
Denys d'Alexandrie et Arius. BLE 67 (1966) 162–69.
Aux sources de la doctrine d'Arius. La théologie antiochienne. BLE 68 (1967) 241–72.
L'hérésie d'Arius et la „Foi de Nicée". Paris 1972.
W. Bousset: Jüdisch-christlicher Schulbetrieb in Alexandrien und Rom. Göttingen 1915.
Eine jüdische Gebetssammlung im 7. Buch der Apostolischen Konstitutionen. NGG Phil.-hist. Klasse 1915 S. 435–489.
W. Bousset-H. Greßmann: Die Religion des Judentums im späthellenistischen Zeitalter. 3. Aufl. Tübingen 1926. Nachdruck 1966.
E. Bréhier: Les idées philosophiques et religieuses de Philon d'Alexandrie. 3. Aufl. Paris 1950.
Chr. A. Bugge: Das Gesetz und Christus nach der Auffassung der ältesten Christengemeinde. ZNW 4 (1903) 89–110.
C.F. Burney: Christ as the APXH of Creation. JThS 27 (1925/6) 160–77.
H. von Campenhausen: Das Bekenntnis Eusebs von Cäsarea (Nicaea 325). ZNW 67 (1976) 123–39.
R.P. Casey: Clement and the two divine Logoi. JThS 25 (1924) 43–56.
L. Cerfaux: Le vrai prophète des Clémentines. RechSR 18 (1928) 143–63.
H. Crouzel: Théologie de l'image de Dieu chez Origène. Paris 1956.
L'école d'Origène à Césarée. BLE 71 (1970) 15–27.
G. Curti: Il linguaggio relativo al Padre e al Filio in alcuni passi dei „Commentarii in Psalmos" di Eusebio di Cesarea. Augustinianum 13 (1973) 483–506.
J. Daniélou: Théologie du Judéochristianisme. Paris 1958.
C.H. Dodds: The Bible and the Greeks. London 1935.
H. Dörrie: Hypostasis. Wort- und Bedeutungsgeschichte. NAG, phil.-hist. Klasse 1955 Nr. 3.
W. Elliger: Bemerkungen zur Theologie des Arius. Theol. Stud. u. Krit. 103 (1931) 244–51.
M. Elze: Tatian und seine Theologie. Göttingen 1960.
W. Foerster: Die Grundzüge der ptolemäischen Gnosis. NTS 6 (1959/60) 16–31.
Das System des Basilides. NTS 9 (1962/3) 233–55.
G. Foot-Moore: Judaism. Band I Cambridge (Mass.) 1927.
Intermediaries in Jewish Theology. HThR 15 (1922) 41–85.
U. Früchtel: Die kosmologischen Vorstellungen bei Philo von Alexandrien. Leiden 1968.

J. de Ghellinck: Qui sont les ὤς τινες λέγουσι de la lettre d'Arius? Miscell. Mercati Bd. 1. Rom 1946, S. 127–44.

L. Ginsberg: Die Haggada bei den Kirchenvätern und in der apokryphischen Literatur. Berlin 1900.

Gnosis: Le origini dello Gnosticismo. Colloquio di Messina 1966. Leiden 1967.

V. Golb: Who were the Maghariya? JAOS 80 (1960) 347–59.

H. Görgemanns: Die „Schöpfung" der „Weisheit" bei Origenes. Eine textkritische Untersuchung zu De principiis Frg. 32. StudPatr 7 (1966) 194–209.

A. Grillmeier: Christ in Christian Tradition. London-Oxford 1975.

A. Guillaumont: Evagre et les antiorigénistes de 553. StudPatr 3 (1961) 219–26.

Les „Kephalaia Gnostica" d'Evagre le Pontique et l'histoire de l'origénisme chez les Grecs et les Syriens. Paris 1962.

H.M. Gwatkin: Studies of Arianism. Cambridge 1882, 2. Aufl. 1900.

F. Haase: Altchristliche Kirchengeschichte nach orientalischen Quellen. Leipzig 1925.

H. Hagemann: Die römische Kirche und ihr Einfluß auf Disziplin und Dogma in den ersten 3 Jahrhunderten. Freiburg/Br. 1864.

R.P.C. Hanson: Did Origen apply the Word Homousios to the Son? Epektasis. Mélanges patristiques offerts au card. J. Daniélou. Paris 1972, S. 292–303.

A. Harnack: Lehrbuch der Dogmengeschichte. Bd. I und II 1. Aufl. Freiburg/Br. 1885 u. 1887. 5. Aufl. Tübingen 1931.

Der kirchengeschichtliche Ertrag der exegetischen Arbeiten des Origenes. TU 42, 3–4. Leipzig 1919.

M. Hengel: Judentum und Hellenismus. 3. Aufl. Tübingen 1973.

D. Huetius: Origeniana (1668). Abgedruckt bei Lommatzsch, Origenis opera Bd. 22–24. Berlin 1846.

H. Jonas: Gnosis und spätantiker Geist. Bd. 1, 2. Aufl. Göttingen 1954 (mit Ergänzungsheft 1964). Bd. 2, 1954.

J. Jervell: Imago Dei. Gen. 1,26 f. im Spätjudentum, in der Gnosis u. in den paulinischen Briefen. Göttingen 1960.

C. Kannengiesser: Où et quand Arie composa-t-il la Thalie? Kyriakon, Festschrift Joh. Quasten. Münster 1970, S. 346–51.

J.N.D. Kelly: Early Christian Creeds. 3. Aufl. London 1972.

Altchristliche Glaubensbekenntnisse. Geschichte u. Theologie. Göttingen 1973 (deutsche Übersetzung).

F.H. Kettler: Die Ewigkeit der geistigen Schöpfung bei Origenes. In: Reformation und Humanismus, Festschrift R. Stupperich. 1969, S. 272–97.

Der ursprüngliche Sinn der Dogmatik des Origenes. Berlin 1966.

J. Klijn-G. Reininck: Patristic Evidence for Jewish Christian Sects. Leiden 1973.

H.J. Krämer: Der Ursprung der Geistmetaphysik. Amsterdam 1964.

C.H. Kraeling: The Jewish Community at Antioch. JBL 51 (1932) 130–60.

Hal Koch: Pronoia und Paideusis. Studien über Origenes und sein Verhältnis zum Platonismus. Leipzig 1932.

G. Kretschmar: Studien zur frühchristlichen Trinitätslehre. Tübingen 1956.

J. Lebreton: Histoire du dogme de la trinité. Bd. I 1927. Bd. II (bis Irenäus) 1928.

La théologie de la trinité chez Clément d'Alexandrie. RechSR 34 (1947) 55–76; 142–79.

A. Lichtenstein: Eusebius von Nikodemien. Halle 1903.

S.R.C. Lilla: Clement of Alexandria. A Study in Christian Platonism and Gnosticism. Oxford 1971.
V. Loi: Lattanzio nella storia del linguaggio e del pensiero preniceno. Zürich 1970.
F. Loofs: Artikel „Arianismus". RE 3. Aufl. Bd. 2 (1897).

Leitfaden zum Studium der Dogmengeschichte. 4. Aufl. Halle 1906.

Das Bekenntnis Lukians, des Märtyrers. SB der Preußischen Akad. d. Wiss. zu Berlin 1915, S. 576–603.

Paulus von Samosata. Leipzig 1924.

Theophilus von Antiochien und die anderen theologischen Quellen bei Irenäus. Leipzig 1930.

C.W. Lowry: Did Origen style the Son a ktisma? JThS 39 (1938) 39–42.
C. Luibheid: The Arianism of Eusebius of Nicomedia. ITQ 43 (1976) 3–23.
B.L. Mack: Logos und Sophia. Untersuchungen zur Weisheitstheologie im hellenistischen Judentum. Göttingen 1973.
J.M. Magnin: Notes sur l'ébionisme. PrOrChr 23 (1973) 233–65; 24 (1974) 225–50; 25 (1975) 245–73; 26 (1976) 293–318; 27 (1977) 250–76.
H.I. Marrou: L'arianisme comme phénomène alexandrin. CRAI 1973, 533–42.
G. May: Schöpfung aus dem Nichts. Die Entstehung der Lehre von der Creatio ex nihilo. Berlin 1978.
E.P. Meijering: Ἦν ποτε ὅτε οὐκ ἦν ὁ υἱός. A Discussion on Time and Eternity. VigChr 28 (1974) 161–68.
E.W. Möller: Geschichte der Kosmologie in der griechischen Kirche bis auf Origenes. Halle 1860.
E.L. von Mosheim: Institutiones historiae ecclesiasticae antiquae et recentioris libri quatuor. Helmstedt 1755.
K. Müller: Dionys von Alexandrien im Kampf mit den libyschen Sabellianern (Kleine Beiträge zur alten Kirchengeschichte 10). ZNW 24 (1925) 278–85.
W. Münscher: Handbuch der christlichen Dogmengeschichte. Band 3, Marburg 1802.
P. Nautin: Deux interpolations orthodoxes dans une lettre d'Arius. AB 67 (1949) 131–41.
A. Neander: Allgemeine Geschichte der christlichen Religion und Kirche. Band II, 2. Hamburg 1830.
L. Nemoy: Al-Quirquisani's Account of the Jewish Sects and Christianity. HUCA 7 (1930) 317–97.
J. Neusner: Aphraat and Judaism. Leiden 1971.
J.H. Newman: The Arians of the fourth Century. London 1833.
H.G. Opitz: Dionys von Alexandrien und die Libyer. Quantulacumque, Studies presented to Kirsopp Lake, ed. R.P. Casey and A.K. Lake. London 1937, S. 41–53.

(siehe auch Abschnitt I, Textausgaben, unter „Athanasius" und „Urkunden").

A. Orbe: Estudios Valentinianos. Bd. I.: Hacia la primera teologia de la procesión del Verbo. Rom 1958.

Bd. II: En los alberos de la exégesis Johannea. Rom 1955.

Bd. III: La unción del Verbo. Rom 1961.

Bd. IV: La teología del Espiritu Santo. Rom 1966.

Bd. V: Los primeros herejes ante la persecución. Rom 1956.

(= Analecta Gregoriana 99/100; 65; 113; 158; 83).

J.O. Ortiz de Urbina: Die Gottheit Christi bei Afrahat. Rom 1933.
D. Petavius: De Trinitate. Ed. J.B. Fournials, Bd. 2. Paris 1865.
T.E. Pollard: Logos and Son in Origen, Arius and Athanasius. StudPatr 2 (1957) 282–87.
The Origins of Arianism. JThS 9 (1958) 103–11.
The Exegesis of Scripture and the Arian Controversy. BJRL 41 (1959) 414–29.
Johannine Christology and the Early Church. Cambridge 1970.
S. Poznanski: Philon dans l'ancienne littérature arabe. Rev. des Etudes Juives 49/50 (1904/5) 10–31.
K. Praechter: Die Philosophie des Altertums. Berlin 1926 (F. Ueberwegs Grundriß der Geschichte der Philosophie Bd. 1).
G.L. Prestige: God in Patristic Thought. London 1936, 2. Aufl. 1952.
'Αγέν(ν)ητος and γεν(ν)ητός and kindred words in Eusebius and the early Arians. JThS 24 (1922/3) 486–96.
L.B. Radford: Three Teachers of Alexandria: Theognostus, Pierius and Peter. Cambridge 1908.
E.R. Redepenning: Origenes. Eine Darstellung seines Lebens und seiner Lehre. 2 Bände. Bonn 1841 u. 1846. Nachdruck Aalen 1966.
M. Richard: S. Athanase et la psychologie du Christ selon les Ariens. MSR 4 (1947) 5–54.
F. Ricken: Nikaia als Krisis des altkirchlichen Platonismus. ThPh 44 (1969) 321–41.
H. de Riedmatten: Les actes du procès de Paul de Samosate. Freiburg/Schw. 1952.
M.P. Roncaglia: Origene e il Giudeo-Cristianesimo. RILSL 102 (1968) 473–92.
A. Rousseau: La doctrine de s. Irénée sur la préexistence du Fils de Dieu. Le Muséon 84 (1971) 5–42.
K. Rudolph: Gnosis und Gnostizismus, ein Forschungsbericht. ThR 34 (1969) 121–75; 181–231; 358–61. 36 (1971) 1–61; 89–124. 37 (1972) 289–360. 38 (1974) 1–25.
G. Quispel: Christliche Gnosis und jüdische Heterodoxie. EvTh 14 (1954) 474–84.
J.B. Schaller: Genesis 1.2 im antiken Judentum. Diss. Göttingen 1961 (Masch.).
F. Scheidweiler: Paulus von Samosata. ZNW 46 (1955) 116–24.
W. Schneemelcher: Zur Chronologie des arianischen Streites. ThLZ 79 (1954) 393–400.
H.J. Schoeps: Theologie und Geschichte des Judenchristentums. Tübingen 1949.
G. Scholem: Jüdische Mystik. Frankfurt/Main 1957.
Jewish Gnosticism, Merkabah Mysticism and Talmudic Tradition. New York 1960.
K. Schubert: Die Religion des nachbiblischen Judentums. Freiburg-Wien 1955.
Jüdischer Hellenismus und jüdische Gnosis. Wort u. Wahrheit 18 (1963) 455–61.
E. Schwartz: Zur Geschichte des Athanasius. NGG 1904; 1905; 1908; 1911 = Gesammelte Schriften, Bd. 3. Berlin 1959.
R. Seeberg: Lehrbuch der Dogmengeschichte. Bd. 2; 3. Aufl. Leipzig 1923.
M. Simonetti: Studi sull'Arianesimo. Rom 1965.
Note sulla teologia trinitaria di Origene. VetChr 8 (1971) 273–307.
Le origini dell'Arianesimo. RSLR 7 (1971) 317–30.
Teologia alessandrina e teologia asiatica al concilio di Nicea. AugR 13 (1973) 369–98.

La crisi ariana nel IV secolo. Rom 1975.
E. Sjöberg: Der Menschensohn im äthiopischen Henoch. Lund 1946.
J.P. Smith: Hebrew Christian Midrash in Irenaeus, Epideixis 43. Biblica 43 (1957) 24–34.
G.C. Stead: The Platonism of Arius. JThS 15 (1964) 16–31.
P. Stiegele: Der Agennesiebegriff der griechischen Theologie des 4. Jahrhunderts. Freiburg/Br. 1913.
G. Strecker: Das Judenchristentum in den Pseudoklementinen. Berlin 1958.
A. Theocharis: Ἡ *ϑέσις τοῦ* Παροιμιῶν 8,22 *εἰς τὰς χριστολογικὰς ἐρίδες τοῦ δ᾽ αἰῶνος*. Kleronomia 2 (1970) 334–46.
L. de Tillemont: Mémoires pour servir à l'histoire ecclésiastique des six premiers siècles, Bd. VI. Venedig 1732.
F.G. Walch: Entwurf einer vollständigen Historie der Kezereien, 2. Theil. Leipzig 1764.
D.S. Wallace-Hadrill: Eusebius of Caesarea. London 1960.
A. Weber: APXH. Ein Beitrag zur Christologie des Eusebius von Cäsarea. Ohne Ort und Jahr (München 1965).
H. Weiss: Untersuchungen zur Kosmologie des hellenistischen und palästinensischen Judentums. Berlin 1966.
M. Werner: Die Entstehung des christlichen Dogmas problemgeschichtlich dargestellt. Bonn 1941. 2. Aufl. 1953.
J.M. Wiles: In Defence of Arius. JThS 13 (1962) 339–47.
A. Wlosok: Laktanz und die philosophische Gnosis. AAH 1960, 2.
H.A. Wolfson: Philosophical Implications of Arianism and Apollinarianism. DumPap 12 (1958) 5–28.

The Pre-existent Angel of the Maghariya. JQR 51 (1960/1) 89–106.

The Philosophy of the Church Fathers. Bd. I, 2. Aufl., Cambridge (Mass.) 1964.

Philo, Foundations of religious Philosophy in Judaism, Christianity and Islam. 2 Bände. 4. Aufl. Cambridge (Mass.) 1968.

E. Zeller: Die Philosophie der Griechen in ihrer geschichtlichen Entwicklung. Nachdruck Hildesheim 1963.

1. KAPITEL

Die Erforschung der Ursprünge des Arianismus

1. Weniger von der Parteien Gunst als von ihrem Haß verwirrt, hat das Charakterbild des Arius in der Geschichte kaum geschwankt: on voyoit en luy toutes les qualitez d'un serpent dangereux[1]. Die Begründung dafür ist freilich verschieden. Man sah Arius teils als Freund der Juden, teils als Abtrünnigen zum Heidentum. Bezeichnend ist etwa der Widerspruch zwischen Newman und Gwatkin[2]. Während Newman einen über Antiochien vermittelten Einfluß des Judentums auf den Arianismus sieht – aus der jüdischen Zeremonialreligion, deren fleischlicher Charakter dazu neigt, die Ehre Christi zu schmälern, gehe der Irrtum über die Person Christi hervor (a.a.O. S. 22) – hält Gwatkin den Arianismus für unjüdisch und „heidnisch bis ins Mark". Der arianische Christus sei nichts als ein heidnischer Halbgott und dieses Abgleiten in Vielgötterei ist ein Rückschlag heidnischen Denkens gegen die christliche Gottesanschauung[3]. Der Arianismus ruhe wesentlich auf der heidnischen Philosophie, seine Gottes- und Schöpfungslehre ähnelt der des Numenius von Apamea (S. 20 f.). Der Gegensatz zwischen Newman und Gwatkin führt sich zurück auf die Frage, ob der Arianismus aus alexandrinischer (von Newman S. 26 f. und 143 ff. abgelehnt) oder antiochenischer Überlieferung (was Gwatkin S. 17 und 19 abweist) entsprang. Doch ist das Problem der Wurzeln des Arianismus – Judentum oder alexandrinischer Platonismus – für Newman von untergeordneter Bedeutung gegenüber der Verteidigung der alexandrinischen Väter.
2. Diese Gedanken und die Versuche der Dogmengeschichtsschreibung überhaupt, den Ursprung des Arianismus aufzudecken, knüpfen an die antike Polemik und an die Nennung von Traditionen durch die streitenden Parteien an.

1 L. de Tillemont, Mémoires pour servir à l'histoire ecclésiastique des six premiers siècles. Bd. VI, Venedig 1732, S. 240.

2 J.H. Newman, The Arians of the Fourth Century, London 1833. – H.M. Gwatkin, Studies of Arianism, Cambridge 1882, ²1900.

3 Gwatkin ²S. 26 u. 16.

a) Das bekannte Selbstzeugnis des Arius, in dem er sich und Euseb von Nikomedien als Schüler Lukians von Antiochien bezeichnet[4] und der Ketzerstammbaum bei Alexander von Alexandrien, welcher die Lehre des Arius über Lukian auf Paulus von Samosata, Artemas und „Ebion" zurückführt[5], bilden den Ausgangspunkt für die „antiochenische" Theorie.

b) Für alexandrinischen Ursprung wird die Berufung der Arianer auf Dionys von Alexandrien[6] und die Ableitung ihrer Lehre aus der Theologie des Origenes angeführt, die freilich erst bei Epiphanius von Salamis[7] und Hieronymus[8] auftaucht, während Athanasius den Origenes als Zeugen gegen die Arianer benutzt[9].

c) Die Bemerkung bei Sokrates[10] und Sozomenus[11], Arius sei in der Dialektik sehr geschickt gewesen, gab neuzeitlichen Historikern Anlaß, eine wichtige Rolle der Philosophie bei der Entstehung des Arianismus anzunehmen[12]. Insbesondere sei der Agennesiebegriff des Arius aus Aristoteles geschöpft[13]. „Der Arianismus ist, philosophisch betrachtet, Aristotelismus"[14]. Andererseits suchen schon Zeitgenossen des Arius eine Verbindung zwischen ihm und dem Platonismus herzustellen. Das beweisen der Pseudo-Anthimus (= Markell von Ankyra)[15] und die Abgrenzung der Neuplatoniker von den Arianern, welche Athanasius – offenbar gegen die Behauptung eines Zusammenstimmens beider – vornimmt[16]. Eusebs von Cäsarea Auszüge zu Platos (Philos, Numenius', Plotins) Lehre vom zweiten Prinzip, welches unter dem höchsten Gott steht, konnten Anregung und Stoff für solche Er-

4 H.G. Opitz, Urkunden zur Geschichte des arianischen Streits, Berlin u. Leipzig 1934/5. Urk. 1 S. 3,7.

5 Urk. 14 S. 25,8–14 Opitz.

6 Athanasius, De sent. Dion. 1,2 S. 46,13 f. (Werke Bd. II, Opitz).

7 Epiphanius, Panarion haer. 64,4,2 S. 410,6 Holl.

8 Hieronymus, Ep. 51,3,3 S. 400,9 Hilberg; 84,4.

9 Athanasius, De decr. Nic. syn. 27,1–3 S. 23 f. Opitz.

10 Sokrates, Kirchengeschichte 1,5 MPG 67,41 ab.

11 Sozomenus, Kirchengesch. 1,15,3 S. 33,2 Bidez-Hansen.

12 Ältere Vertreter dieser Ansicht bei Ch.M.F. Walch, Entwurf einer vollständigen Historie der Kezereien, 2. Theil, Leipzig 1764 S. 601–3.

13 F. Loofs, Art. „Arianismus", RE[3] Bd. 2 (1897) S. 10,22 f.

14 H. Berkhof, Die Theologie des Eusebius v. Cäsarea, Amsterdam 1939 S. 35.

15 Anthimi Nicomediensis episcopi et martyri de sancta ecclesia, ed. G. Mercati. Studi e Testi 5 (1901) 87–98. § 13 (S. 97 Z. 64 ff.) § 16 (S. 98 Z. 84 f.): Die Arianer sind Jünger des Hermes, Plato und Aristoteles. Hier wird der Platonismus (und die Philosophie) negativ gewertet. – Markell als Verfasser: M. Richard, Un opuscule méconnu de Marcel d'Ancyre. Mél. de science rel. 6 (1949) 5–28.

16 Athanasius, De decr. 28,2 S. 24,20 ff. Opitz.

wägungen geben[17]. Gregor von Nyssa ärgert sich über eine Berufung des Eunomius auf Plato[18]. Unter den Neueren behauptete Petavius, Arius sei Platoniker gewesen[19]. Entschieden äußert sich Hagemann. „Gerade der alte Platonismus, ganz und rückhaltslos durchgeführt, ist der Boden, aus welchem seine (des Arius) häretische Gotteslehre hervorwächst“[20]. Hagemann weist auf den platonischen Gedanken der Teilhabe (μετοχή) bei Arius hin: dem Sohne (Logos) kommen göttliche Eigenschaften nicht im eigentlichen Sinne, sondern nur durch Teilhabe zu[21].

d) Um Arius in ein möglichst schlechtes Licht zu setzen, bringt ihn Athanasius mit den Juden[22], dem polytheistischen Heidentum[23], den Markioniten[24], den Valentinianern[25], den Manichäern[26] und Paulus von Samosata[27] zusammen. Der Pseudo-Anthimus nennt außer Plato und Hermes Trismegistos noch den Markioniten Apelles als Quelle für die arianische Lehre vom zweiten Gott und Demiurgen, der vom ersten Prinzip geschaffen wurde[28]. Die Annahme dreier Hypostasen stamme von Valentin, von „Hermes“ dagegen die Entstehung des Sohnes aus dem Willen Gottes[29]. Athanasius hingegen leitet den Ursprung des Logos aus Gottes Willen von dem Valentinianer Ptolemäus her[30].

Diese Behauptung eines Einflusses valentinianischer Gnosis auf Arius hat in der neuzeitlichen Forschung wenig Gegenliebe gefunden, zumal

17 Eusebius v. Caes., Praep. ev. 11,15–18 S. 36 ff. Mras.
18 Gregor v. Nyssa, Adv. Eunomium. MPG 45,813c (ed. W. Jaeger Bd. II, Leiden 1960, S. 227 § 33 f.).
19 D. Petavius, De trin. lib. I cap. 8,2. Ed.J.B. Fournials, Bd. 2 Paris 1865, S. 329.
20 H. Hagemann, Die römische Kirche und ihr Einfluß auf Disziplin und Dogma in den ersten 3 Jahrhunderten, Freiburg/Br. 1864, S. 497.
21 AaO. S. 523 f. mit Belegstellen.
22 Athan., Or. c. Ar. 1,8 MPG 26,25c; 3,27–28, ebd. col 380c–384b u. viele Stellen. Schon Alexander v. Alex. erhebt gegen Arius den Vorwurf des Judaismus: Urk. 14,4 S. 20, 5 ff. Opitz.
23 Athan., Or. c. Ar. 3,16. MPG 26, 353d–356b.
24 Athan., Or. c. Ar. 2,21. MPG 26,192a; ep. ad Adelphium 2. MPG 26, 1073b.
25 S. Anm. 24 und Or. c. Ar. 3,60. MPG 26,448 c-449a; 3,37 col. 464c.
26 Athan., Ep. ad episc. Aeg. et Lib. 16. MPG 25,573ab.
27 Athan., Or. c. Ar. 1,25. MPG 26,64c; 1,38 col. 89 d-92a; 3,26 col. 377a.
28 Ps. Anthimus § 17 S. 98 Z. 87–90 Mercati (s.o. Anm. 15): Apelles sagt: Markion lügt, wenn er behauptet, es gebe zwei Prinzipien. Ich aber behaupte ein Prinzip, welches das zweite erschuf.
29 Ps. Anthimus § 9 S. 96,45–50; § 14 S. 98,76–79 Mercati.
30 Athan., Or. c. Ar. 3,60. MPG 26,448 c-449a.

da Arius selbst sich gegen die Valentinianer wendet[31]. Beausobre hob die Unterschiede zwischen Arianern und Valentianern hervor[32] und das letzte große Werk über die Valentinianer teilt diesen Standpunkt[33]. Hagemann hatte dagegen eine Verwandschaft zwischen dem Gottesbegriff des Arius und der Gnostiker festgestellt[34].

3. Die Wurzeln des Arianismus und vor allem die Beziehung des Arius zu Origenes sind von den Anfängen der neuzeitlichen Dogmengeschichtsschreibung bis heute umstritten geblieben.

a) J.L. von Mosheim, der den beherzigenswerten Satz schrieb: Et postulat adhuc Historia Ariana virum probum et tam odii quam amoris expertem, erklärt sich gegen eine Ableitung des Arianismus von Plato und Origenes. Vielmehr wandele Alexander von Alexandrien, der Gegner des Arius, in den Spuren des Origenes[35]. Ch.W.F. Walch urteilt ebenso. Alexander habe sich dem Origenes weit mehr genähert als Arius, und der Origenist Eusebius von Cäsarea sei kein Arianer[36]. Walch ist aber auch kein Anhänger der „antiochenischen" Theorie[37]. Trotz seiner Urteilsenthaltung läßt er durchblicken, daß er Arius' Lehre als eine stark von Vernunftserwägungen bestimmte Neuerung ansieht[38].

W. Münscher, wohlunterrichtet und besonnen, wie immer, urteilt: „Arius hatte bey einem großen Theile seiner Behauptungen die meisten älteren Lehrer zu Vorgängern. Diese hatten deutlich genug gelehrt, daß der Sohn erst vor der Weltschöpfung als eine besondere Hypostase zu existieren angefangen habe (der er vorher nur in dem Vater existierte); sie hatten die Ausdrücke Schaffen und Zeugen nicht selten als gleichbedeutend gebraucht; sie hatten endlich die Würde des Sohnes zwar als sehr erhaben, allein doch als beträchtlich dem Vater untergeordnet beschrieben". Nur in der Behauptung, der Sohn sei nicht aus dem Wesen des Vaters entsprungen, sondern aus Nichts geschaffen, wich Arius von ihnen ab; er kam zu dieser Neuerung,

31 Ur. 6,3 S. 12,10 Opitz.

32 J. de Beausobre, Histoire critique de Manichée et du Manichéisme, Amsterdam 1734, Bd. I S. 544 u. 548.

33 A. Orbe, Hacia la primera teologia de la procesión del Verbo (Estudios Valentinianos I), Rom 1958, S. 685 und öfter.

34 Hagemann (s.o. Anm. 20) S. 517 f.

35 J.L. von Mosheim, Institutionum historiae ecclesiasticae antiquae et recentioris libri quatuor, Helmstedt 1755 S. 184 Anm. r.

36 Walch (s.o. A. 12), Entwurf Teil 7 (Leipzig 1776) S. 427–40; vgl. Teil 2 (1764) S. 676 f.

37 Entwurf, Teil 2, S. 603–6.

38 Entwurf, Teil 2, S. 606 f. in Verbindung mit Teil 7, S. 430 Zeile 6 ff.

weil er eine Zeugung des Sohnes nicht mit dem Begriff eines unteilbaren und unkörperlichen Gottes vereinbaren konnte. Münscher sieht also im Arianismus eine Weiterführung des frühkirchlichen Subordinatianismus, wobei er vornehmlich an die Apologeten zu denken scheint. Den Origenes nennt er in Verbindung mit Alexander von Alexandrien, der ebenso wie jener dem Logos als besonderer Hypostase allen Anfang des Daseins absprach[39].

Auch Neander findet die Wurzel des Arianismus in der überlieferten Unterordnung des Gottessohnes unter den Vater, bezeichnet aber genauer den Origenismus als Ursprung des Arianismus. Mit dem vorwiegend abendländischen System, welches die Wesenseinheit zwischen Gottvater und Sohn hervorhob, war das orientalisch-origenistische Emanations- und Subordinationssystem im Streit der beiden Dionyse zusammengestoßen. Indem dessen Gegensatz gegen das erste System auf die Spitze getrieben wurde, bildete sich ein drittes System, das des Arius, in welchem mit der Wesenseinheit zugleich die anfangslose Zeugung verworfen und der Sohn als Geschöpf gefaßt wurde[40]. Es geht freilich, damit sich alles in diese Erklärung füge, bei Neander nicht ohne Psychologie ab. Die Idee des anfangslosen Werdens sei dem Arius etwas zu Feines und Unfaßliches gewesen. Man erkenne daran, wie wenig die origenistische Anschauungsweise zum Geiste des Arius paßte[41].

Die Ableitung des Arianismus vollzieht sich bei F.Chr. Baur durch den Nachweis, daß es sich im arianischen Streit um die denknotwendige Entfaltung der Momente des Problems (Baur sagt „Begriffes") des Verhältnisses von Gott und dem Sohne handelt. Dieses Verhältnis kann als Einheit des Sohnes mit dem Vater und als Unterschied aufgefaßt werden. Arius geht von dem Unterschied beider aus und setzt diesen in die alleinige Ungezeugtheit des Vaters. In der Entschiedenheit und logischen Folgerichtigkeit, mit welcher er daran festhält, liegt „das Charakteristische des Arius und das Moment, an welchem ... seine ganze Bedeutung für die Geschichte des Dogmas hängt"[42]. Historisch gesehen liegt in der Lehre des Origenes, welche den Sohn auf der einen Seite soviel als möglich mit dem Vater in eins setzt, auf

39 Münscher, Handbuch der christlichen Dogmengeschichte, Bd. 3, Marburg 1802 § 39 S. 376 ff. Das Zitat auf S. 378.

40 A. Neander, Allgemeine Geschichte der christlichen Religion und Kirche, Bd. II,2, Hamburg 1830, S. 516 f.

41 Neander S. 518.

42 F.Chr. Baur, Die christliche Lehre von der Dreieinigkeit und Menschwerdung Gottes in ihrer geschichtlichen Entwicklung. Erster Teil, Tübingen 1841, S. 320.

der anderen aber ihm unterordnet und durch den Willen des Vaters bestehen läßt, der Ausgangspunkt für zwei entgegengesetzte Richtungen: Betonung der Einheit oder des Unterschieds[43]. Baur schließt aber den Arius nicht an den platonisierenden Hellenismus an. Der Unterschied von Gezeugtem (Sohn) und Ungezeugtem (Gott), worin der Arianismus mit den pseudoklementinischen Homilien übereinkommt, sei die zum Wesen des Judentums gehörige Trennung des Endlichen und Unendlichen. Hierzu verweist Baur auf altkirchliche Zeugnisse für den judaisierenden Charakter des Arianismus[44].

In dem heute zu Unrecht fast vergessenen Buche von H. Hagemann „Die römische Kirche und ihr Einfluß auf Disziplin und Dogma in den ersten drei Jahrhunderten"[45] wird eine scharfsinnige und umfassende Begründung der „alexandrinischen" Theorie gegeben. Dogmatisch gehöre Arius zu den Monarchianern älteren Schlages und sei in eine Reihe mit Theodotus, den Artemoniten und Paulus von Samosata zu stellen (S. 529). Darin habe Alexanders Ketzerstammbaum recht. Aber historisch gesehen könne die auf Alexanders Angaben gebaute moderne Hypothese vom antiochenischen Ursprung des Arianismus keinen Anspruch auf Wahrheit erheben (S. 533). Lukian habe dem Arius höchstens eine allgemeine Vorliebe für die monarchianische Richtung eingeflößt (S. 536). Das Eigentümliche des Arius, nämlich die Form, welche er der monarchianischen Lehre durch eine vermittelnde, teilweise Aufnahme des Trinitätsgedankens gegeben hat (also die Konzentration des ganzen göttlichen Wesens in der einen Person des Vaters und daneben die Lehre von zwei anderen göttlichen, aber in sich selbst beschränkten Hypostasen) – dieses Eigentümliche sei nur aus der wissenschaftlichen Überlieferung der alexandrinischen Schule erklärbar (S. 536). „Als die ursprüngliche Grundlage der arianischen Häresie betrachten wir demnach die Lehre des Origenes" (S. 540). Die einander widerstrebenden Elemente in der Auffassung des Origenes vom Verhältnis zwischen Gott und dem Logos/Sohn treten in eine Strömung nach rechts (in Richtung auf das spätere nicänische Dogma) und nach links (in Richtung auf Arius) auseinander (S. 487; 493).

b) Der Entwurf Hagemanns wirkte auf die nachfolgende, „klassische" Dogmengeschichtsschreibung ein. Harnack griff, trotz grundsätzlicher Abweichung von Hagemann, doch den Gedanken vom Vermittlungscharakter des Arianismus auf: dieser sei ein Kompromiß zwischen der

43 F.Chr. Baur, Lehrbuch der Dogmengeschichte, Stuttgart 1847, S. 85.
44 Baur, Die christl. Lehre von d. Dreieinigkeit usw. S. 351 f., Anm. 15.
45 Freiburg/Br. 1864.

„adoptianistischen“ Christologie des Paulus von Samosata und der Logoschristologie. Lukian und mit ihm Arius folgen der Lehre des Samosateners, aber statt des Menschen Jesus wird ein geschaffenes, himmlisches Wesen (der „Logos“) zum Herrn[46]. Die Doktrin des Origenes bildet nicht die Grundlage des Systems, sondern der Adoptianismus[47]. Doch leugnet Harnack nicht Einflüsse des Origenes: dessen kosmologisch-kausale Betrachtungsweise sei von Arius (Lukian) angeeignet, und während im strengen Arianismus die Tradition von Paulus von Samosata und Lukian her überwog, herrsche im abgemilderten die Subordinationslehre des Origenes vor[48]. Seiner religiösen Gesinnung nach ist Arius Hellenist[49].
F. Loofs berührt sich stärker mit Hagemann. Er stellt den Arianismus entschieden in die origenistische Überlieferung; es ist ein „modifizierter Origenismus“[50]. Die Spannung in der Logoslehre des Origenes: die Behauptung sowohl der Ewigkeit als auch der hypostatischen Selbständigkeit des Logos – eine Spannung, welche durch die Voraussetzung der Ewigkeit der von Gott verursachten immateriellen Welt (und die ewige Zeugung des Logos) aufgehoben wurde, mußte beim Fallen dieser Voraussetzung zum Auseinanderbrechen der Logoslehre führen. Entweder konnte die Ewigkeit des Logos auf Kosten seiner hypostatischen Selbständigkeit festgehalten werden, oder – was Arius tat – die hypostatische Selbständigkeit auf Kosten der Ewigkeit[51]. Loofs, der auf den „Lukianismus“ des Arius nicht verzichten will, muß deshalb Lukian als Origenisten betrachten. Die Gedanken des Arius seien lückenlos zu erklären aus den „uns bekannten Voraussetzungen der Theologie Lukians“, das heißt aus origenistischen und dynamistisch-monarchianischen Einflüssen (mit denen Paul von Samosata gemeint ist)[52]. Doch sei Paulus von Somasata von geringer Bedeutung für Arius[53]. Später hat Loofs die schon von dem Benediktiner Ceillier und von Gwatkin[54] vertretene Hypothese zweier Lukiane er-

46 A. Harnack, Lehrbuch der Dogmengeschichte, [5]Tübingen 1931, Bd. I S. 731 f.; Bd. II S. 187 f. – 1. Auflage Bd. II (1887) S. 184.
47 AaO. Bd. II S. 221. – 1. Auflage Bd. II (1887) S. 184; 187; 200. Vgl. auch Harnacks Artikel „Lucian“ in Herzogs Realencyklopädie, 2. Aufl. Bd. 8.
48 AaO. (5. Aufl.) Bd. II S. 221; 203.
49 AaO. (5. Aufl.) Bd. II S. 222.
50 F. Loofs, Artikel „Arianismus“, RE Bd. 2 (1897) S. 11,7.
51 Loofs, RE 2 S. 9,20–28. – F. Loofs, Leitfaden zum Studium der Dogmengeschichte, [4]Halle 1906 S. 221.
52 RE 2 S. 10,10–12.
53 Loofs, Dogmengeschichte S. 234 A. 2.
54 Gwatkin, Arianism (s.o. Anm. 2) [2]S. 17 A. 1.

neuert: der Märtyrer sei von dem Lehrer des Arius zu unterscheiden[55]. Auch R. Seeberg sieht den Arius in der Linie eines vergröberten origenistischen Subordinatianismus, stellt ihn aber in Gegensatz zu Paulus von Samosata[56].

Gelegentlich wird in dieser Periode der Arianismus als „flammender Protest des jüdischen Monotheismus gegen die Einführung der Trinitätslehre" bezeichnet[57]. Die Annahme jüdischen Einflusses auf Arius erscheint meist im Rahmen der „antiochenischen" Hypothese[58]. Dementsprechend leugnet Hagemann als reiner Anhänger der „origenistischen" Ableitung alle jüdischen Elemente bei Arius[59].

Die bisher dargestellten Ansichten sind in verschiedenen Verbindungen und Abwandlungen wiederholt worden[60]. Dabei geben die Vertreter der „antiochenischen" Theorie auch alexandrinisch-origenistische Einflüsse auf Arius zu, und die „Alexandriner" müssen sich irgendwie damit abfinden, daß Lukian von Antiochien der Lehrer des Arius war. Man bewegt sich auf eine „Mischtheorie" zu.

c) M. Werner versuchte, diese allmählich erlahmende Pendelbewegung zu unterbrechen[61]. Das „übliche dogmenhistorische Unternehmen", die theologische Abstammung des Arius aus der Geschichte der Systembildung (von Origenes und Lukian her) zu rekonstruieren, sei eine Angelegenheit von gänzlich zweitrangiger Bedeutung. Die arianische Lehre sei vielmehr der Versuch, die Engelchristologie (Christus als der oberste der von Gott geschaffenen Engel) in einer Weise zu verteidigen, welche der fortgeschrittenen Entwicklung der Logoschristologie Rechnung trägt. Die in den ersten drei Jahrhunderten nachwirkende urchristliche Engelchristologie bilde den wesentlichen Kern der arianischen Lehre.

55 F. Loofs, Paulus von Samosata, Leipzig 1924 S. 183–86. – G. Bardy, Recherches sur s. Lucien d'Antioche, Paris 1936, S. 52–9 hat sich trotz Kritik der Beweisführung von Loofs dieser Ansicht angeschlossen. Ebd. S. 52 die Angabe über Ceillier.

56 R. Seeberg, Lehrbuch der Dogmengeschichte, [3]Leipzig 1923 Bd. 2 S. 22 f.; 26.

57 M. Friedländer, Kirche und Synagoge in ihren Anfängen, Berlin 1908 S. 236.

58 S. das oben zu Newman Bemerkte.

59 Hagemann S. 535.

60 W. Elliger, Bemerkungen zur Theologie des Arius, Theol. Stud. u. Krit. 103 (1931) 244–51: Arius gliedert in das Gedankengebäude des Paulus v. Samosata den hypostatischen Logos ein. – G.L. Prestige, God in Patristic Thought, London 1936, [2]1952 S. 129 ff.: der Arianismus entsteht aus einem aufs äußerste gesteigerten Subordinatianismus.

61 M. Werner, Die Entstehung des christlichen Dogmas problemgeschichtlich dargestellt, Bern 1941, [2]1953 S. 371–88.

Gleichzeitig mit Werner hat J. Barbel, wenn auch wesentlich zurückhaltender, festgestellt, daß mit dem Angelostitel für Christus leicht unterordnende, also grundsätzlich zum Arianismus neigende Gedanken verbunden sind[62].

d) Seit 1957 ist die Frage nach den Ursprüngen des Arianismus erneut in Bewegung geraten[63].

Pollard eröffnete die Erörterungen mit einem Vorstoß zugunsten der antiochenischen These. Bei Arius sei nicht aus der alexandrinischen Überlieferung zu erklären: die wörtliche Schriftauslegung anstelle der Allegorie (wogegen Simonetti, Origini S. 319 ff. mit Recht einwendet, daß keinerlei Belege für die angebliche Literalexegese des Arius vorliegen); die monarchianische Betonung der Einzigkeit Gottes gegenüber dem trinitarischen Pluralismus des Origenes; die Trennung zwischen dem Logos in Gott und dem Sohn, der nur uneigentlich Logos heißt – eine Trennung, welche der origenistischen Theologie fremd sei. Aus diesen Abweichungen schließt Pollard auf antiochenische Einflüsse. Doch neigt er zu einer „Mischtheorie". Origenes war der Vater des Arianismus, Paulus von Samosata seine

62 J. Barbel, Christos Angelos. Die Anschauung von Christus als Bote und Engel in der gelehrten und volkstümlichen Literatur des Altertums, Bonn 1941. Nachdruck 1964 mit einem Anhang: Engelchristologie im Lichte der neueren Forschung. Vgl. S. 3–6; 139–41; Anhang S. 344–7. – Zum Problem s. auch J. Daniélou, Théologie du Judéochristianisme, Paris 1958 S. 168 f.

63 T.E. Pollard, Logos and Son in Origen, Arius and Athanasius, Stud. Patr. 2 (1957). – Ders., The Origins of Arianism. JThS 9 (1958) 103–11. – H.A. Wolfson, Philosophical Implications of Arianism and Apollinarianism, DumPap 12 (1958) 5–28. – T.E. Pollard, The Exegesis of Scripture and the Arian Controversy, BJRL 41 (1959) 414–29. – J.M. Wiles, In Defence of Arius, JThS 13 (1962) 339–47. – E. Boularand; Les débuts d'Arius, BLE 65 (1964) 175–203. – G.C. Stead, The Platonism of Arius, JThS 15 (1964) 16–31. – M. Simonetti, Studi sull'Arianesimo, Rom 1965. – E. Boularand, Denys d'Alexandrie et Arius, BLE 67 (1966) 162–9. – Ders., Aux sources de la doctrine d'Arius. La théologie antiochienne, BLE 68 (1967) 241–72. – F. Ricken, Nikaia als Krisis des altkirchlichen Platonismus, ThPh 44 (1969) 321–41. – T.E. Pollard, Johannine Christology and the Early Church, Cambridge 1970 S. 141–64. – L.W. Barnard, The Antecedents of Arius, VigChr 24 (1970) 172–88. – M. Simonetti, Le origini dell'Arianesimo, RSLR 7 (1971) 317–30. – E. Boularand, L'hérésie d'Arius et la »Foi« de Nicée, Paris 1972. – L.W. Barnard, What was Arius' Philosophy? ThZ 28 (1972) 110–7. – H.I. Marrou, L'arianisme comme phénomène alexandrin, CRAI 1973, 533–42. – M. Simonetti, Teologia alessandrina e teologia asiatica al concilio di Nicea, Augustinianum 13 (1973) 369–98. – Ders., La crisi ariana nel IV secolo, Rom 1975. – C. Luibheid, The Arianism of Eusebius of Nicomedia, ITQ 43 (1976) 3–23. – Für die Chronologie vgl. W. Schneemelcher, Zur Chronologie des arianischen Streites, ThLZ 79 (1954) 393–400.

Mutter[64]. Arius verlegt die Unterscheidung zwischen Logos und Sohn von der Inkarnation (der Sohn ist bei Paulus von Samosata der irdische Jesus, in dem der Logos Wohnung nimmt) zurück zum Anfang der Schöpfung (der Sohn ist das vorzeitliche Geschöpf von Gottes Logos). Das geschehe unter dem Einfluß der origenistischen Kosmologie[65]. Damit erneuert Pollard eigentlich die Auffassung Harnacks.

Wiles meint dagegen, daß alle von Pollard genannten Punkte aus der alexandrinischen Überlieferung erklärbar seien. Als alexandrinischen Vertreter der wörtlichen Schriftauslegung nennt er Petrus von Alexandrien (was wiederum von Simonetti, Origini S. 322 f. widerlegt wird, so daß dieser Streitpunkt sich in Nichts auflöst); zur Einzigkeit und Einheit Gottes lassen sich zahlreiche Stellen aus Origenes anführen und die Unterscheidung von Logos und Sohn sei eine aus der origenistischen Unterordnung des Sohnes unter den Vater gezogene Folgerung.

Auch Stead widerspricht Pollard. Die Theologie des Arius gehöre in die Geschichte des Origenismus, dessen Subordinatianismus von Arius verschärft werde. Es besteht eine gewisse Gemeinsamkeit zwischen Arius und Alexander von Alexandrien: Der Vater hat alle Fülle des Seins und der Herrlichkeit; der Sohn leitet sein Sein vom Vater ab[66]. Hinter dem Denken von Arius, Alexander und Athanasius steht die zeitgenössische platonische Kosmologie. Arius ist einer platonischen Tradition in der Kirche verpflichtet und befand sich vermutlich im Dialog mit nichtchristlichen Platonikern in Alexandrien.

Als Anwalt einer gemäßigt alexandrinischen These tritt Boularand auf, der besonders auf Dionys von Alexandrien hinweist. Arius hat die entscheidenden Begriffe seiner Lehre nicht aus Antiochien, sondern aus Alexandrien empfangen, wo sie seit Dionys umlaufen. Er habe aber aus Antiochien die rationalistische Methode und Exegese (dazu die oben erwähnten schlagenden Einwände Simonettis) und den judaisierenden Monotheismus des Paulus von Samosata bezogen.

Pollard ist bei seinen Ansichten geblieben. Der Arianismus kann nicht hauptsächlich als Links-Origenismus verstanden werden. Die geringe Unterstützung, welche Arius in der ägyptischen Kirche fand, spreche gegen alexandrinische Ableitung der Lehre des Arius[67] – was freilich nicht überzeugt und eher auf die Autorität und Macht des alexandrinischen Bischofs zurückgeführt werden muß.

64 JThS 9 (1958) 104.
65 Ebd. S. 108.
66 JThS 15 (1964) 22.
67 Pollard, Joh. Christol. S. 145 f.

In zwei Aufsätzen von 1970 und 1972 prüfte Barnard im Hinblick auf die Thesen von Pollard, Wiles und Stead die christlichen Denker Alexandriens von Athenagoras (den er als Alexandriner betrachtet) bis zu dem Märtyrerbischof Peter, ob sie eine Überlieferung bezeugen, auf der Arius fußen konnte. Er hebt Berührungen des Arius mit dem Gottesbegriff des Athenagoras (Simonetti, Origini S. 318 Anm. 4 hat bereits das Nötige dagegen gesagt), dem Subordinatianismus des Origenes, Dionys von Alexandrien, Theognost, Pierius, sowie mit der (angeblichen) Gegnerschaft Peters von Alexandrien gegen die Allegorie hervor. Aber eine proto-arianische Tradition in Alexandrien, aus welcher Arius schöpfe, sei nicht nachweisbar. Arius ist zwar „Alexandriner", aber er wählt willkürlich aus alexandrinischen Theologen einzelne Lehren für sein System. Dieses ist philosophischer Dualismus (Gott – Welt) und linker Origenismus[68]. Es ist im Grunde etwas Neues, obwohl Arius eklektisch mit älterem Material arbeitet.
Simonetti greift in dieses Gespräch mit dem Versuch ein, die alexandrinische These mit der antiochenischen zu versöhnen. Der Streit der beiden Dionyse zeigte, daß Arius völlig aus der alexandrinischen Umgebung erklärbar wäre. Aber dem widerspricht die Tatsache, daß er Schüler Lukians ist. Der Lösungsversuch Simonettis beruht darauf, daß er Arius und Lukian als Origenisten betrachtet, wodurch der Gegensatz „antiochenischer" und „alexandrinischer" Ableitung des Arianismus dahinfällt. Arius erweise sich als Origenist durch die Auffassung Gottes und des Logos als zweier persönlicher Hypostasen. Die Übereinstimmung von Lukians Schülerkreis in diesem Punkte nötige dazu, Origenismus Lukians anzunehmen. Das werde auch durch den origenistischen Charakter der zweiten, „lukianistischen" Glaubensformel der Kirchweihsynode von 341 in Antiochien bestätigt[69]. Zwischen Lukian, der den Logos hypostasiert, und Paulus von Samosata, welcher nur einen unpersönlichen Logos als bloße Dynamis in Gott kennt, ist eine tiefe Kluft befestigt. Die Tradition des Paulus von Samosata lebt in Eustathius von Antiochien wieder auf, hält sich also in Antiochien. Die von Alexander von Alexandrien berichtete Verurteilung Lukians[70] sei auf die Paulianisten daselbst zurückzuführen[71]. Simonetti stellt diese Vorgänge dann in den Rahmen des Ringens zwischen kleinasiatischem Monarchianismus (zu dem er auch

68 VigChr 24 (1970) 187.
69 Simonetti, Origini S. 327 f. u. A. 33. Text der Formel bei Hahn S. 184–6. Dort ältere Literatur.
70 Urk. 14 S. 25,8–14 Opitz.
71 Simonetti, Origini S. 330. Ich vermag Simonetti hierin nicht zu folgen.

Paulus von Samosata rechnet) und (alexandrinischem) Origenismus. Der Origenist Arius habe während seiner Ausbildung in Antiochien gegen die kleinasiatischen Monarchianer den origenistischen Subordinatianismus so hervorzukehren gelernt, daß er damit später in Gegensatz zu Alexander von Alexandrien geriet. Arius sei ein radikaler, Alexander ein gemäßigter Origenist[72]. Der Entwurf Simonettis ist also stark von F. Loofs inspiriert[73].

Marrou stellt die Entstehung des Arianismus in die kirchliche Welt Alexandriens: die kirchliche Lehrtätigkeit der alexandrinischen Presbyter (und damit des Arius) im Rahmen eines Wortgottesdienstes ohne Eucharistie am Mittwoch und Freitag[74].

Neben dem Streit um „Antiochien" oder „Alexandrien" (wobei anzumerken ist, daß zu Beginn des vierten Jahrhunderts von „antiochenischer Schule" im Sinne Diodors, Theodors von Mopsuestia und Theodorets noch keine Rede sein kann) wurde die Bedeutung der Philosophie und bisweilen auch des Judentums für die Entstehung des Arianismus erörtert.

Nach Pollard leitet sich der Arianismus aus einer rationalistischen Philosphie her, die freilich nicht näher bestimmt wird. Mit Recht beschränkt Pollard den „Aristotelismus" des Arius auf die Methode: den Gebrauch der formalen logischen Kategorien[75]. Das von Stead wieder angeschlagene Thema des arianischen Platonismus wird von Ricken aufgenommen. Er will die Transzendenzausagen des Arius in die Schultradition des mittleren Platonismus einordnen. Schon bei den vornicänischen Apologeten werden Kategorien des mittelplatonischen Demiurgen auf den johanneischen Logos übertragen. Dieses kosmologische Logosverständnis führe unter dem Einfluß des christlichen Schöpfungsgedankens und des mittelplatonischen Streites um Ewigkeit oder zeitliche Entstehung des Kosmos[76] bei Arius dazu, den Sohn dem Geschaffenen zuzuordnen.

Für Barnard ist Arius ein religiöser, kein philosophischer Denker. Arius hat das religiöse Streben, die Einheit und Einzigkeit Gottes zu bewahren, und man kann seine Lehre nicht auf Platonismus,

72 Simonetti, Teol. aless. e teol. asiat. S. 381.

73 Vgl. auch die zusammenfassende Darstellung Simonettis, La crisi ariana S. 46–55.

74 Epiphanius, haer, 69,2,1–3 S. 153 f. Holl, und Sokrates, h.e. 5,22. MPG 67,636a.

75 JThS 9 (1958) 105. Schon Harnack, Dogmengesch. Bd. 2 S. 189 f. (5. Aufl.) wies in diese Richtung.

76 Attikus bei Euseb, Praep. ev. 15,6 S. 359 ff. Mras. Zu diesem Streit s. auch C. Andresen, Logos und Nomos, Berlin 1955 S. 276–91.

Aristotelismus oder stoische Dialektik zurückführen. Philosophisches wird ihm durch die christlich-platonische Tradition Alexandriens vermittelt[77].

Bereits Wolfson hatte Arius religiöse Motive zugebilligt. Über die Religionsphilosophie habe Arius den alttestamentlichen Gedanken von dem einzigen Gott, welcher Schöpfer (und nicht „Zeugender") ist, aufgenommen. Insofern sei die Anklage der Väter, daß Arius judaisiere berechtigt. Von Philo stamme auch das Zweistufen-Schema in der Logoslehre: der Logos, in Gott als Gedanke Gottes, und in seinem Sonderdasein zum Zwecke der Weltschöpfung.

Damit taucht das Problem „Alexandrien oder Antiochien" auch innerhalb eines Teilgebietes: der Bestimmung etwaigen jüdischen Einflusses auf Arius, auf. Wenn Wolfson Recht haben sollte, wäre das Jüdische dem Arius aus alexandrinischer Theologie zugeflossen. Wir hatten gesehen, daß Newman Antiochien für die Vermittlung jüdischen Geistes an Arius in Anspruch nahm. Boularand verband sie mit dem Weiterwirken des Paul von Samosata, also ebenfalls mit Antiochien[78]. Auch Pollard räumt zuletzt in seiner Johannine Christology[79] die Möglichkeit ein, daß Arius in Antiochien jüdische Einflüsse erfahren habe.

Die Debatte seit 1957 über die Ursprünge des Arianismus hat kaum einen Gedanken zutage gefördert, welcher sich nicht schon in der älteren Dogmengeschichtsschreibung fände. Harnacks Ausführungen, insbesondere im zweiten Band seiner Dogmengeschichte, Seite 219 bis 227, gehören immer noch zu dem Gehaltvollsten, was über das arianische Problem gesagt worden ist. Der Nutzen der neueren Erörterungen liegt wesentlich in einer Verschärfung des Problembewußtseins und in der Berichtigung von Einzelheiten, wie der sich von Handbuch zu Handbuch fortschleppenden Behauptungen vom Aristotelismus des Arius[80]. Auch die Untersuchung des Schriftbeweises bei den Arianern und ihren Gegnern hat Fortschritte gemacht[81]. Wichtig

77 Barnard, ThZ 28 (1972) 114; 117; 112.

78 Boularand, L'hérésie d'Arius Bd. 1 S. 170 ff. Hier sind die Nachrichten über Judaismus des Paulus v. Samosata gesammelt.

79 S. 234 A. 3.

80 A. Tuilier, Le sens du terme ὁμοούσιος dans le vocabulaire théologique d'Arius et de l'école d'Antioche, StudPatr 3 (1961) 421–30, stellt die These auf, der Arianismus sei aus den logischen Unterscheidungen des Aristoteles zwischen erster und zweiter Usia hervorgegangen. Die Begründung bleibt an der Oberfläche und übersieht den gnostischen Gebrauch von homousios.

81 Siehe die Zusammenstellung bei Boularand, L'hérésie d'Arius S. 87–92 und die Arbeiten von Pollard (s.o. A. 63).

erscheinen mir die Versuche zu einer religiösen Würdigung des vielverschrieenen Arius, welche mit dem Aufmerken auf jüdisch-religiöse Züge seines Denkens zusammenhängen. Nachdem der Einfluß des mittleren Platonismus zunächst bei Origenes[82] und dem Apologeten Justin[83] bemerkt, und jetzt von Ricken auch auf Arius erstreckt wurde, könnte die Achtsamkeit auf „Jüdisches" hier zu Einschränkungen führen, wie sie in der Justinforschung schon versucht werden[84].

82 Hal Koch, Pronoia und Paideusis. Studien über Origenes und sein Verhältnis zum Platonismus, Leipzig 1932.

83 C. Andresen, Justin und der mittlere Platonismus, ZNW 44 (1952/5) 157–95.

84 Der Hintergrund des justinischen Denkes sei jüdisch und nicht mittelplatonisch; Justin füge dem christlich-jüdischen Traditionszusammenhang einzelne mittelplatonische Worte, Begriffe und Lehren ein. So F. Lentzen-Deitz, Psalm 2,7 ein Motiv früher hellenistischer Christologie? ThPh 44 (1969) 342–62.

2. KAPITEL

Übersicht über die wichtigsten Auszüge aus Arius bei Alexander von Alexandrien und Athanasius

1. Synoptische Darbietung des Materials

Die Lehre des Arius ist so oft dargestellt worden, daß ein erneuter Versuch hier nicht unternommen werden soll. Statt dessen gebe ich eine synoptische Übersicht der wichtigsten Stellen bei Alexander von Alexandrien und Athanasius, welche, auf Äußerungen des Arius gestützt, seine Anschauungen zusammenfassend kennzeichnen wollen. Es wird damit ein Überblick über die Gedanken und Leitmotive des Arius, so wie sie in den (freilich gegnerischen) Quellen enthalten sind, erreicht. Die einzelnen, mit römischen Ziffern bezeichneten Punkte dürfen dabei nicht als Abgrenzung von Fragmenten[1] verstanden werden, sondern als Hervorhebung der Gedanken. Bei dem Auszug des Athanasius, De synodis 15, in Spalte 6 der Tabelle ließ sich die durchlaufende Kennzeichnung mit den römischen Ziffern der Spalte 1 bis 5 nicht durchführen, da das Material stark abweicht. Ich gebe in Spalte 6 (wie in allen Spalten) die Stücke in der Reihenfolge, wie der Text sie bietet. Wo keine Entsprechungen in den anderen Spalten da sind, erscheint in Spalte 6 keine Ziffer. Wo Parallelen bestehen, ist die römische Zahl der Spalten 1 bis 5 in eckigen Klammern hinzugefügt.
In der Auswertung werden dann auch die Briefe und Bekenntnisse des Arius und die Reste des Schrifttums seiner Mitstreiter herangezogen werden.

1 Eine solche hat G. Bardy, Recherches sur s. Lucien S. 252–73 versucht.
2 Urkunde 4b, von Opitz auf c.319 datiert.
3 So auch G. Bardy, S. Alexandre a-t-il connu la Thalie d'Arius? Rev. des sciences rel. 7 (1926) 527–32.

Tabelle I

1. Alexander v. Alexandrien Enzyklika *ἑνὸς σώματος* Urk. 4b S. 7,19–8,10 (Opitz)	2. Athanasius or. c. Ar. 1,5–6 MPG 26,21a–24b	3. Athanasius or. c. Ar. 1,9 MPG 26,29ab
Was sie (Arius und Genossen) gegen die Schrift erfinden und sagen, ist Folgendes:	Nach dem Anfang der Thalia (col. 20c–21a) bringt Athanasius weitere „Spöttereien" aus diesem Werk	Aus der Thalia bringen sie vor
I. *Gott war nicht immer Vater* *οὐκ ἀεὶ ὁ θεὸς πατὴρ ἦν*. S. 7, Z 19	I. Gott war nicht immer Vater. Es gab einen Zustand, als Gott allein und noch nicht Vater war. col. 21a, Z. 5–7	I. Gott war nicht immer Vater col. 29a, Z. 15
II. *Der Logos (Sohn) ist ein Geschöpf* *οὐκ ἀεὶ ἦν ὁ τοῦ θεοῦ λόγος, ἀλλ' ἐξ οὐκ ὄντων γέγονεν. ὁ γὰρ θεὸς τὸν μὴ ὄντα ἐκ τοῦ μὴ ὄντος πεποίηκε.*	II. Der Sohn war nicht immer. Wie alles Gewordene aus dem Nichts geschaffen wurde, so auch der Sohn. 21a, Z. 8–11	II. Der Sohn war nicht immer. Er war nicht, bevor er erzeugt wurde (*γεννηθῇ*). Er ist nicht *ἐκ τοῦ πατρός· ἀλλ' ἐξ οὐκ ὄντων ὑπέστη καὶ αὐτός*. 29b, Z. 1–3
διὸ ἦν ποτε ὅτε οὐκ ἦν	*ἦν ποτε ὅτε οὐκ ἦν*. Der Sohn hat *ἀρχὴν τοῦ κτίζεσθαι*. 21a, Z. 11–13	
κτίσμα γάρ ἐστι καὶ ποίημα ὁ υἱός. Der Sohn ist dem Vater nicht *ὅμοιος κατ' οὐσίαν*. Z. 19–21.		*οὐκ ἔστιν ἴδιος τῆς οὐσίας τοῦ πατρός-κτίσμα γάρ ἐστι καὶ ποίημα*. 29b,3–4
	[VIII] Gott war allein. Als er uns erschaffen wollte schuf er einen, den er Logos, Sophia u. Sohn nannte. Dieser ist geschaffen, damit Gott uns durch ihn erschüfe. 21b,1–2. (vgl. or. 2,24 col. 200a; De decr. 8, S. 7, 18–21 (Opitz): Arius habe dies von Asterius übernommen).	

4. Athanasius, Ep. ad episc. Aegypti et Libyae 12. MPG 25,564b–565c	5. Athanasius. De decr. Nicaen. syn. 6,1–2. Werke, Bd. 2 (Opitz), S. 5,23–30.	6. Athanasius. De syn. 15: Werke, Bd. 2 (Opitz), S. 242–3.
Bischof Alexander schloss Arius aus der Kirche aus, der Folgendes dachte und sagte:	Die jetzigen wie die früheren Arianer sagen:	Nach seinem Ausschluss aus der Kirche schrieb Arius die Thalia, woraus im Auszug das Folgende:
I. Gott war nicht immer Vater col. 564b Z. 5	I. (der Vater) war nicht immer Vater S. 5 Z. 23	Gott ist in seinem Sein unaussprechlich für alle. Er hat Keinen, der ihm gleich ist. S. 242,9–10.
II. Der Sohn war nicht immer. Da alles Seiende aus dem Nichtseienden ist, so ist auch der Sohn *ἐξ οὐκ ὄντων*. Er ist ein *κτίσμα* und *ποίημα*	II. (der Sohn) war nicht immer	(Vom Wesen des Sohnes ausgehend, wird das Wesen des Vaters als Gegensatz bestimmt): *ἀγέννητος*, *ἄναρχος*, *ἀίδιος*. Z 11–13.
		Der *ἄναρχος* setzte den Sohn zur *ἀρχὴ τῶν γενητῶν* und beförderte ihn zu seinem Sohn (*τὸνδε τεκνοποιήσας*) Z. 14–15 (vgl. Spalte 2 Nr. [VIII]).
(Der Logos) *ἦν ποτε ὅτε οὐκ ἦν πρὶν γεννηθῆναι*. Er hat einen Anfang des Seins.	*οὐ γὰρ ἦν ὁ υἱὸς πρὶν γεννηθῇ ἐξ οὐκ ὄντων γέγονε*	(der Sohn) *ἴδιον οὐδὲν ἔχει τῆς τοῦ θεοῦ καθ' ὑπόστασιν ἰδιότητος*.
	Der Logos ist *κτίσμα* und *ποίημα*. Er ist *ξένος καὶ ἀνόμοιος κατ' οὐσίαν τοῦ πατρός*. 5,24–27.	Er ist Gott nicht gleich und nicht homousios. Z. 16–17 (vgl. Spalte 1,3,5 Nr. II).
Er wurde erschaffen, als Gott ihn erschaffen wollte. 564b,6–14.		Gott ist weise, *ὅτι τῆς σοφίας διδάσκαλος αὐτός*. Z. 18 (vgl. Asterius, Frg. IX, Bardy, Lucien S. 345).
[IV] Der Sohn ist von Natur wandelbar, bleibt aber durch seinen Willen gut. Gott schenkt ihm auf Grund seines		[VI] Gott ist unsichtbar denen, die durch den Sohn geschaffen wurden und dem Sohne selbst. Arius will er-

Forts. Tabelle I

1. (Alexander, Enzyklika, Urk. 4b)	2. (Athanasius or. c. Ar. 1,5–6)	3. (Athanasius or. c. Ar. 1,9)
		[V] καὶ οὐκ ἔστιν ἀληθινὸς θεὸς ὁ χριστός, ἀλλ' μετοχῇ καὶ αὐτὸς ἐθεοποιήθη. 29b,5–6.
		[VI] Der Sohn kennt (οἶδε) den Vater nicht genau (ἀκριβῶς) noch sieht der Logos den Vater vollkommen (τελείως) noch begreift und erkennt der Logos genau den Vater. 29b,6–9
III. *Die Lehre von den beiden Logoi und Sophiai.* Er ist nicht ἀληθινὸς καὶ φύσει τοῦ πατρὸς λόγος und nicht seine ἀληθινὴ σοφία, sondern er ist eines der Geschöpfe	III. Es gibt zwei Sophiai, eine ist die ἰδία, die mit Gott zugleich ist Der Sohn ist durch diese Sophia geschaffen (ἡ σοφία γὰρ τῇ σοφίᾳ ὑπῆρξε σοφοῦ θεοῦ θελήσει. Vgl. Spalte 6).	III. Er ist nicht der wirkliche (ἀληθινὸς) und einzige Logos des Vaters
Er wird καταχρηστικῶς Logos und Sophia genannt	Durch Teilhabe an dieser Sophia heisst er Sophia u. Logos. Es gibt in Gott auch einen anderen Logos. Durch Teilhabe daran wird der „Sohn" wiederum κατὰ	sondern heisst nur ὀνόματι Logos und Sophia und wird κατὰ χάριν Sohn und Dynamis genannt. 29b, 9–11

4. (Athanasius, ep. ad episc. Aegypti et Libyae 12)	5. (Athanasius, De decr. 6,1–2)	6. Athanasius, De syn. 15)
Vorauswissens vorwegnehmend die Doxa, die er später durch seine Tugend erlangte. 564b,14–564c,b.		läutern, wie der Unsichtbare vom Sohne gesehen wird: durch die *δύναμις*, mit der Gott sehen kann. In dem ihm gesetzten Masse (*ἰδίοις τε μέτροις*) erträgt (*ὑπομένει*) der Sohn es, den Vater zu sehen, *ὡς θέμις ἐστίν*. Z. 19–23.
[V] Sie sagen auch: Der Christus ist nicht *θεὸς ἀληθινός*, sondern wird *μετοχῇ* Gott genannt, wie auch alle anderen. 564c, 7–9.		[IX] Es besteht eine Trias ungleicher Herrlichkeit. Die Hypostasen sind unvermischt miteinander. Eine ist herrlicher als die andere *ἐπ' ἄπειρον*. Z. 24–26 (vgl. Spalte 2n. IX). [V] *ξένος τοῦ υἱοῦ κατ' οὐσίαν ὁ πατήρ*. Denn er ist anfangslos. Z. 27.
III. Sie fügen hinzu: Er ist nicht *ὁ ἐν τῷ πατρὶ φύσει καὶ ἴδιος τῆς οὐσίας αὐτοῦ λόγος* und nicht seine *ἰδία σοφία*, durch welche Gott die Welt schuf. Ein anderer ist der *ἴδιος λόγος* im Vater u. eine andere die *ἰδία σοφία*, durch welche der Vater den (uneigentlichen) Logos schuf	III. Der Sohn ist nicht *φύσει καὶ ἀληθινος λόγος τοῦ πατρός* und nicht seine *μονὴ καὶ ἀληθινὴ σοφία*, sondern eines der Geschöpfe	[VIII] Die *μονάς* war, die *δυάς* war nicht *πρὶν ὑπάρξῃ*. Auch wenn der Sohn nicht ist, ist der Vater Gott. *λοιπὸν ὁ υἱὸς οὐκ ὤν* (*ὑπῆρξε δὲ θελήσει πατρῴᾳ*) S. 243,1–3 (vgl. Spalte 4 Nr. II und [VIII]). [IX] Der Sohn ist eingeborener Gott *καὶ ἑκατέρων* (dem Vater u. h. Geiste) *ἀλλότριος οὗτος*. S. 243,4 (vgl. Sp. 2) [III] *ἡ σοφία σοφία ὑπῆρξε σοφοῦ θεοῦ θελήσει* Z. 5 (vgl. Spalte 2 Nr. III)
Er wird nur *κατ' ἐπίνοιαν* Logos (*διὰ τὰ λογικά*) und Sophia (*διὰ τὰ σοφιζόμενα*) genannt. 564c,9–565a,5.	Er wird nur *καταχρηστικῶς* Logos und Sophia genannt.	Der Sohn wird mit vielen Begriffen gedacht (*ἐπινοεῖται ... ἐπινοίαις*): Pneuma, Dynamis, Sophia, Doxa Theou, Aletheia, Eikon, Logos, Apaugasma, Phos.

Forts. Tabelle I

1. (Alexander, Enzyklika, Urk. 4b)	2. (Athanasius or. c. Ar. 1,5–6)	3. (Athanasius or. c. Ar. 1,9)
	χ ά ρ ι ν Logos u. Sohn genannt. 21b,2–9. (in or. c. Ar. 2,37 col. 225ab wird die Thalia als Quelle dieser Aussagen angegeben)	
Er ist geschaffen (γενόμενος) durch den ἴδιος Logos Gottes und die Sophia in Gott, durch welche (Sophia) Gott das All und ihn erschuf (πεποίηκεν). S. 7,22–8,2.	siehe oben	
	Einschub (eine dieser Häresie eigne Meinung, die sie in anderen Syngrammata darlegen, ist): Es gibt viele δυνάμεις. Die eine Kraft Gottes ist Gott von Natur eigen und ewig. Christus ist nicht die wahre Kraft Gottes, sondern eine der vielen, unter denen Heuschrecke und Raupe sogar „grosse Kraft" heissen (Joel, 2,25; dazu Ps. 23,10). 21b,9–21c,4. (dies wird in or. c. Ar. 2,37 col. 225b–228a dem Asterius zugeschrieben)	
IV. *Wandelbarkeit des Logos* Deshalb ist der Logos τρεπτὸς καὶ ἀλλοιωτὸς τὴν φύσιν wie alle λογικά. S. 8,2–3.	IV. Der Logos ist φύσει wie wir alle τρεπτός. Er bleibt aber durch seinen Willen gut, was Gott vorher weiss und ihm vorwegnehmend die Doxa schenkt, die er später als Mensch auf Grund seiner Tugend u. Werke erlangte. 21c,4–13. (vgl. or. c. Ar. 1,37 col. 88c–89a).	IV. Er ist nicht unwandelbar, wie der Vater, sondern τρεπτός ἐστι φύσει wie die Geschöpfe. 29b,12–13.
V. *Der Logos ist dem göttlichen Sein fremd und von ihm geschieden.* Der Logos ist ξ έ ν ο ς κ α ὶ ἀ λ λ ό τ ρ ι ο ς καὶ	V. Der Logos ist nicht wahrhaftiger Gott, sondern wird nur so genannt (μετοχῇ χάριτος) wie alle andern.	

4. (Athanasius, ep. ad episc. Aegypti et Libyae 12)	5. (Athanasius, De decr. 6,1–2)	6. Athanasius, De syn. 15)
		(vgl. or. c. Ar. 2,37. MPG 26,225a: Der Sohn heisst nur κατ' ἐπίνοιαν Logos, wie auch Weinstock, Weg, Tür, Holz des Lebens, Sophia). Z. 6–8. (vgl. Spalte 4 Nr. III)
	Er ist geschaffen durch den Logos in Gott wie alles andere. S. 5,27–30	
		Gott (ὁ κρείττων) kann einen, der dem Sohn gleich ist, hervorbringen (γεννᾶν), einen Ausgezeichneteren, Stärkeren oder Grösseren nicht. Z. 9–10.
		Der Sohn ist, was er ist, durch Gottes Willen. Z. 11.
		Seitdem er ἐκ τοῦ θεοῦ ὑπέστη, preist er, der ἰσχυρὸς θεός, den κρείττονα stückweise (ἐκ μέρους). Z. 12–13.
IV. siehe oben		
V. In der Tat sagen sie: Da alle Dinge ihrer Usia nach dem Vater fremd und von ihm getrennt sind, so ist auch dieser	V. Der Logos ist nicht ἀληθινὸς θεός. S. 5,30.	

Forts. Tabelle I

1. (Alexander, Enzyklika, Urk. 4b)	2. (Athanasius or. c. Ar. 1,5–6)	3. (Athanasius or. c. Ar. 1,9)
ἀ π ε σ χ ο ι ν ι σ μ έ ν ο ς τῆς τοῦ πατρὸς οὐσίας. S. 8,3–4.	*καὶ πάντων ξ έ ν ω ν καὶ ἀνομοίων ὄντων τοῦ θεοῦ κατ' οὐσίαν, οὕτω καὶ ὁ λόγος ἀλλότριος μὲν καὶ ἀνόμοιος κατὰ πάντα τῆς τοῦ πατρὸς οὐσίας καὶ ἰδιότητός ἐστι*. Er ist einer *τῶν γενητῶν καὶ κτισμάτων*. 21d–24a,8.	
VI. *Die Gotteserkenntnis des Sohnes* Der Vater ist für den Sohn unsichtbar. Der Logos erkennt und sieht den Vater	VI. Danach sagt (Arius) in der Thalia: Der Vater ist unsichtbar für den Sohn. Der Logos kann seinen Vater nicht voll-	VI. *καὶ λείπει αὐτῷ εἰς κ α τ ά λ η ψ ι ν τοῦ γνῶναι τελείως τὸν πατέρα*. 29b,13–14.

4. (Athanasius, ep. ad episc. Aegypti et Libyae 12)	5. (Athanasius, De decr. 6,1–2)	6. Athanasius, De syn. 15)
ξένος μὲν καὶ ἀλλότριος κατὰ πάντα τῆς τοῦ πατρὸς οὐσίας. Er ist einer *τῶν γενητῶν καὶ κτισμάτων*, ein *κτίσμα, ποίημα, ἔργον*. 565a,5–10	(Es folgen, in Polemik eingewoben, arianische Splitter: Sohnschaft durch Vorauswissen seiner sittlichen Bewährung (*βελτίωσις τρόπων*), S. 6,11–17 [IV]; Erschaffung allein des Sohnes durch Gott selbst, S. 6,24–26 – vgl. Arius, Urk. 6 S. 13,10: *μόνος ὑπὸ τοῦ πατρὸς ὑπέστη*; der Logos als Schöpfungsmittler (Asterius und Arius), S. 7,18–22 [VIII]).	
[VIII] Wiederum sagen sie: Gott erschuf uns nicht um des Sohnes willen, sondern diesen um unsertwillen. Gott war allein. Als er uns erschaffen wollte, schuf er ihn und nannte ihn sogleich Logos, Sohn, Sophia, damit er uns durch ihn erschüfe. Er ist, wie alles, durch den Willen (*βουλήματι*) Gottes aus dem Nichts geschaffen (*ὑπέστη, γέγονε*).		
Der Sohn ist nicht *φύσει γέννημα* des Vaters, sondern *χάριτι γέγονεν*.		
ὁ γὰρ θεὸς τὸν μὴ ὄντα υἱὸν πεποίηκε τῇ βουλῇ ἐν ᾗ καὶ τὰ πάντα πεποίηκε. 565a,11–565b,8. (Vgl. Spalte 6 Nr. [VIII] = De syn. 15. S. 243,3 Opitz).		
Einschub. Sie sagen auch dieses: Christus ist nicht die *φυσικὴ καὶ ἀληθινὴ δύναμις τοῦ θεοῦ*. Sondern er wird Dynamis genannt wie die Raupe und die Heuschrecke (Joel 2,25). 565b,9–12.		
VI. Dazu sagte er: Der Vater ist unaussprechlich für den Sohn. Der Sohn kann seinen Vater nicht vollkommen und ge-		VI. Gott ist für den Sohn *ἄρρητος. ἔστι γὰρ ἑαυτῷ ὅ ἐστι, τοῦτ' ἔστι ἄλεκτος*, so daß der

Forts. Tabelle I

1. (Alexander, Enzyklika, Urk. 4b)	2. (Athanasius or. c. Ar. 1,5–6)	3. (Athanasius or. c. Ar. 1,9)
nicht vollkommen (τελείως) und genau (ἀκριβῶς). S. 8,4–5.	kommen und genau sehen und erkennen. Er erkennt ihn ἀναλόγως und innerhalb des ihm gesetzten Masses wie wir. Er gelangt nicht zum καταλαβεῖν. 24a, 8–24b,2 (vgl. Spalte 6 Nr. VI).	
VII. *Die Selbsterkenntnis des Sohnes* Der Sohn kennt (οἶδε) auch seine eigne Usia nicht so wie sie ist. S. 8,5–6. (zu VI und VII vgl. Spalte 6).	VII. Der Sohn kennt (οἶδε) nicht nur den Vater nicht, sondern auch seine eigne Usia nicht. 24b,2–3.	
VIII. *Anthropozentrische Kosmologie* Der Sohn ist um unsertwillen geschaffen, damit Gott uns durch ihn wie durch ein ὄργανον erschaffe. S. 8,6–7	VIII. siehe oben	
[IV] In mündlicher Auseinandersetzung erklärten die Arianer, auf Befragen, der Logos könne sich ebenso wandeln wie der Teufel. In der Epistula ad Alexandrum (Urk. 14. Opitz) berichtet Alexander nur über Punkt II und IV, jedoch ausführlicher (S. 21,8–22,3). Bei der Widerlegung des Arius kommt auch der mit II zusammenhängende Punkt I zur Sprache (S. 23,28). Der Brief ist wichtig für den arianischen Begriff der Sohnschaft.	IX. *Die Trinität der drei unähnlichen Hypostasen.* Die Usia des Vaters und des Sohnes und des heiligen Geistes *μεμερισμέναι τῇ φύσει καὶ ἀπεξενωμέναι καὶ ἀπεσχοινισμέναι* (vgl. Spalte 1 Nr. V) *καὶ ἀλλότριοι καὶ ἀμέτοχοί εἰσιν ἀλλήλων* und einander unähnlich in ihren Usiai und Doxai *ἐπ' ἄπειρον* (vgl. Spalte 6 Nr. IX). Arius sagt, (*τὸν Λόγον*) *ἀλλότριον εἶναι παντελῶς ἑκατέρων τοῦ τε πατρὸς καὶ τοῦ ἁγίου πνεύματος* (vgl. Sp. 6 Nr. IX). Der Sohn ist für sich gesondert und hat keinen Anteil (*ἀμέτοχον κατὰ πάντα*) am Vater. 24b,3–13.	

4. (Athanasius, ep. ad episc. Aegypti et Libyae 12)	5. (Athanasius, De decr. 6,1–2)	6. Athanasius, De syn. 15)
nau sehen und erkennen. Der einen Anfang hat, kann den Anfangslosen nicht erkennen. Er erkennt und sieht ἀναλόγως und τοῖς ἰδίοις μέτροις wie wir. 565b,12–565c,4		Sohn nicht κατὰ κατάληψιν sprechen kann. Er kann den Vater nicht erforschen (ἐξιχνιάσαι), der ἐφ' ἑαυτοῦ ist. Z. 14–17.
VII. Er fügt hinzu: Der Sohn kennt (οἶδε) nicht nur den Vater nicht genau, sondern auch seine eigne Usia nicht. 565c,4–7.		VII. Der Sohn kennt (οἶδε) seine eigne Usia nicht. Denn als Sohn hatte er sein wirkliches Sonderdasein (ὑπῆρξεν ἀληθῶς) durch den Willen des Vaters. Wie wäre es denkbar, τὸν ἐκ πατρὸς ὄντα αὐτὸν τὸν γεννήσαντα γνῶναι ἐν καταλήψει; Was einen Anfang hat, kann den Anfangslosen, wie er ist, nicht begreifen oder erfassen. Z. 20–23.
VIII. siehe oben		
		[IX] siehe oben Die Anfangsverse der Thalia bringt Athanasius Or. c. Ar. 1,5 MPG 26, 20c–21a.

Die Tabelle I zeigt sehr deutlich, daß Alexander von Alexandrien schon in dem Briefe ἑνὸς σώματος[2] die Thalia des Arius benutzt hat[3]. Die Spalten 2 bis 5 bieten Auszüge aus der Thalia mit demselben Gedankenmaterial wie bei Alexander. Zudem berühren sich die in Spalte 1 bis 5 wiedergegebenen Berichte des Alexander und des Athanasius eng im sprachlichen Ausdruck[4] bei aller Abwandelung im einzelnen und stimmen im Aufbau weitgehend überein. Fast die gleiche Reihenfolge der Gedanken zeigen Spalte 2 und die (auf einem von Athanasius gekürzten Auszug beruhende) Spalte 5. In Spalte 2 ist der mit „Einschub" gekennzeichnete Abschnitt (vgl. auch Sp. 4) eine Einschaltung des Athanasius aus Asterius: aus sachlichen Gründen stellt der Bischof die Lehre von den zwei Dynameis des Vaters und des Sohnes zu der von den zwei Logoi und Sophiai. Punkt IX in Spalte 2 (die Trinität der drei unähnlichen Hypostasen) stört die von uns beobachtete Reihenfolge nicht, sondern ist ein Zusatz (vgl. Sp. 6), welcher über das in Spalte 1 bis 5 im Blick stehende Problem des Verhältnisses von Vater und Sohn hinausführt. Damit ergibt sich für Spalte 1 und 2 der gleiche Aufbau. Die verschiedene Stellung von Punkt VIII macht Schwierigkeiten. Der Befund in Spalte 2 und 4 deutet darauf, daß zwischen Punkt II und VIII sachliche Zusammenhänge bestehen. Auch in Spalte 6 (Anfang: die Exzerpte aus S. 242, 14–17 Opitz und Punkt [VIII] S. 243, 1–3 Opitz) macht sich die Verwandtschaft von II und VIII geltend. Das konnte Athanasius veranlassen, Punkt VIII an Punkt II anzuschließen (in Spalte 2). Die Reihenfolge V, dann VIII von Spalte 4 wiederholt sich in Spalte 6. Bei Alexander (Spalte 1) wirkt VIII wie ein Nachtrag. Diese Beweglichkeit von Punkt VIII dürfte darauf hinweisen, daß der zugrundeliegende Ariustext sich wiederholte. Schon in dem kurzen Brief an Euseb v. Nikomedien (Urk. 1 Opitz) sagt Arius jeweils zweimal, daß der Sohn nicht agennetos ist, daß er kein Teil des Ungewordenen, daß er nicht *ἐξ ὑποκειμένου τινός* ist. Noch häufiger sind die Wiederholungen im Glaubensbekenntnis an Alexander[5] (Vorzeitlichkeit des Sohnes: dreimal; Zeitlosigkeit seiner Entstehung: zweimal; durch den Willen Gottes: zweimal; nicht homousios: zweimal; Empfang des Seins und der Herrlichkeit vom Vater: zweimal).

Nicht nur Spalte 1, 2 und 5 zeigen denselben Aufbau. Dieser schimmert auch, bei stärkerer Verschiebung einzelner Punkte, deutlich in Spalte 3 und 4 durch. Da die Zitate des Athanasius ausführlicher als die Alexanders sind, hat er diesen nicht benutzt. Es ergibt sich, daß Alexander und Athanasius auf der gleichen Sammlung von Exzerpten aus der Thalia fußen. Es ist sogar nicht ausgeschlossen, daß Alexander sich diese schon von Athanasius hat anfertigen lassen.

Die Zitatensammlung aus der Thalia in De syn. 15 (Spalte 6) zeigt einen von Spalte 1 bis 5 deutlich verschiedenen Typ. Zwar fehlt es

4 Vgl. auch die Unterstreichungen.
5 Urk. 6 Opitz.

nicht an Berührungen (vgl. Punkt III in Spalte 2 und 6; die Punkte VI und VII in Spalte 1 bis 4 und 6; Punkt IX in Spalte 2 und 6; der möglicherweise bei Arius mit Punkt V zusammengehörte: vgl. ξένος, ἀλλότριος, ἀπεσχοινισμένος in Spalte 1 Nr. V mit Sp. 2 Nr. IX), auch ist Punkt VI in Spalte 3 und 6 in gleicher Weise auseinandergerissen. Doch der Aufbau ist in Spalte 6 (bis auf Punkt VI und VII) durchaus anders als in Spalte 1 bis 5[6]. Zur Erklärung der Berührungen genügt es, daß die beiden Typen von Auszügen aus demselben Text, der Thalia, gefertigt sind und (wenigstens für Spalte 2 bis 6) von demselben Athanasius. Die Thalia dürfte, obwohl oft das Gegenteil gesagt wird, nicht sehr umfangreich gewesen sein[7]. Allzugroße Länge hätte dem durch das Versmaß angedeuteten Charakter als Propagandaschrift widersprochen, auch ist das Gedankengut des Arius nicht sehr reich, sondern von entschiedener Monotonie.

2. Die Abfassungszeit der Thalia

Man setzt die Abfassung der Thalia gewöhnlich in die Zeit, da Arius in Nikomedien bei Euseb weilte und schließt dies aus Athanasius, De syn. 15,2: „Aber nach seiner Ausstoßung und angestiftet von den Eusebianern, stellte Arius seine Häresie in einem Schriftstück zusammen, und wie bei einem „Gastmahl" (Thalia) ahmte er keinen vernünftigen Menschen, sondern den Ägypter Sotades nach . . ."[8]. Kannengießer[9] meinte dagegen, die Thalia sei noch in Alexandrien von Arius geschrieben worden und erklärt Athanasius' Bemerkung über die Anstiftung durch die Eusebianer mit der Vermutung, daß gleich in den ersten Wochen und Monaten nach dem Ausschluß des Arius aus der alexandrinischen Kirche eine briefliche Stellungnahme Eusebs v. Nikomedien für Arius erfolgt sei. Das wird durch Urkunde 1 (Opitz) widerlegt. Dieser Brief des Arius an Euseb von Nikomedien ist, da Arius die Streitfrage erläutert, seine erste Aufnahme von Verbindung mit Euseb; erst danach erfolgt dessen Eingreifen und zwar – das erhellt aus den Angaben des Arius über die Verwicklung von Bischöfen Palästinas, Syriens und Kilikiens in die Auseinandersetzung – bei schon

6 Mit Spalte 4 hat Sp. 6 noch die Aufeinanderfolge der Punkte V und VIII gemeinsam.

7 γράφει μὲν πολλά (Athan., De syn. 15,2 S. 242,7 Opitz) ist polemische Herabsetzung.

8 S. 242,4–7 Opitz.

9 C. Kannengiesser, Où et quand Arie composa-t-il la Thalie? Kyriakon, Festschrift J. Quasten, Münster 1970, S. 346–51.

fortgeschrittener Entwicklung des Streites. Arius schreibt vermutlich von Palästina aus[10]. Doch ist Kannengießers Hypothese damit nicht erledigt. Sie wird vielmehr durch Alexanders Rundschreiben „Henos Somatos" gestützt. Aus diesem geht hervor, daß die von Alexander gebrachten Auszüge aus der Thalia die Grundlage für die Verurteilung des Arius auf der Synode von fast 100 Bischöfen aus Ägypten und Libyen bildeten. Denn Alexander fährt nach den Thaliazitaten fort: „Den Arius und seine Anhänger, welche das sagen und schamlos dabei bleiben, haben wir, versammelt mit etwa hundert Bischöfen Ägyptens und Libyens, verflucht"[11]. Da Athanasius in De syn. 15,2 berichtet, Arius habe sein Werk nach seiner Ausstoßung verfaßt (auch Arius beklagt sich in der Thalia über Verfolgung[12]), so muß die Thalia zwischen der Absetzung des Arius und der Synode der hundert Bischöfe entstanden sein. Der Vorwurf, der in Alexandrien gegen den Bischof erhoben wurde, Arius sei *ἀκρίτως* exkommuniziert worden[12a], konnte nach dieser Synode nicht mehr geäußert werden. Es muß also eine Zeit zwischen der Absetzung und dem Konzil verstrichen sein. Der Ablauf der Ereignisse stellt sich dann so dar: Nach längeren Verhandlungen mit Arius exkommuniziert Alexander ihn mitsamt seinen Anhängern in einer persönlichen Entscheidung, unterstützt durch das alexandrinische Presbyterium und einige anwesende Bischöfe[13]. Darauf folgt nach längerer Zeit der Unruhe die Vertreibung des Arius aus Alexandrien[14], der sich nun nach Palästina und schließlich an Euseb v. Nikomedien wendet. Nachdem Euseb seinen brieflichen Feldzug gegen Alexander ins Werk gesetzt hat[15], läßt Alexander auf der Synode der „hundert" Bischöfe die Exkommunikation des Arius bestätigen[16]. Sokrates[17] bezeichnet die große Synode gegen Arius als Antwort auf die Parteinahme Eusebs v. Nikomedien. Die Thalia muß also in der

10 Gegen E. Schwartz, NGG 1905 S. 259–60 (= Ges. Schr. 3,120), der Abfassung in Alexandria annimmt. Die Befassung mit dem Stand der Dinge in Palästina deutet auf Anwesenheit des Arius daselbst.

11 Alexander in Urk. 4b S. 8,11–13 Opitz.

12 Athan., Or. c. Ar. 1,5. MPG 26,21a.

12a Sozom., h.e. 1,15 S. 34,3 Bidez-Hansen. Das Sozomenuskapitel beruht wohl auf Sabinus. s.G. Schoo, Die Quellen des Kirchenhistorikers Sozomenus, Berlin 1911, S. 110.

13 Sozom., 1,15,4–6 S. 33, 13–24 Bidez-Hansen; Epiph., haer. 69,3,7 S. 155, 12–15 Holl.

14 Epiph., haer. 69,4,1 S. 155,18–21 Holl; Arius, Urk. 1. S. 1,9 Opitz.

15 Alexander, Urk. 4b S. 7,7.

16 Sozomenus, 1,16,1 S. 35,8 Bidez-Hansen: nachdem auch in Ägypten viele Synoden in dieser Sache stattgefunden hatten ...

17 Sokr., h.e. 1,6. MPG 67,44a.

Zeit der Wirren zwischen der ersten Ausschließung des Arius und der großen Synode entstanden sein – und zwar noch in Alexandrien[18]. Darauf weisen die spärlichen Reste der Thalia. Wenn Arius hier sagt, der Sohn sei „in der Zeit" (ἐν χρόνοις) entstanden[19], während er im Brief an Euseb dies „vor der Zeit und den Äonen" geschehen läßt[20], so spricht das für frühe Ansetzung der Thalia in die Zeit der anfänglichen Schroffheit des Arius[21]. Andererseits hören wir, daß er anfangs die Herleitung des Sohnes ἐκ τοῦ θεοῦ ablehnte[22]. Auch im Brief an Euseb tadelt Arius den Alexander, welcher lehrt: ἐξ αὐτοῦ τοῦ θεοῦ ὁ υἱός[23]. In der Thalia aber nennt er den Sohn τὸν ἐκ τοῦ πατρὸς ὄντα[24]. Hier scheint eine Unklarheit zu walten. Athanasius sagt an anderer Stelle, Arius leugne in der Thalia, daß der Sohn ἐκ τοῦ πατρός sei[25]. Man kann diesen Widerspruch damit erklären, daß Arius den Ausdruck „aus Gott" in zweierlei Sinne kannte: aus der Usia Gottes (was er ablehnte[26]) und „vom Vater herrührend, wie alle Geschöpfe"[27] (was annehmbar für ihn war). Deshalb sagt er nie ἐξ αὐτοῦ τοῦ θεοῦ (das hieße ja „aus Gottes Usia"), sondern entweder ἐξ αὐτοῦ[28] oder ἐκ τοῦ θεοῦ[29]. Derselbe doppelsinnige Gebrauch von „aus Gott" findet sich im Briefe Eusebs von Nikomedien an Paulin von Tyrus[30]. Es lassen sich also hierauf keine chronologischen Erwägungen gründen.

18 Eine andere Hypothese trägt E. Schwartz vor (Zur Geschichte des Athanasius, NGG 1905, S. 265; 290 f. = Ges. Schr. 3,127; 157 f.). Er läßt die Ausstoßung des Arius gleich durch das Konzil der „Hundert" geschehen und setzt zwischen dieses und die Enzyklika Alexanders (Urk. 4b) den Zeitraum, in welchen der briefliche Feldzug Eusebs v. Nikomedien zu Gunsten des Arius fällt. Damit läßt sich jedoch die oben gemachte Beobachtung nicht vereinbaren, daß die Thalia (in der Arius über Verfolgung klagt) bereits der Synode vorlag.
19 Athan., De syn. 15 S. 242,11 Opitz.
20 Urk. 1 S. 3,2 Opitz. Ebenso im Bekenntnis an Alexander, Urk. 6 S. 12,7.
21 Vgl. den Bericht des Sozomenus 1,15,5 S. 33,14 f. Bidez-Hansen: jede der streitenden Seiten wich nicht und versuchte zu siegen.
22 Georg (später Bischof von Laodikea) in Urk. 13 S. 19,2 Opitz.
23 Urk. 1 S. 2,3 Opitz.
24 Athan., De syn. 15 S. 243, 20 Opitz.
25 Athan., Or. c. Ar. 1,9. MPG 26,29b (vgl. Tabelle I Sp. 3 Nr. II).
26 Vgl. Urk. 6 S. 13,17 Opitz. Athanasius hat, wenn er Arius anklagt, er verwerfe, daß der Sohn ἐκ τοῦ πατρός sei (s. A. 25) vermutlich ein αὐτοῦ fortgelassen.
27 Vgl. Georg (v. Laodikea), Urk. 13 S. 19,3–5 Opitz.
28 Urk. 6 S. 13,17 Opitz Urk. 30 S. 64,6.
29 Thalia, Athan. De syn. 15 S. 243,12 Opitz.
30 Urk. 8 S. 16,12 Opitz: ablehnend („wenn er aber aus ihm, das heißt von ihm wäre, wie ein Stück von ihm"); S. 17,7 zustimmend („alles ist aus Gott" 1. Kor. 11,12).

Dagegen bleibt die Verwendung des Zeitbegriffes für die Erschaffung des Sohnes ein Hinweis auf frühe Entstehung der Thalia[31] bevor Arius in Palästina und Nikomedien genötigt war, seinen Radikalismus zu mäßigen.
Aus dem Gesagten ergibt sich, daß die Behauptung des Athanasius, die „Eusebianer" hätten die Abfassung der Thalia veranlaßt, als bloße Polemik betrachtet werden muß.

31 Später vermieden die Arianer sorgfältig den Gebrauch des Wortes „Zeit" in diesem Zusammenhang. Athan., Or. c. Ar. 1,13. MPG 26,40bc. – G.C. Stead, The Thalia of Arius, JThS 29 (1978) S. 28 bezieht *τὸν ἐν χρόνοις γεγαότα* auf die Inkarnation. Das ist abzulehnen. Es geht im ganzen Zusammenhang um den Präexistenten und der Parallelausdruck zu „der in der Zeit geworden ist", lautet: „der einen Anfang hat". Athan., De syn. 15 S. 242,12–14 Opitz.

3. KAPITEL

Vorläufige Bestimmung des theologischen Ansatzes bei Arius

Bei der Auswertung der Fragmente des Arius muß natürlich berücksichtigt werden, daß es sich um Stücke handelt, welche in polemischer Absicht ausgewählt und aus ihrem Zusammenhang gelöst wurden. Aber die Sätze, welche den Widerspruch der Gegner des Arius weckten, dürfen wiederum als kennzeichnend für ihm eigentümliche Anschauungen angesehen werden. Läßt sich über den theologischen Zusammenhang, in dem diese Sätze standen, noch etwas ermitteln?

1. Die Theologie des Arius als Christologie

Allgemein sieht man im Gottesbegriff den Schlüssel zur arianischen Lehre: Arius gehe von der Aseität Gottes, dem *ἀγέννητον εἶναι* Gottes und von der Ablehnung aller emanatistischen Gedanken aus. Von daher gerate bei ihm der Sohn auf die Seite der Geschöpfe[1]. Aber warum kommen die „Orthodoxen" von der Agennesie Gottes, die sie ebenso behaupten, nicht zur Geschöpflichkeit des Sohnes?

Es ist zuzugeben, daß der Gottesbegriff bei Arius ein eignes Gewicht hat. Ihm ist es Herzenssache, keine Minderung der Majestät und Einzigkeit Gottes zuzulassen[2]. Aber er entwickelt seine Gotteslehre in ständiger Beziehung auf die Christologie und aus dem Gegensatz zur Christologie. Im Briefe an Euseb v. Nikomedien spricht er vom Sohn und blickt von da auf den Vater: „der Sohn ist nicht ungezeugt, noch ein Teil des Ungezeugten. Einen Anfang hat der Sohn, Gott aber ist anfangslos"[3]. Genau denselben Befund bietet die Thalia: „Wir nennen ihn (scil. Gott) *ἀγέννητος* wegen des, der seiner Natur nach

1 So F. Loofs, Artikel „Arianismus", RE [3]Bd. 2 S. 10,23 ff.; R. Seeberg, DG Bd. 2 S. 23. Auch Harnack, DG [5]Bd. 2 S. 197 f. betrachtet die Gotteslehre als Ausgangspunkt des Arius.

2 Fragment im Briefe Konstantins an Arius, Urk. 34 S. 73,9.19 Opitz.

3 Urk. 1 S. 2,10; 3,4 Opitz.

gezeugt ist; wir preisen ihn als anfangslos wegen des, der einen Anfang hat; wir verehren ihn als ewig wegen des, der in der Zeit geworden ist"[4]. Von der Anschauung des Sohnes als des Gewordenen und Erschaffenen her faßt Arius die ihm überlieferten Gottesprädikate (*ἀγέννητος*, *ἄναρχος*, *ἀίδιος*), welche er mit den Gegnern gemeinsam hat, auf. Im Blick auf den Sohn erscheint in seinem Glaubensbekenntnis an Alexander, wo die Gotteslehre darzustellen war, Gott als *μόνος ἀγέννητος*, *μόνος ἀίδιος*, *μόνος ἄναρχος* und so fort[5]. Die Theologie des Arius ist in erster Linie Christologie[6].

2. Der Sohn als Geschöpf

Es muß nach Möglichkeit versucht werden, den „Sitz im Leben" der christologischen Formeln des Arius, ihren „Horizont" zu bestimmen. Arius sagt: der Sohn ist nicht agennetos (Urk. 1). Gott war nicht immer Vater, sondern wurde es, als er durch seinen Willen (*ϑελήματι καὶ βουλῇ*) den Sohn schuf (Urk. 1; Tabelle I Nr. I). Daher gilt von diesem *ἦν ποτε ὅτε οὐκ ἦν* er ist ein *κτίσμα* und *ποίημα* (Tab. I Nr. II). Er ist nicht *ἐξ αὐτοῦ τοῦ ϑεοῦ* sondern geschaffen *ἐξ οὐκ ὄντων* (Urk. 1; Tab I. Nr. II). Die beiden letzten Aussagen sind dem Arius ebensowenig wie die Formel *ἦν ποτε ὅτε οὐκ ἦν* von orthodoxer Seite untergeschoben worden[7]. Der Streit um *ἐκ τοῦ ϑεοῦ* wird von dem Presbyter Georgius bezeugt, auch die Erschaffung des Sohnes aus Nichts und die Formel: „Es war (eine Zeit, ein Zustand), da er nicht war" findet sich bei ihm[8]. Beides wird zudem durch eine Fülle gleichlaufender Aussagen von Ariusbruchstücken[9] und die ausführliche Widerlegung

4 Athan., De syn. 15 S. 242,10–12 Opitz.

5 Urk. 6 S. 12,4 ff. Opitz.

6 M. Werner kommt dieser Einsicht nahe, wenn er (Entstehung des christl. Dogmas S. 376) sagt, daß für Arius die These von der Geschöpflichkeit des Sohnes aus der Engelchristologie folge. Doch bleibt dies ein Glied innerhalb Werners Hypothese von der dogmengeschichtlichen Rolle der Engelchristologie.

7 Gegen P. Nautin, Deux interpolations orthodoxes dans une lettre d'Arius, Anal. Boll. 67 (1949) 131–41. Vgl. H.I. Marrou, Nouvelle Histoire de l'Eglise I, Paris 1963 S. 291. – M. Simonetti (Studi sull'arianesimo, Rom 1965 S. 88–109) widerspricht Nautins Annahme einer Einschaltung. Er schwankt jedoch hinsichtlich des Satzes „es war (eine Zeit) da er nicht war" (S. 114 A. 16).

8 Urk. 12 u. 13 S. 19 Opitz.

9 Tabelle I Nr. II. Dazu Spalte 6 Nr. IX: *ὁ υἱὸς οὐκ ὤν* (*ὑπῆρξε δὲ ϑελήσει πατρῴᾳ*); Urk. 6 S. 13,9 Opitz: *οὐκ ἦν πρὸ τοῦ γεννηϑῆναι.* – Euseb v.

bei Alexander[10], der bestimmt nicht gegen eine von ihm selbst zurechtgemachte Häresie focht, gedeckt. Wären die Formeln nicht von Arius, so wäre Alexander sofort der Täuschung überführt worden und sie hätten keine Aufnahme in das Nicänum finden können.
Die Behauptung der Geschöpflichkeit des Sohnes wird ergänzt: durch Aussagen über den Grund der Erschaffung des „Logos" (Tab. I Nr. VIII), über die zwei Logoi und Sophiai (Nr. III), über die Gotteserkenntnis des Sohnes (Nr. VI). Die Thalia wirft auch Licht auf das Bekenntnis des Arius an Alexander (Urk. 6), sie macht klar (Nr. IV), daß die „Unwandelbarkeit" des Sohnes im Bekenntnis[11] keine Unwandelbarkeit seiner Natur, sondern die gleichbleibend durchgehaltene sittliche Leistung ist, und daß die drei Hypostasen des Vaters, Sohnes und heiligen Geistes[12] völlig voneinander getrennte Substanzen sind (Nr. IX).

3. Der kosmologische Rahmen der Christologie des Arius

Einige der erwähnten Begriffe und Formeln, mit denen die Christologie des Arius arbeitet, gehören in den Zusammenhang philosophischer Weltentstehungslehren.

a) ἦν ποτε ὅτε οὐκ ἦν

Die Herkunft dieser Wendung aus der philosophischen Kosmologie ist schon längst beobachtet worden[13]. Dort wird oft gesagt: Es gab keine Zeit, als die Welt nicht war. H. Koch verwies auf Kalvisius Taurus (um 145 n.Chr.). *οὐδέποτε ἦν, ὅτε οὐ πεφωτίσθαι* (scil. der Mond) *ὑπ' αὐτοῦ* (der Sonne)[14] und vor allem auf Albinus' Wiedergabe der Schöpfungslehre Platos: wenn er (Plato) sagt, die Welt sei geworden, so ist er nicht so zu verstehen *ὡς ὄντος ποτὲ χρόνου ἐν ᾧ οὐκ ἦν ὁ κόσμος*[15]. Albinus erläutert dies mit dem ewigen Entstehen der Welt: sie befindet sich immer im Werden und weist auf eine ursprüngliche

Nikomedien (Urk. 2 S. 3 Opitz): das Geschaffene war nicht, bevor es entstand.

10 Urk. 4b S. 9,1 u. 5; Urk. 14 S. 21,7–23,31 Opitz.

11 Urk. 6 S. 12,9 Opitz.

12 Urk. 6 S. 13,7 Opitz.

13 H. Koch, Pronoia und Paideusis, Berlin u. Leipzig 1932, S. 274 f. – C. Andresen, Logos u. Nomos, Berlin 1955, S. 313. – E.P. Meijering: Ἦν ποτε ὅτε οὐκ ἦν ὁ υἱός. A Discussion on Time and Eternity, VigChr 28 (1974) 161–8.

14 Bei Joh. Philoponus, De aetern. mundi S. 147,8 Rabe.

15 Albinus, Didaskalikos S. 169,26 ff. Hermann.

Ursache ihres Daseins hin[16]. Philo von Alexandrien sagt dagegen vom Kosmos: *καὶ ἦν ποτε χρόνος ὅτε οὐκ ἦν*[17]. Die Gebräuchlichkeit dieser Wendung geht auch aus Methodius (genannt von Olympus) hervor[18].

b) ἀγέν(ν)η τος – γεν(ν)ητός

In der Aussage „es war (eine Zeit, ein Zustand) als die Welt (der Sohn) nicht war", steckt das Zeitproblem. Es spielt auch bei Arius eine Rolle, er versucht durch Fortlassung des Wortes *χρόνος* in seiner Formel die Zeitvorstellung von Gott fernzuhalten[19]. Begriff und Ursprung der Zeit wurden in der Kosmologie erörtert[20]. Deshalb taucht die Frage nach dem Sein der Zeit im 11. Buch der Konfessionen Augustins bei der Auslegung des Schöpfungsberichtes auf.
Die Überlegungen zum Zeitproblem hängen mit dem Streit zusammen, ob die Welt geworden oder ungeworden sei. Das Problem wird schon von Plato, Tim. 28b aufgeworfen und dann im Platonismus heftig erörtert[21]. Gegen die Philosophen, welche den Kosmos für *ἀγένητος* halten, wirft Philo ein, man zolle damit der Welt mehr Bewunderung, als dem Weltschöpfer[22]. Das wird von Euseb von Cäsarea, dem Zeitgenossen des Arius, ausführlich zitiert[23]. Auch Dionys v. Alexandrien verfocht die alleinige Ungewordenheit Gottes gegen die Ungewordenheit der Materie[24]. Die Entgegensetzung von *ἀγέν(ν)ητος* (Gott, Materie) und *γεν(ν)ητός* (Geschaffenes)[25] wurzelt also in Problemen der Kosmologie, vor allem der platonischen, und weist nicht ohne weiteres auf Aristoteles.

16 Albinus, Didask. S. 169,28 f. Hermann.
17 Philo, De decal. 58.
18 Methodius, De autexusio 12,3 S. 176,9 Bonwetsch.
19 Athanasius, Or. c. Ar. 1,13. MPG 26,40bc.
20 Schon bei Plato, Tim. 37d ff. Vgl. Andresen (s.o. A. 13) S. 276 ff. Ausführlich handelt über „Zeit" Joh. Philoponus, De aet. Mundi 5,1 S. 104–119 Rabe, wo oft wiederkehrt: *ἦν ποτε ὅτε οὐκ ἦν χρόνος*.
21 Eine Übersicht über die Meinungen der Platoniker über Gewordenheit oder Ewigkeit der Welt bei E. Zeller, Die Philosophie der Griechen Bd. II,1 [4]S. 792 A. 1.
22 Philo, De opif. 7.
23 Eusebius, Praep. ev. 8,13 S. 461 Mras.
24 Dionysius Alex., Elenchos ed. Feltoe S. 182, 12–185,4.
25 Die Schreibung mit einem oder doppeltem *ν* braucht zu dieser Zeit keinen Sinnunterschied zu bedeuten. Vgl. P. Stiegele, Der Agennesiebegriff der griechischen Theologie des 4. Jahrhunderts, Freiburg/Br. 1913. – L. Prestige: *Ἀγέν(ν)η τος* and *γεν(ν)ητός* and kindred words in Eusebius and the Early Arians, JThS 24 (1922/3) 486–96. – Ders., God in Patristic Thought, [2]London 1952.

c) πρός τι und *μετοχή*

Arius schreibt in seinem Bekenntnis an Bischof Alexander[26]: der Sohn ist nicht gleichewig mit dem Vater *οὐδὲ ἅμα τῷ πατρὶ τὸ εἶναι ἔχει, ὥς τινες λέγουσι τὰ πρός τι, δύο ἀγεννήτους ἀρχὰς εἰσαγούμενοι.* „Auch hat er nicht gleichzeitig mit dem Vater das Sein, so wie einige den Begriff Korrelation gebrauchen, womit sie (im vorliegenden Falle) zwei ungewordene Prinzipien einführen." Der Presbyter bezieht sich hier auf Aristoteles, Kateg. 7 b 15: *δοκεῖ δὲ τὰ πρός τι ἅμα τῇ φύσει εἶναι.* Das gilt jedoch nach Aristoteles nicht für alle Korrelativa. So ist zum Beispiel der Gegenstand des Wissens (*τὸ ἐπιστητόν*) früher als das Wissen (*ἐπιστήμη*) (Kateg. 7b 20 ff.). Darauf geht die Einschränkung *τινὲς λέγουσι* bei Arius. Denn Simplicius[27] spricht von einer Richtung, welche gegen Aristoteles für alle Korrelativa das *ἅμα εἶναι* behauptet. Dazu gehörte Porphyrius[28].
Derjenige, welcher „zwei ungewordene Prinzipien" einführt, ist für Arius Alexander. Dieser beklagt sich: „sie sagen nämlich, daß wir ... zwei Ungewordene lehren"[29]. Aber in dem versöhnlich gehaltenen Brief verschleiert Arius die Kritik durch eine gelehrte Bemerkung: ein bestimmter Gebrauch des Begriffs „Korrelation" im Sinne gleichzeitiger Existenz führt bei Anwendung auf das Verhältnis zwischen Gott und seinem Logos zur Annahme zweier *ἀγέννητοι ἀρχαί.* Zwar finden wir in den erhaltenen Briefen Alexanders nicht den Begriff der Korrelation selbst, wohl aber die Sache, wenn er behauptet, durch die Bestreitung des ewigen Seins des Sohnes werde auch das ewige Sein des Vaters aufgehoben (*συναναιρεῖται*)[30]. Bei solchen Aussagen mußte sich Arius an Kateg. 7b 20 erinnert fühlen: Wenn ein Herr da ist, muß auch ein Sklave da sein und umgekehrt, *καὶ συναναιρεῖ δὲ ταῦτα ἄλληλα.* Arius führt mit seiner Bemerkung zu *τὰ πρός τι* einen theologischen Streitpunkt auf seinen philosophischen Grund zurück[31].
Die von ihm kritisierte Auffassung der Relation begegnet auch bei

26 Urk. 6 S. 13,10 ff. Opitz.
27 Simplicius, In Arist. categ. comment. S. 194,28–195,30 Kalbfleisch.
28 Porphyrius, In Arist. categ. comment. S. 119,4 ff. und 120,23 ff. Busse. Die logischen Erwägungen des Porphyrius sind hier von neuplatonischer Metaphysik beeinflußt. Er begründet die Gleichzeitigkeit von *ἐπιστητόν* und *ἐπιστήμη* mit dem ewig vorhandenen Wissen des ewigen Nus, ebd. S. 120,33 ff.
29 Urk. 14 S. 26,22 ff. Opitz.
30 Urk. 14 S. 23,31–24,7 Opitz.
31 *Lit.*: R. Arnou, Arius et la doctrine des relations trinitaires, Gregorianum 14 (1933) 269–72. – J. de Ghellinck, Qui sont les *ὥς τινες λέγουσι* de la lettre d'Arius? Miscell. Mercati Bd. 1, Rom 1946, 127–44.

Origenes. Wenn es keinen Werkmeister ohne Werke, keinen Schöpfer ohne Geschöpfe, keinen Allherrscher ohne Beherrschtes gibt, ist die Schöpfung gleichewig mit Gott. Nähme man an, daß es eine Zeit gab, in der die Geschöpfe (*ποιήματα*) nicht waren, dann beseitigte man damit auch die Existenz des Schöpfers[32]. Dieselbe Relation besteht zwischen Gottvater und Sohn[33].

Die Kategorie der Relation wurde in der platonischen Kosmologie verwendet: *ἔτι γε μὴν εἰ ὁ κόσμος μὴ ἐκ ταὐτομάτου τοιοῦτός ἐστιν, οὐ μόνον ἔκ τινός ἐστι γεγονώς, ἀλλὰ καὶ ὑπό τινος, καὶ οὐ μόνον τοῦτο, ἀλλὰ καὶ πρός τι· τὸ δὲ πρὸς ὃ γέγονε τί ἂν ἄλλο[γέγονεν]ἢ ἰδέα;*[33a]. Die geschaffenen Dinge stehen in Relation zum Urbild der Idee. Den Anknüpfungspunkt bot Platos Timaeus 28a und 29a: der Demiurg blickt bei der Erschaffung der Welt *πρὸς τὸ ἀίδιον* – Albinus sagt: auf die Idee der Welt[34]. Noch in dem späten kosmologischen Werk des Johannes Philoponus wird die Kategorie der Relation ausführlich erörtert[35]. Philoponus verneint die Gleichzeitigkeit (*ἅμα τὸ εἶναι*) der Korrelativa für das Verhältnis Vorbild – Abbild, um dem Schluß von der Ewigkeit des Vorbildes der Welt (Idee der Welt) auf die Ewigkeit des Abbildes (sichtbare Welt) zu entgehen[36].

Diese Verwendung der Kategorie *πρός τι* ist verschieden von der, welche Arius tadelt und nicht unvereinbar mit seinen Ansichten. Sie könnte (das sei als Vermutung geäußert) hinter Arius' Aussagen stehen, der geschaffene Logos/Sohn habe Anteil an dem Logos und der Sophia in Gott (Tabelle I Spalte 2 Nr. III), er sei zwar nicht Gott, werde aber *μετοχῇ* Gott genannt (Tab. I Sp. 4 Nr. [V]). Denn das platonisierende *πρός τι* des Albinus bezeichnet die Beziehung zwischen dem Urbild (*παράδειγμα*) und dem Abbild des Geschaffenen, also die platonische, ontologische Teilhabe[37]. Alexander von Aphrodisias (um 200 n.Chr.) sagt in seiner Besprechung der aristotelischen Polemik (im 1. Buch der Metaphysik) gegen Platos Ideenlehre, daß die Relation des Seienden zu den Ideen (im platonischen Sinne) Teilhabe ist[38]; auch in der Einteilung der Korrelativa bei Ammonius[39] erscheint die Teil-

32 Origenes bei Methodius, De creatis 2 S. 494,16–24 Bonwetsch.
33 Origenes, princ. 1,2,10 S. 41,11 ff. Koetschau.
33a Albinus, Didask. 9 S. 163,34 ff. Hermann.
34 Didask. 11 S. 167,7 Hermann.
35 Joh. Philoponus, De aet. mundi 2,3 ff. S. 33 ff. Rabe.
36 Ebd. 2,4 S. 35 f. besonders 36,6 Rabe.
37 Es gehört dazu auch die Teilhabe als Nachahmung (Mimesis), Aristoteles, Met. 1,987 b10.
38 Alexander Aphrodisiensis, In Arist. metaph. S. 90,5 ff. Hayduck.
39 Ammonius, In Arist. categ. comment. S. 67,16 ff.22 Busse.

habe als eine Relation. Freilich spielt der Teilhabebegriff bei Arius vom Realistisch-Ontologischen entschieden ins Nominalistische hinüber: der „Logos" wird Gott genannt durch gnadenweise Teilhabe (*μετοχῇ χάριτος*) wie alle anderen, nur dem Namen nach (Tab I Sp. 2 Nr. III u.V.). Ja, die Usiai des Vaters, des Sohnes, des hl. Geistes sind *ἀμετοχοὶ ἀλλήλων*[40], sie sind einander unähnlich.
Dieser Wiederspruch zwischen Behauptung und Leugnung der Teilhabe läßt sich von der logischen Schultradition her auflösen. Alexander von Aphrodisias (der an Aristoteles, Met. 990 b 30 anknüpft) unterscheidet substantielle (ontologische) und akzidentielle Teilhabe (*τῶν οὐσιῶν καθ' αὐτὸ μετέχοντα – κατὰ συμβεβηκὸς μετέχοντα*)[41]. Was nur an Akzidentien teilhat, ist dem nicht ähnlich, woran es teilhat. Die ontologische Teilhabe (*τὸ δὲ οὐσίας καθ' αὐτὸ μετέχον*) bewirkt dagegen Ähnlichkeit[42]. Diese Unterscheidung wird auch von Porphyrius angedeutet[43]. Es handelt sich bei Arius, schulmäßig gesprochen, nicht um eine Teilhabe des „Logos" an der Usia, sondern an den Akzidentien Gottes[44].
Diese Begrifflichkeit klingt auch im Streit um Paulus von Samosata an. Der Mensch Jesus Christus hat nach Paul v. Samosata keinen Anteil an der Substanz der Sophia, sondern nur an ihrer Qualität: *οὐ γὰρ συγγεγενῆσθαι τῷ ἀνθρωπίνῳ τὴν σοφίαν, ὡς ἡμεῖς πιστεύομεν, οὐσιωδῶς, ἀλλὰ κατὰ ποιότητα*[45]. Das ist akzidentielle Teilhabe.

40 Bei Athanasius, Or. c. Ar. 1,6. MPG 26,24b. Vgl. die Kritik des Athanasius am Teilhabebegriff des Arius: Or. c. Ar. 1,15 col. 44bc.

41 Alexander Aphrod., In Arist, met. S. 90,11 Hayduck.

42 Ebd. S. 90,20–26.

43 Porphyrius, Isagoge S. 21,15 Busse: *καὶ τοῦ μὲν εἴδους ἡ μετοχὴ ἐπίσης, τοῦ δὲ συμβεβηκότος, κἂν ἀχώριστον ᾖ, οὐκ ἐπίσης.*

44 Gerade in diese Richtung gehen die Vorwürfe des Athanasius gegen die Arianer. Wenn der Sohn, wie sie sagen, wandelbar ist, wie kann er dann Logos und Sophia sein? *εἰ μὴ ἄρα ὡς ἐν οὐσίᾳ συμβεβηκός* (MPG 26,88a) – es kann ihm nur akzidentiell zukommen. Und der in Athanasius' Umgebung zu suchende Verfasser der 4. Rede gegen die Arianer zieht aus der arianischen Unterscheidung des geschaffenen Sohnes, der nur die Namen „Logos" und „Sophia" trägt, von dem Logos und der Sophia in Gott die Folgerung, daß die Arianer (wie Markell) die Unterscheidung von Substanz (Gott) und Akzidenz bzw. Qualität (Sophia, Logos) in Gott hineintragen (Or. c. Ar. 4,2–4 MPG 26,469–73. Vgl. besonders col. 469b Zeile 10 mit 473a Z. 11–13). Dabei läßt der Kritiker außer Acht, daß die Lehre von den essentiellen Attributen und intelligiblen Kategorien, wie wir sie bei Plotin finden (dazu s.A. Dahl, Augustin und Plotin, Lund 1945, S. 47 ff.; 92 ff.) durchaus die Wahrung der Monas Gottes gestattete, wenn man ihm Qualitäten zuschrieb.

45 Frg. 16 bei F. Loofs, Paulus v. Samosata, Leipzig 1924, S. 79 = Frg. 29, G. Bardy, Paul de Samosata, Paris 1929, S. 58 f. Bei Bardy fehlt das *ὡς* vor *ἡμεῖς*. Vgl. Frg. 12 Loofs (S. 76) = Frg. 25 Bardy (S. 54); Frg. 20 Loofs

Über das Sein der Relation selbst gibt Simplicius Aufschluß[46]. Zwischen Usiai, welche nicht homousioi sind, kann nur durch Relation eine Beziehung bestehen[47]. Das Sein der Relation ist die Hinwendung zu einem anderen: *τὸ δὲ πρός τι ἐν τῇ πρὸς ἕτερον ἀπονεύσει οὐσίωται*[48]. Das läßt sich durchaus auf die Hypostasen des Arius übertragen: der Vater ist zum Sohn hingewendet, indem er ihm *μετοχῇ χάριτος* seine Würdenamen schenkt, der Sohn wendet sich zum Vater, indem er ihn preist (*ὑμνεῖ*)[49] und seinen Willen mit ihm eint. Man wird sich die „Teilhabe" bei Arius im Rahmen einer Relation dieser Art vorstellen müssen.

d) μονάς – δυάς

In der Thalia hieß es: *σύνες ὅτι ἡ μονὰς ἦν, ἡ δὲ δυὰς οὐκ ἦν πρὶν ὑπάρξῃ*[50]. Das kann auf zweierlei Weise verstanden werden: zuerst war Gott als *μονάς* allein[51], dann entstand durch Erschaffung des Sohnes eine *δυάς* von Vater und Sohn[52]. Oder *δυάς* ist Bezeichnung der zweiten Hypostase, also des Sohnes[53]. Dafür lassen sich Entsprechungen aus dem Platonismus beibringen. Xenokrates nannte den ersten Gott *μονάς*, die Weltseele *δυάς*[54]. Bei Plotin steht das zweite Prinzip, der Nus, im Verhältnis der Dyas zum Hen[55] – der Text wird von Euseb von Cäsarea zitiert[56].

(S. 80) = Frg. 33 Bardy (S. 60). Die Einführung des Sammlers zu Frg. 23 Loofs (S. 81 f.) = Frg. 36 Bardy (S. 61) unterscheidet zwischen *οὐσιώδης ἕνωσις* und *κατὰ μετοχὴν ἤτοι ποιότητα ἕνωσις*.

46 Simplicius, In Arist. categ. comment. S. 169,1–171,22 Kalbfleisch.

47 Ebd. S. 169,20–23.

48 Ebd. S. 182,14 f. Diese Definition der Relation wurzelt in der aristotelischen: *ἔστι τὰ πρός τι οἷς τὸ εἶναι ταὐτόν ἐστι τῷ πρός τι πως ἔχειν*, Kateg. 8a 33. Alexander v. Aphrodisias (In met. S. 38,25 f. Hayduck) bezeichnet die *σχέσις* als „Sein" der Relation. Porphyrius wiederholt das (In Arist. categ. S. 124,16 ff. Busse).

49 Arius, Thalia bei Athan., De syn. 15 S. 243,13 Opitz.

50 Athan., De syn. 15, S. 243,1 Opitz, Vgl. Tabelle I Spalte 6 Nr. [IX].

51 Gott als Monas in Arius' Brief an Alexander, Urk. 6 S. 12.12; 13,12 Opitz; auch bei Origenes, princ. 1,6 S. 21,13 Koetschau.

52 So Hagemann, Röm. Kirche S. 526.

53 So G.C. Stead, The Platonism of Arius, JThS 15 (1964) 16–31.

54 Diels, Doxographi graeci S. 304,1–10.

55 *ἔστι μὲν οὖν καὶ αὐτὸς* (der Nus) *νοητόν, ἀλλὰ καὶ νοῶν, διὸ δύο ἤδη* Enn. 5,4,2 § 10 (Bd. 1 S. 154 des Lesetextes von R. Harder, Hamburg 1956). – *καὶ γὰρ πρὸ δυάδος τὸ ἕν, δεύτερον δὲ δυὰς καὶ παρὰ τοῦ ἑνὸς γεγενημένη* Enn. 5,1,4 § 28 (S. 220 Harder).

56 Eusebius, Praep. ev. 11,17,2 S. 38,16 ff. Mras.

Dabei hat der Begriff δυάς in der platonisch-pythagoräischen Kosmologie etwas Dualistisches. Numenius stellt der μονάς (singularitas) Gottes die ursprungslose ἀόριστος δυάς (duitas indeterminata) der Materie gegenüber[57]. Dieser Dualismus von Gott und Materie wirkt in das zweite Prinzip (den Demiurgen) hinein. In der Begegnung mit der Materie eint der Demiurg diese, wird aber selbst von ihr gespalten[58], er ist διττός[59]. An Numenius erinnert Plotins Bemerkung, der Nus (das sind die Ideen und Zahlen) sei aus der ἀόριστος δυάς und dem ἕν hervorgegangen[60].

Wenn bei Arius Dyas die zweite Hypostase meint, dann muß für den Logos/Sohn bei ihm ein ähnlicher Dualismus wie im Demiurgen des Numenius erschlossen werden. Es scheint mir jedoch, daß die Dyas des Arius eher im Sinne der Zweiheit von Vater und Sohn – dieser Sprachgebrauch ist bei Origenes belegt[61] – zu deuten sei. Jedenfalls hat Athanasius es so verstanden. Er stellt das Monas-Dyas Zitat aus der Thalia, von dem wir ausgingen, mit einem Fragment über die Trias zusammen[62] und erläutert die arianischen Formeln „Es war (eine Zeit) als er nicht war" und „Er war nicht, bevor er erzeugt wurde" folgendermaßen: „Zuerst war eine Monas, durch Hinzufügung entstand später eine Trias und mit dem Fortschreiten der Zeit wuchs und entstand nach ihnen (den Arianern) die Erkenntnis der Gottheit"[63]. Daraus ergibt sich, daß Dyas bei Arius eine Stufe auf dem Weg von der Monas zur Trias ist, also die Zweiheit von Vater und Sohn meint.

57 F.A. Leemans, Studie over den wijsgeer Numenius van Apamea, Brüssel 1937, Test. 30 S. 91 (= Calcidius, In Timaeum CCXCV S. 297,7 ff Waszink). Beziehung zum Pythagoreismus: Leemans S. 91 A. 14. Vgl. auch die dualistische Auffassung von Monas und Dyas bei Philo Alex., De spec. leg. 3,180 und (manichäisch gefärbt) bei Augustin, De pulchro et apto (Conf. 4,15,24). Weiteres Material zu Monas und Dyas bei Zeller, Philos, der Griechen, Bd. III,2 S. 129–35. Über Monas – Dyas bei Numenius handelt auch H.J. Krämer, Der Ursprung der Geistmetaphysik, Amsterdam 1964, S. 66–83.

58 Numenius, frg. 20 S. 137,30–138,2 Leemans (= Euseb, Praep. ev. 11,18,3 S. 40,21 f. Mras).

59 Numenius, frg. 25 S. 140,25 f. (= Euseb, Praep. ev. 11,22,3 S. 50,3 Mras).

60 Plotin, Enn. 5,4,2 § 9 S. 152 Harder.

61 Origenes, Dialog mit Heraklides 4. SC 67 S. 60,16 Scherer. Die Dyas von Vater und Sohn auch bei Eustathius v. Antiochien, De engastrimytho 24, S. 54,1 Klostermann.

62 Athan., De syn. 15 S. 242,24–243,1 Opitz.

63 Athan., Or. c. Ar. 1,17. MPG 26,48 ab.

4. Das Problem des Platonismus des Arius[64]

a) Der Gedanke des Schöpfungsmittlers

Vertrat Arius eine Kosmologie platonischen Typs? Eine Berührung mit platonischer Weltentstehungslehre liegt zweifellos darin, daß die Welt nicht unmittelbar von Gott geschaffen wird. Den Logos/Sohn als Weltschöpfer (Joh. 1,3) empfängt Arius[65] zwar aus der kirchlichen Überlieferung, aber die Begründung (welche er mit Asterius gemeinsam hat[66]) klingt platonisch: als Gott die Welt erschaffen wollte, sah er, daß sie seine unmittelbare Hand nicht ertragen konnte und schuf deshalb den, welchen er Sohn und Logos nannte, als Schöpfungsmittler, insbesondere zur Erschaffung des Menschen[67]. Bei Albinus beauftragt Gott die von ihm geschaffenen Götter mit der Schöpfung (*ποίησις*) der Lebewesen, vor allem des Menschen (aus den vorgegebenen vier Elementen), damit diese Wesen nicht – was geschähe, wenn er selbst sie bildete – unsterblich würden, und schickt dann die Seelen für die Menschen auf die Erde herab[68]. Das ist eine Zusammenfassung und Erläuterung von Timaeus 41a–43a; 69c.

b) Abweichungen der arianischen Kosmologie vom Platonismus

Mit der Lehre, daß alles aus Nichts geschaffen ist (Tabelle I Spalte 2 u. 4 Nr. II) streitet Arius gegen die platonische Meinung, der Kosmos sei aus formloser Materie geschaffen. Stead sieht das zwar, möchte aber Arius trotzdem in die alexandrinische, platonisch-origenistische Überlieferung einordnen[69].

Auch hinsichtlich des Grundes der Weltschöpfung weicht Arius vom Platonismus ab. Zwar sind keine unmittelbaren Aussagen von ihm über den Grund, aus welchem Gott die Welt erschuf, erhalten. Wir hören nur, daß Gott mit demselben Willen, mit dem er das All schuf, auch den Sohn machte. Und der Sohn (Logos, Sophia) wurde hervorgebracht, damit Gott durch ihn den Menschen schüfe (Tab. I Sp. 4 u. 1 Nr. VIII). Die Erschaffung des Menschen ist also das Ziel

64 Hierzu Stead, The Platonism of Arius, JThS 15 (1964) 16–31.

65 Urk. 6 S. 12,7 f Opitz: durch den er auch die Äonen und das All geschaffen hat. – Urk. 4b S. 8,6 f. Opitz (Bericht Alexander): *ἵνα ἡμᾶς δι' αὐτοῦ ὡς δι' ὀργάνου κτίσῃ ὁ θεός*.

66 Athanasius, De decr. 8,1 S. 7,20 Opitz.

67 Athan., Or. c. Ar. 2,24. MPG 26,200a, De decr. 8,1 S. 7,18 f. Opitz. Siehe auch Tabelle I Spalte 1,2,4 Nr. VIII.

68 Albinus, Didaskalikos 15–17 S. 171 f. Hermann.

69 Stead (s.o. A. 64) S. 25 f.; 30.

des Schöpfungswerkes und damit auch der Grund der Schöpfung. Die Behauptung, daß die Welt um des Menschen willen gemacht ist[70], welche auch in der Stoa vertreten wurde[71], ist an sich durchaus vereinbar mit der platonischen Angabe, daß Gottes Güte der Grund zur Weltschöpfung war[72]. Dennoch finden sich Spuren, daß sie gegen die platonische Kosmologie gekehrt wurde. Laktanz weist Platos Meinung zurück, Gott habe die Welt geschaffen, weil er gut ist und neidlos Gutes hervorbringen wollte. Vielmehr ist die Welt gemacht um des Menschen willen[73]. Diese Polemik hängt mit den dualistischen Neigungen des Laktanz zusammen. Das physische und moralische Übel im Kosmos läßt Platos Erklärung, Gottes Güte sei der Grund der Schöpfung, als unzureichend erscheinen[74]. Die Welt ist in erster Linie geschaffen nicht weil Gott gut ist, sondern weil der Mensch inmitten ihrer mala und bona Gott verehren, ihm dienen und sich sittlich bewähren soll[75].

Die Erschaffung der Welt um des Menschen willen ist ein Motiv der jüdisch-christlichen Überlieferung; es ist im Judentum – wie bei Laktanz – in den Gedanken eingebettet, daß der Mensch geschaffen sei, um Gott zu dienen[76].

Eine gewisse Parallele zu Arius findet sich bei Theophilus von Antiochien. Der vorzeitliche Gott, mit dem nichts gleichewig ist, wollte den Menschen schaffen, durch den er erkannt würde. Für diesen bereitete er zuvor die Welt und setzte zu deren Erschaffung den Logos, den er in sich hat, aus sich heraus (*ἐξερευξάμενος*, Ps. 44,2), als Diener am Schöpfungswerk[77]. Obwohl hier – undeutlicher als bei

70 Z.B. Justin, 1. Apol. 10,2 S. 31 Goodspeed.

71 Laktanz, Inst. 7,3,13, CSEL 19 S. 590,3 Brandt: at idem Stoici „hominum", inquiunt, „causa mundus effectus est". SVF 2, n. 527; 1131; 1149.

72 Plato, Tim. 29e.

73 Laktanz, Epitome 61,1–64,2 S. 750,24–753,2 Brandt.

74 Vgl. zum Dualismus des Laktanz Inst. 2,8 S. 128–30 Brandt, und den dualistischen „Zusatz" zu S. 130,5 Brandt. Natürlich leugnet Laktanz nicht, daß Gottes Güte auch in der Schöpfung zum Ausdruck kommt: Inst. 2,8,3 S. 129,9 ff. Brandt.

75 Vgl. den dualistischen „Zusatz" zu De opif. Dei 19,6, CSEL 27 S. 61 f. Apparat (Brandt).

76 IV. Esra 8,44. Die Esra-Apokalypse S. 244 Spalte 2–4 Violet (GCS Bd. 18). – Baruch 14,18 S. 226 Violet (GCS Bd. 32). Weitere Belege (auch für Erschaffung der Welt um der Thora willen) bei W. Foerster, Artikel *κτίζω* ThWNT Bd. 3 (1938) S. 1019 A. 137; bei P. Billerbeck Bd. 3 S. 249b. – Erschaffung der Welt um Israels willen: Billerbeck 3 S. 248a. – Irenäus, Adv. haer. 5,29,1 Harvey Bd. 2 S. 404 ist die Schöpfung um des Menschen willen geschaffen, dessen Bestimmung der ewige Gehorsam (subiectio) gegen Gott ist.

77 Theophilus, Ad Autol. 2,10 S. 38 Grant.

Arius – die Schöpfung des Menschen der eigentliche Grund für die Erzeugung des selbständigen Logos ist[78], unterscheidet sich Theophilus von dem alexandrinischen Presbyter, indem er nur einen Logos in zwei Stufen (in Gott – außer Gott) lehrt. Für Arius ist der Logos in Gott eben nicht derselbe wie der Logos außer und unter Gott. Deshalb polemisiert er auch gegen den Logos als „Aussprudelung" (*ἐρυγή*, Ps. 44,2) Gottes[79].
Origenes verbindet das platonische Motiv der Güte Gottes mit dem bei kirchlichen und gnostischen Autoren begegnenden Gedanken, daß Gott wünsche, von anderen Wesen erkannt zu werden[80]. Dabei schlägt das Platonische stark durch, so daß Origenes sagen kann, Gott habe bei der Erschaffung der vernünftigen Naturen keinen andern Grund gehabt, als sich selbst, das heißt, seine Güte[81]. Dieselben Gründe für die Schöpfung nennt Methodius[82], unter Weglassung der anstößigen origenistischen Lehre vom Geisterfall als Anlaß der Erschaffung der sichtbaren Welt (*καταβολὴ κόσμου*, Eph. 1,4)[83]. Wir wissen zwar nicht, welchen Grund Arius für die Erschaffung des Menschen annahm, aber deutlich ist, daß er hinsichtlich der Zielrichtung des Schöpfungswerkes auf den Menschen dem Antiochener Theophilus und Laktanz näher steht, als Plato und Origenes.

c) „Zeitlichkeit" des Schöpfungsmittlers und platonische Kosmologie

Das Verhältnis der Lehre von der „(vor)zeitlichen" Entstehung des Sohnes (*ἦν ποτε ὅτε οὐκ ἦν*) zur platonischen Kosmologie kann bei Tertullian studiert werden. Tertullian schreibt (wie vor ihm Theophilus von Antiochien) gegen den Gnostiker Hermogenes[84]. Dieser behauptet, daß Gott aus schon vorhandener Materie die Welt schuf. Zum Nachweis der Gleichewigkeit der Materie mit Gott bedient sich Hermogenes der Kategorie der Relation in dem Verständnis, nach welchem Korrelativa einander gleichzeitig sind (wie wir es bei Origenes fanden): adicit (scil. Hermogenes) et aliud: deum semper deum ⟨semper⟩ etiam

78 Freilich hebt Theophilus, Ad Autol. 2,18 S. 56 Grant, zur Unterstreichung der Würde des Menschen hervor, daß Gott selbst ihn mit seinen Händen schuf, jedoch unter Beistand seines Logos und seiner Sophia.
79 Urk. 1 S. 2,7 Opitz.
80 Origenes, princ. 4,4,8 S. 359,11 ff. Koetschau.
81 Origenes, princ. 2,9,6 S. 169,22 Koetschau.
82 Methodius, De autex. 22,1–9 S. 202,16–206,3 Bonwetsch.
83 Origenes, princ. 3,5,4–5 S. 273–76 mit dem Testimonienapparat Koetschaus.
84 Die Nachrichten über Hermogenes sind gesammelt von Walch, Entwurf Teil 1 S. 576–87. Siehe auch G. May, Schöpfung aus dem Nichts, Berlin 1978, S. 142–49.

dominum fuisse, numquam non dominum. Nullo porro modo potuisse illum semper dominum haberi, sicut et semper deum, si non fuisset aliquid retro semper, cuius semper dominus haberetur. Fuisse itaque materiam semper ⟨cum⟩ deo domino[85]. Die Schöpfung besteht für Hermogenes darin, daß Gott die chaotische und sich ungeordnet bewegende Materie zur Ordnung bringt[86]. Hermogenes vertritt also eine platonische Kosmologie[87]. Gegen diese führt Tertullian das *ἦν ποτε ὅτε οὐκ ἦν* des schöpferischen Prinzips, das heißt der Weisheit und des Wortes Gottes ins Feld. Der Schluß des Hermogenes auf die Ewigkeit der Materie aus dem immerwährenden Herr-Sein Gottes (über die Materie) ist falsch. Denn Gott war auch nicht immer Vater: quia et pater deus et iudex deus est, non tamen ideo pater et iudex semper, quia deus semper. nam nec pater potuit esse ante filium nec iudex ante delictum. *fuit autem tempus, cum* et delictum et *filius non fuit*, quod iudicem et qui patrem deum faceret[88]. Da Gott die Sophia für notwendig zur Weltschöpfung hält, statim eam condit et generat in semetipso (folgt Zitat von Sprüche 8,22 f. 25). Gott allein ist innatus et inconditus, die Sophia hat einen Anfang[89]. Diese Sophia ist die Archē (principium), durch welche Gott Himmel und Erde schuf (Gen. 1,1)[90]. Tertullian verbindet also Sprüche 8,22 mit Gen. 1,1. Die Propheten und Apostel überliefern primo sophiam conditam, initium viarum in opera eius, dehinc et sermonem prolatum, per quem omnia facta sunt et sine quo factum est nihil[91]. Das von Gott ausgehende Wort ist der Sohn, welcher also einen Anfang hat[92]. Bei Tertullian, dessen Berührungen mit Theophilus von Antiochien offenkundig sind, begegnet also das christologische *ἦν ποτε ὅτε οὐκ ἦν* im Zusammenhang einer anti-platonischen Schöpfungslehre.

85 Tertullian, Adv. Hermog. 3. CSEL 47 S. 128,11–16 Kroymann.
86 Tertullian, Adv. Hermog. 43 S. 172 f. Kroymann.
87 Plato, Tim. 30a.
88 Tertullian, Adv. Hermog. 3. CSEL 47 S. 129,2 ff. Kroymann.
89 Ebd. 18 S. 145,18–146,5 Kroymann.
90 Ebd. S. 148,8–13 Kroymann.
91 Ebd. 45 S. 174,16 ff. Kroymann. Das hier sichtbar werdende Problem, wie Sophia und Logos sich bei Tertullian zueinander verhalten, kann in unserer Themenstellung unberücksichtigt bleiben.
92 Tertullian, Adv. Prax. 7: exinde eum (Gott) patrem sibi faciens (scil. der sermo = Logos) de quo procedendo filius factus est primogenitus.

5. Zusammenfassung

Arius hat den Begriff des einzigen transzendenten Gottes, dem Agennesie zukommt, mit den kirchlichen Theologen seiner Zeit, auch seinem Gegner Alexander, gemeinsam. Er teilt mit ihnen die Ablehnung jeder Körperlichkeit Gottes, jeder Zertrennung und Veränderung der göttlichen Usia und wendet sich deshalb mit ihnen gegen Sabellius und gegen die gnostischen Emanationen aus der göttlichen Substanz. Seine Eigentümlichkeit liegt in der Christologie, in der Behauptung, daß ein Geschöpf durch Gnade und unter Berücksichtigung seiner sittlichen Leistung von Gott zum Sohn gemacht und mit göttlichen Würden ausgestattet wurde. Von dieser Christologie her bezeichnet Arius nach eigner Aussage Gott als den allein Ungezeugten, allein Anfangslosen, allein Ewigen. Wichtige Formeln seiner Christologie (*ἦν ποτε ὅτε οὐκ ἦν*, die Gegenüberstellung von *ἀγέν(ν)ητος* und *γεν(ν)ητός*, von *μονάς* und *δυάς*) stammen aus den kosmologischen Erörterungen innerhalb des Platonismus, sind aber, ebenso wie die Vorstellung vom Demiurgen als Schöpfungsmittler, schon vor Arius in der alexandrinischen Tradition (Philo, Origenes, Dionys von Alexandrien) anzutreffen[93]. Und ebenfalls von der Christologie her wehrt Arius die platonisierende Lehre, daß alle Korrelativa gleichzeitig seien, ab. Es zeigt sich jedoch, daß die Verknüpfung zwischen Relation und Teilhabe bei den Platonikern und die Unterscheidung zwischen substantieller und akzidentieller Teilhabe (Teilhabe ist für die Platoniker dabei eine Relation) bei Aristoteleskommentatoren, Licht auf den Teilhabebegriff des Arius wirft. Hinsichtlich der Verwendung der Begriffe Monas und Dyas steht Arius der Gottes- und Logoslehre des Origenes näher als dem eigentlichen Platonismus. In der strengen Durchführung des christlichen Gedankens der Schöpfung aus Nichts (wodurch eine ewige Materie ausgeschlossen wird) und in der Aufnahme der jüdisch-christlichen Vorstellung, der Mensch sei das Ziel des Schöpfungswerkes Gottes, weicht Arius vom Platonismus ab. Arius verwendet Begriffe der platonischen Kosmologie. Aber die Christologie und die christliche Schöpfungslehre sind der Ausgangspunkt seines Denkens.

93 S. auch das folgende Origeneskapitel.

4. KAPITEL

Vergleich arianischer Sätze mit der origenistischen Logos- und Trinitätslehre

1. Arius und Origenes

Die Vertreter der Ansicht, Arius gehe von der origenistischen Logoslehre aus, verweisen auf den origenistischen Subordinatianismus, die Mittlerstellung des Logos zwischen Gott und Welt – dem Vater untergeordnet, der Welt gegenüber Schöpfer[1]. Aber dieser Gedanke gehört bereits der subordinatianischen Logostheologie des Justin und anderer Apologeten an[2]. Die Ariusforschung hat ergeben, daß von hier aus nicht zu einer klaren Entscheidung für oder wider den Origenismus des Arius zu kommen ist. Es soll deshalb im Folgenden der Versuch gemacht werden, kennzeichnende Sätze des Arius mit entsprechenden Aussagen innerhalb der Logos- und Trinitätslehre des Origenes zu vergleichen.

a) Der Sohn als Geschöpf[3]

α) Sprüche 8,22

Der Anlaß zum Ausbruch des arianischen Streites gibt einen Hinweis auf die Mitte der Gedankenwelt des Arius. Wir wissen aus Konstantins Brief an Alexander und Arius[4], daß die Auseinandersetzung sich zunächst um die Auslegung einer Bibelstelle drehte; Alexander habe seine Presbyter (unter denen vor allem Arius zu nennen ist) darüber befragt. Das ist jedoch bereits die zweite Entwicklungsstufe. Aus dem Bericht des Epiphanius[5], der sich auf alexandrinische Lokalnachrichten

1 Origenes, In Joh. 1,19,110 S. 23,17 ff. Preuschen: *δημιουργὸς γάρ πως ὁ χριστός ἐστιν* – nämlich als Sophia; C. Cels. 6,60 S. 130,22 Koetschau: *δημιουργὸν εἶναι τὸν υἱὸν τοῦ θεοῦ λόγον καὶ ὡσπερεὶ αὐτουργὸν τοῦ κόσμου.* Der Vater ist Schöpfer, indem er dem Sohn gebietet, die Welt zu schaffen.

2 S. die Stellensammlung bei W. Münscher, Handbuch der christl. Dogmengeschichte Bd. 1 (1797) 394–413. – Loofs, DG[4] S. 120–23.

3 Arius: Tabelle I Nr. II.

4 Urk. 17,6 S. 33,1 ff. Opitz.

5 Epiphanius, haer. 69,3 S. 154 f. Holl.

stützt[6] und erst später verworren wird, sowie aus Sozomenus[7] ist zu entnehmen, daß zuvor Arius durch den Schismatiker Melitius bei Alexander verklagt worden war[8]. Eine sehr späte Quelle, Agapius von Menbidj (= Hierapolis) (um 942 n.Chr.)[9] behauptet, Arius habe in einer Predigt Sprüche 8,22 (die Weisheit sagt: *κύριος ἔκτισέν με ἀρχὴν ὁδῶν αὐτοῦ εἰς ἔργα αὐτοῦ*) angeführt und auf Christus bezogen. Als er von jemanden deshalb befragt worden sei, habe er das dann in einer zweiten Predigt ausdrücklich ausgeführt. So könnten sich in der Tat die Dinge abgespielt haben. Die alexandrinischen Presbyter predigten in ihren Kirchen[10]. Auch nach Sozomenus, Kirchengeschichte 1, 15, 3 erregen Predigten des Arius den ersten Anstoß. Und Epiphanius[11] berichtet hierzu, daß Arius von der Erklärung von Spr. 8,22 ausgegangen sei. Diese Bibelstelle taucht zudem schon in den frühesten Urkunden zum arianischen Streit auf[12]. Arius betrachtete sie als Beweis für seine Meinung, daß der Sohn (die Weisheit) ein Geschöpf sei wie alle anderen auch (Tabelle I Nr. II). Die Auslegung von Spr. 8,22 hat zu Arius' Zeit bereits eine lange Geschichte in Judentum und Christentum hinter sich[13], deren wichtigstes Ergebnis, die Gleichsetzung der Sophia von Spr. 8,22 mit der Archē von Gen. 1,1, in der christlichen Theologie dazu führte, in der „Weisheit" den Logos und Sohn und Schöpfungsmittler zu erblicken.

6 Vgl. die Angaben über alexandrinische Kirchengemeinden, haer. 69,1–2 S. 152–54 Holl.

7 Kirchengeschichte 1,15,3–4 S. 33,2–13 Bidez-Hansen. Sozomenus nennt den Namen der Ankläger nicht. Es liegen hier gute Nachrichten aus Sabinus vor, vgl. G. Schoo, Die Quellen des Kirchenhistorikers Sozomenus, Berlin 1911 (Nachdruck Aalen 1973) S. 110.

8 Näheres bei E. Schwartz, NGG 1905 S. 186 ff. (= Ges. Schr. 3,114 ff.).

9 Patrol. Orient. 7 S. 544 f. Vasiliev. Zu Agapius vgl. A.B. Vasiliev, Agapius von Menbidj, ein christlicher arabischer Geschichtsschreiber des 10. Jahrhunderts, Vizantiskij Vremennik 11 (1904) 574–87 (russisch) – F. Haase, Altchristliche Kirchengeschichte nach orientalischen Quellen, Leipzig 1925.

10 Epiphanius, haer. 69,2,6 S. 154,2 f. Holl; vgl. Theodoret, h.e. 1,1,9 S. 6,14 f. Parmentier.

11 Haer. 69,12,1 S. 162,6 ff. Holl.

12 Bei Arius, Urk. 1 S. 3,3 Opitz: (bevor der Sohn) gegründet wurde (*θεμιλιωθῇ* – aus Sprüche 8,23); Urk. 6 S. 13,9: *πρὸ αἰώνων κτισθεὶς καὶ θεμελιωθείς* weist auf Spr. 8,22.23. – Euseb v. Nikomedien, Urk. 8 S. 16,10 f.

13 M. Hengel, Judentum und Hellenismus, Tübingen ²1973 S. 275–95. – M. Simonetti, Sull'interpretazione patristica di Proverbi 8,22. In: Studi sull-arianesimo, Rom 1965,9–87 (S. 32–7 über Spr. 8,22 bei Arius). – A. Weber, Archē. Ein Beitrag zur Christologie des Eusebius v. Cäsarea (1965), Kap. 3 (Spr. 8,22 bei Euseb v. C., Markell u. Athanasius). – A. Theocharis, Ἡ *θέσις τοῦ Παροιμιῶν* 8,22 *εἰς τὰς χριστολογικὰς ἐρίδες τοῦ δ' αἰῶνος*, Kleronomia 2 (1970) 334–46.

Wie vereinbart Origenes das „er schuf mich (die Weisheit)" von Spr. 8,22 mit dem anfangslosen Ursprung des Sohnes? Abgesehen davon, daß er *κτίζειν* im Sinne von *γεννᾶν* (Spr. 8,25) versteht, wie längst beobachtet worden ist[14], versucht er in De princ. 1, 2, 2 (15) eine Erläuterung zu geben. Weil Gott in der anfangslos gezeugten Weisheit die Ideen der zukünftigen Schöpfung und aller Geschöpfe vorgeformt hat[16], wird die Weisheit als „geschaffen" bezeichnet. Es besteht kein Grund, dies als Hinzufügung Rufins zu betrachten[17]. Denn auch in dem Fragment 1 zum Johanneskommentar findet sich dieselbe Erklärung: die „Erschaffung" der Weisheit bedeute, daß die Weisheit die schöpferische Beziehung zu dem, was sein wird, übernehmen wollte: *ἠθέλησεν οὖν ἀναλαβεῖν αὕτη ἡ σοφία σχέσιν δημιουργικὴν πρὸς τὰ ἐσόμενα* (vgl. die Anm. 16) *καὶ τοῦτό ἐστι τὸ δηλούμενον δὶα τοῦ ἐκτίσθαι αὐτὴν ἀρχὴν τῶν ὁδῶν τοῦ θεοῦ*[18]. Eine „Erschaffung" des Logos im wörtlichen Sinne (*πεποίηται*) wird in demselben Fragment abgelehnt[19].

Auschlußreich für das Verhältnis der origenistischen zur arianischen Auslegung von Spr. 8,22 ist eine Äußerung Alexanders v. Alexandrien. Er schreibt: „Ist es nicht gottlos, zu sagen, die Weisheit Gottes sei irgendwann nicht gewesen, die da sagt: Ich war bei ihm herrschend und ordnend (*ἁρμόζουσα*), ich war es, an der er sich freute?" Alexander begnügt sich also mit der Anführung von Spr. 8,30 und weist dadurch stillschweigend Arius' Verständnis von Spr. 8,22 zurück[20]. Er stützt sich dabei auf Origenes. Bei diesem dient Spr. 8,30 als Beweis für die Ewigkeit des Sohnes: es ist nicht recht, Gott des eingeborenen Logos zu berauben, der immer mit ihm zusammen ist und welcher die Sophia ist *ᾗ προσέχαιρεν* (Spr. 8,30)· *οὕτω γὰρ οὐδὲ ἀεὶ χαίρων νοηθήσεται*[21]. Die Ewigkeit der Freude Gottes über die Weisheit bedingt die Ewig-

14 Simonetti, Studi S. 24.
15 S. 30,2–8 Koetschau.
16 Quae (creaturae) in ipsa sapientia velut descriptae ac praefiguratae fuerant. AaO. S. 30,6 Koetschau. – In Joh. 1,19,114 S. 24,6 Preuschen: *προτρανωθέντες ὑπὸ θεοῦ τῶν ἐσομένων λόγοι*. Weitere Stellen zum Logos als Ideenwelt bei H. Crouzel, Théologie de l'image S. 123 f.
17 Gegen Simonetti, Studi S. 23.
18 Origenes, In Joh. S. 485,8–10 Preuschen. Ein ähnlicher Gebrauch von *σχέσις* (Relation: vgl. Zeile 15 „es neigte sich sozusagen der schöpferische Logos zum Geschaffenen") kommt In Joh. 2,19,130 S. 76,16 vor.
19 In Joh. S. 484,10–12 Preuschen. Dazu die parallele Deutung von Joh. 1,1 auf S. 76,11.22 f.
20 Urk. 14 S. 23,32 ff. Opitz.
21 Origenes, princ. 4,4,1 S. 350,14–17 (griechischer Text).

keit der Weisheit[22]. Origenes stellt Spr. 8,22 mit Spr. 8,30 zusammen[23] und entschärft damit das „erschuf“ von Spr. 8,22. Wenn Alexander v. Alexandrien also Spr. 8,30 zitiert, so entnimmt er damit eine Waffe gegen die arianische Deutung von Spr. 8,22 aus Origenes.

β) Der Sohn als Geschöpf aus Nichts: *ἦν ποτε ὅτε οὐκ ἦν*

Arius versteht *κτίζειν* in Spr. 8,22 im strengen Sinne der Erschaffung aus Nichts. Der Sohn (die Sophia) ist nicht aus einem Zugrundeliegenden (*ὑποκείμενον*), etwa einem Teile der Substanz Gottes gebildet, sondern er war nicht, bevor er ins Dasein trat[24]. Er ist aus dem Nichtseienden (*ἐξ οὐκ ὄντων*) wie die gesamte Schöpfung[25] und nicht aus Gott selbst.

Die Ansicht, daß der Arianismus eine Fortentwicklung und Vereinfachung der Logoslehre des Origenes sei, wird vor allem damit begründet, daß der Sohn (Logos, Weisheit) schon bei Origenes eigentlich auf die Seite der Geschöpfe gehöre[26]. Origenes kann in der Tat den Sohn das älteste *δημιούργημα* Gottes nennen[27]. Aber wir haben schon gesehen, daß dies im Sinne der ewigen Verursachung durch Gott zu verstehen ist. Und gerade an der Stelle, wo Origenes am deutlichsten den Sohn ein *κτίσμα* nennt[28], beeilt er sich, die Formel *ἦν ποτε ὅτε οὐκ ἦν* abzulehnen[29] – als an Arius noch nicht zu denken war. Athanasius hat diesen Gegensatz zu Arius sehr wohl bemerkt[30].

22 Ebenso princ. 1,4,4 S. 67,10 f. Koetschau.
23 Origenes, In Joh. 1,9,55 S. 14,27 f. Preuschen.
24 Arius, Urk. 1 S. 2,10–3,3; Urk. 6 S. 13,9 f. Opitz.
25 Urk. 1 S. 3,5 und 2,3 Opitz; Tabelle I Sp. 2 u. 4 Nr. II.
26 Zum Problem: P.D. Huetius, Origeniana II qu. 2,21–25, Lommatzsch Bd. 22, 176–98. – C.W. Lowry, Did Origenes style the Son a ktisma? JThS 39 (1938) 39–42. – H. Görgemanns, Die „Schöpfung“ der „Weisheit“ bei Origenes. Eine textkritische Untersuchung zu De princ. Frg. 32; StudPatr 7 (1966) 194–209. – F.H. Kettler, Die Ewigkeit der geistigen Schöpfung bei Origenes S. 278–81.
27 Origenes, C. Cels. 5,37 S. 41,23 Koetschau.
28 Gegen die von Görgemanns (s. A. 26) behauptete Einschaltung von ktisma in den Wortlaut des Origenes s. Kettler, Ewigkeit der geistigen Schöpfung S. 279 A. 44. (s.u. Anm. 53)
29 Origenes, princ. 4,4,1 (28) S. 349,11–350,3 Koetschau. – Methodius bezeugt das Vorkommen der Formel in der Schöpfungslehre des Origenes. Das All ist gleichewig mit Gott *καὶ μὴ εἶναι χρόνον ὅτε οὐκ ἦν ταῦτα* (De creat. 2 S. 494,16 Bonwetsch). Das wird durch De princ. 1,2,9 (S. 39 f. Koetschau) bestätigt. Von der schöpferischen Kraft Gottes (die sich auch verwirklicht) gilt: non est autem quando non fuerit (S. 40,11. Vgl. auch Koetschaus Belegstellenapparat). Diese Aussage „schwebt“ zwischen Schöpfungslehre und Christologie, denn die schöpferische Kraft Gottes ist die persönlich gefaßte Sophia von Weisheit Salomos 7,25 f. Deshalb gab es keine Zeit, da sie nicht war.

Ebenso bekämpft Origenes die Meinung, der Sohn sei aus Nichts (ex nullis substantibus) erschaffen[31]. Daß es sich hier nicht um einen Einschub Rufins handelt, wird durch Theognost und Gregor den Wundertäter sichergestellt. Theognost, welcher nach dem Bericht des Photius[32] den Sohn für ein *κτίσμα* hielt, sagt, daß dessen Usia nicht „aus dem Nichts neu eingeführt (*ἐπεισάχθη*)" wurde[33]. Und Gregor bekennt, daß in der Trias nichts Geschaffenes sei *οὔτε ἐπείσακτον, ὡς πρότερον μὲν οὐχ ὑπάρχον, ὕστερον δὲ ἐπεισελθόν*[34].
Die Lehre von der Schöpfung aus dem Nichts hat sich erst verhältnismäßig spät im Kampf mit dem philosophischen Denken und dem heidnischen und gnostischen Mythus durchgesetzt[35]. Origenes vertritt die Schöpfung der Materie aus Nichts und führt als Belege 2. Makk. 7,28 und den Hirten des Hermas, mand. 1,1[36] an[37]. Aber der Sohn ist kein Geschöpf aus Nichts.
Es besteht hier ein klarer Gegensatz zwischen Arius und Origenes, der nicht durch die Auskunft zu überbrücken ist, Arius habe den Subordinatianismus der origenistischen Logoslehre verschärft. Vielmehr macht sich bei Arius die christliche Schöpfungslehre als ein Ausgangspunkt seines Denkens bemerkbar und zwar in der alttestamentlich-biblischen Form, die neben dem einen Gott nur Geschöpfe kennt. Man darf dieses biblische Anliegen nicht aus dem Auge verlieren, weil Arius mit der Theologie und Philosophie seiner Zeit Gott

30 Athanasius, De decr. 27,1–2 S. 23,16–30 Opitz.
31 Origenes, princ. 4,4,1 (28) S. 349,5 Koetschau.
32 A. Harnack, Theognost, TU (NF) 9,3 (1903) S. 74,8.
33 Theognost, Frg. 2 S. 76 Harnack.
34 Glaubensbekenntnis des Gregorius Thaumaturgus bei Hahn S. 255,4–6.
35 H.J. Weiß, Untersuchungen zur Kosmologie des hellenistischen und palästinensischen Judentums, Berlin 1966, S. 165 ff; 174, – Zur Schöpfung aus Nichts im Spätjudentum s. auch W. Foerster, Art. *κτίζω*, ThWNT 3 (1938) 1016–19. Zu Philo s. Weiß S. 57 ff. (Philo kommt nur gelegentlich der Vorstellung einer Schöpfung aus Nichts nahe, S. 69). – U. Früchtel, Die kosmologischen Vorstellungen bei Philo v. Alexandrien, Leiden 1968. – Daß der Neuplatoniker Hierokles (um 420 n.Chr.) den Demiurgen die Welt aus Nichts erschaffen läßt (Photius, Bibl. cod. 214, ed. R. Henry Bd. 3 (Paris 1962) S. 126,24 f. = MPG 103,704a), ist sicher auf christlichen Einfluß zurückzuführen. Vgl. K. Praechter, Die Philosophie des Altertums, Berlin 1926, S. 641 f. – G. May, Schöpfung aus dem Nichts, Berlin 1978.
36 S. 23,6 f. Whittacker. Von Origenes zitiert In Joh. 32,16,187 S. 451,26 Preuschen.
37 Origenes, princ. 2,1,4 f. S. 110,7–111,25 Koetschau. Vgl. In Joh. 1,17,103 S. 22,14–18 Preuschen.

als ἀγέννητος, unaussagbar[38] und unveränderlich[39] bezeichnet und seine Erhabenheit in seiner Verborgenheit sah. Alexander von Alexandrien dagegen steht mit der ihm von Arius zugeschriebenen Behauptung, der Sohn sei ἀγεννητόγενης[40] in der Nachfolge des Origenes. Der Vater ist für diesen allein ἀγέννητος[41]. Aber Origenes kann – im Hinblick auf die ewige Zeugung – den vom Vater gezeugten Sohn als ἀγένητος und zugleich als Erstgeborenen πάσης γενητῆς φύσεως betrachten[42] – was mit Alexander übereinkommt.

b) Der Sohn ist nicht ἐκ τῆς οὐσίας τοῦ πατρός[43]

In seinem Johanneskommentar bestreitet Origenes, daß der Sohn aus der Usia des Vaters gezeugt sei[44]. Denn dies bedeute, daß das Sein des Vaters eine Minderung und Trübung erfahre und Gott körperlich gedacht werde. Origenes versteht hier Usia als körperliche Substanz und wehrt die gnostische Emanationsvorstellung (*προβολή*) ab[45]. Diese Ablehnung der *προβολή* kehrt bei Arius wieder[46]. Sie stammt freilich aus der allgemein-kirchlichen Rüstkammer gegen die Gnosis, vor allem aus Irenäus[47]. Auch Justin verwirft den Gedanken einer körperlichen Zeugung des Logos und einer Teilung und Abspaltung (*ἀποτομή*) der göttlichen Usia[48]. Doch ist anzunehmen, daß Arius hier origenistische Gedanken aufnimmt. Daraus folgt zunächst nur die Verwandtschaft der Polemik gegen die Gnosis, nicht jedoch der Lehre über das Verhältnis des Sohnes zum Vater. Mit der Wendung „nicht aus der Usia des Vaters gezeugt" hat die Aussage, welche man gern mit ihr verbindet, daß nämlich *ἕτερος . . . κατ' οὐσίαν καὶ ὑποκείμενόν*

38 Thalia bei Athan., De syn. 15 S. 242,9 ff. Opitz.
39 Urk. 6 S. 12,6. Aber in Zeile 5 „der da allein Unsterblichkeit hat" liegt eine (von Opitz nicht verzeichnete) Beziehung auf 1 Tim. 6,16 vor.
40 Urk. 1 S. 2,2 Opitz.
41 Origenes, In Joh. 2,10 S. 65,15 ff. Preuschen.
42 Origenes, C. Cels. 6,17 S. 88,21 Koetschau.
43 Arius: siehe Tab. I Nr. II; Urk. 6 S. 13,17–20. – Zur Formel *ἐκ τῆς οὐσίας τοῦ πατρός* vgl. A. Orbe, Hacia la primera teologia de la procesión del Verbo, Rom 1958, Kap. VIII: Origenes y los Arrianos, S. 679–98 auf S. 680–82.
44 Origenes, In Joh. 20,18,157 f. S. 351,4–11 Preuschen.
45 Z.B. princ. 4,4,1 S. 348,6 ff. Koetschau. Über den Begriff der Usia bei Origenes handelt J. Rius Camps, Comunicabilidad de la naturaleza de Dios según Origenes, OrChrP 34 (1968) 5–37.
46 Urk. 6 S. 12,10 f. Opitz.
47 Irenäus, Adv. haer. 2,13,5. Bd. 1,283 Harvey.
48 Justin, Dial. 61,2 S. 166 Goodspeed; 128,4 S. 250.

ἐστι ὁ υἱὸς τοῦ πατρός[41], nichts zu tun. Letztere richtet sich gegen die Sabellianer und will das persönliche Eigensein des Sohnes festhalten[50]. Damit steht Origenes nicht allein, sondern in der Überlieferung, die von den Apologeten[51] und den Gegnern des Sabellius herkommt.

Es finden sich nun auch Äußerungen des Origenes, daß der Sohn aus der Usia des Vaters sei[52]. F.H. Kettler[53] hält solche Stellen, da aus Katenen stammend, für unecht oder mit Einschaltungen versehen. Es scheint jedoch, als sei Usia in dem Fragment des Johanneskommentars (s. Anm. 52) nicht im Sinne körperlicher Substanz gebraucht, sondern bedeute geistige *δύναμις* und *ἐνέργεια*: der Sohn als *ἀλήθεια* ist *κατ' ἐνέργειαν οὖσα τοῦτο ὁ λέγεται εἶναι*[54]. Der Sohn (die Sophia) ist *δύναμις θεοῦ* (virtus dei) als „Ausfluß" (*ἀπόρροια*) der göttlichen Dynamis[55]. Diese zweite Dynamis geht aus der Dynamis Gottes hervor velut voluntas ex mente[56]. Die *ἀπόρροια* wird also hier neuplatonisch als *ἐνέργεια* verstanden[57]. Das Wirken Gottes ist das Sein des Sohnes[58].

49 Origenes, De orat. 15,1 S. 334,4 f. Koetschau; In Joh. 2,19,246 S. 212,13–19 Preuschen.

50 Usia und Hypokeimenon sind dabei eine Umschreibung des Begriffs Hypostase, vgl. G.W.H. Lampe, A Patristic Greek Lexicon (1968) s.v. *ὑπόκειμαι*. Origenes gebraucht C. Cels. 1,23 S. 73,14 Koetschau, Hypostasis und Usia gleichbedeutend. Vgl. L. Prestige, God in Patristic Thought S. 160; 190 ff. – H. Dörrie, Hypostasis. Wort- und Bedeutungsgeschichte, NAG phil.-hist. Kl. 1955 Nr. 3.

51 Z.B. Justin, Dial. 128,4; 129,1–4: der Sohn ist *ἀριθμῷ ἑτερόν τι* als der Vater. – Die sabellianischen Gegner des Origenes behaupten *μὴ διαφέρειν τῷ ἀριθμῷ τὸν υἱὸν τοῦ πατρός*, Origenes, In Joh. 2,19,246 S. 212,13 Preuschen.

52 Origenes, In Joh. frg. 9 S. 490,20 f. Preuschen.

53 F.H. Kettler, Die Ewigkeit der geistigen Schöpfung bei Origenes. In: Reformation u. Humanismus, Festschrift R. Stupperich, 1969, S. 275 A. 21a.

54 Origenes, In Joh. frg. 9 S. 491,4 Preuschen. Dazu C. Cels. 8,12 S. 229,31 Koetschau: *θρησκεύομεν οὖν τὸν πατέρα τῆς ἀληθείας καὶ τὸν υἱὸν τὴν ἀλήθειαν...*

55 *εἰκὼν γάρ ἐστιν τῆς ἀγαθότητος αὐτοῦ* (des Vaters) *καὶ ἀπαύγασμα οὐ τοῦ θεοῦ ἀλλὰ τῆς δόξης αὐτοῦ καὶ τοῦ ἀϊδίου φωτὸς αὐτοῦ, καὶ ἀτμὶς οὐ τοῦ πατρὸς ἀ λ λ ὰ τ ῆ ς δ υ ν ά μ ε ω ς α ὐ τ ο ῦ, καὶ ἀπόρροια εἰλικρινὴς τῆς παντοκρατορικῆς δόξης αὐτοῦ, καὶ ἔσοπτρον ἀκηλίδωτον τῆς ἐνεργείας αὐτοῦ*. In Joh. 4,24,153 S. 249,29 ff. Preuschen. (vgl. Weisheit Sal. 7,25 f.). – Der Sohn ist *αὐτοδύναμις θεοῦ*. Ebd. 1,33,241 S. 43,9 Preuschen.

56 Origenes, princ. 1,2,9 S. 40,9 Koetschau.

57 Plotin, Enn. 3,4,3 Zeile 24 ff. (der Zählung Bréhiers, die bei Harder angegeben ist): mit dem geistigen Seelenteil bleiben wir „oben", mit dem niedrigsten sind wir hinabgeschritten *οἷον ἀπόρροιαν ἀπ' ἐκείνου διδόντες εἰς τὸ κάτω, μᾶλλον δὲ ἐνέργειαν, ἐκείνου οὐκ ἐλαττουμένου.*

58 Für die Gleichsetzung von *βούλησις* (*ἐνέργεια*) mit Usia vgl. Plotin, Enn. 6,8,13 – ein Kapitel, das aufschlußreich für die Willensmetaphysik bei Origenes ist. Über den Willen als Substanz des Geistes und als Selbsthypostasierung

Das bedeutet nicht nur Gleichewigkeit von Vater und Sohn[59], sondern auch gleiche Allmacht[60] – worüber freilich die subordinatianischen Aussagen des Origenes[61] nicht vergessen werden dürfen.
Von hier fällt einiges Licht auf die Frage der Homousie bei Origenes[62]. Dieser lehrt keine „stoffliche" Homousie (der Sohn ist nicht pars aliqua substantiae dei)[63], sondern eine „dynamistische" – eine Homousie der Dynamis und Energeia, wobei er den gnostisch belasteten Begriff *ὁμοούσιος* vermeidet[64]. Die Sapientia (der Sohn) ist virtus oder vigor dei und zwar vigor ipse in propria subsistentia effectus[65]. So kann Origenes von der divina substantia des Sohnes[66], der *θειοτέρα φύσις*, die geeint ist mit der ungewordenen Natur des Vaters, sprechen[67]. Die dynamistische Usia (der wirkende und sich verwirklichende Wille Gottes) ist der Vater und Sohn umgreifende Gattungsbegriff[68]. Christus ist *δύναμις τοῦ θεοῦ*[69]. Vielleicht muß man noch genauer sagen: der Sohn ist die *οὐσία* der *δύναμις* des Vaters, als teilhabendes Abbild und Ausformung. Die Gedanken des Origenes werden beleuchtet von Plotin, Enn. 5,3, 12–16, wo die von der Dynamis des ersten Prinzips ausgehende Energeia (welche von ihm „ausfließt" wie das Licht von der Sonne[70]) die Usia des zweiten Prinzips bildet.
Origenes faßt dies in der Betrachtung des Sohnes als Abbild Gottes zusammen. Quae imago etiam naturae ac substantiae patris et filii

des Geistes handelt E. Benz, Marius Victorinus (1932) S. 300–306. Benz meint allerdings, Origenes habe die Frage nach dem Verhältnis des göttlichen Willens zur göttlichen Substanz und nach der ontologischen Seite des Hervorgehens der intelligiblen Wesen aus dem Willen nicht gestellt (S. 332 ff.).

59 Origenes, princ. 1,2,9 S. 41 f. Koetschau. Stellen zur ewigen Zeugung bei Seeberg, DG Bd. 1,510 u. A. 1.

60 Origenes, princ. 1,2,10 S. 43,10 Koetschau.

61 Stellen bei Huetius, Origeniana lib. II qu. 2,7–9, Lommatzsch Bd. 22, 140–51; Seeberg, DG Bd. 1,512 f.; Loofs, DG^4 S. 195.

62 Hierzu H. Crouzel, Théol. de l'image S. 98–110.

63 Origenes, princ. 4,4,1 S. 349,4 Koetschau.

64 Das *ὁμοούσιος* im Fragment des Hebräerbriefkommentars, Lommatzsch Bd. 5, S. 300 dürfte ein Einschub Rufins sein.

65 Origenes, princ. 1,2,9 S. 39,13–40,11 Koetschau.

66 Princ. 2,6,2 S. 141,14 Koetschau.

67 Origenes, In Joh. 8,19,6 S. 299,15 Preuschen.

68 Auf den „dynamistischen" Zug im Gedankengebäude des Origenes hat R. Seeberg (DG Bd. 1,509; 512) aufmerksam gemacht. Siehe auch M. Simonetti, Note sulla teologia trinitaria di Origene, Vetera Christianorum 8 (1971) 273–307, S. 286 u.A. 51 f.

69 Origenes, In Joh. 32,31,387 S. 478,29 f. Preuschen.

70 Plotin, Enn. 5,3,12 Zeile 40 f. der Zählung Bréhiers.

continet unitatem. Si enim omnia quae fecit pater, haec et filius facit similiter (Joh. 5,19), in eo quod omnia ita facit filius sicut pater, imago patris deformatur in filio, qui utique natus ex eo est velut quaedam voluntas eius ex mente procedens[71].
Diese Auffassung des göttlichen Seins des Sohnes setzt sich in der origenistischen Überlieferung fort. Gregor der Wundertäter bezeichnet den Sohn, der Gott aus Gott ist, als *λόγος ἐνεργός*, *σοφία ὑφεστῶσα*, *δύναμις*[72], und die origenistischen Bischöfe, welche an Paulus von Samosata schreiben, bekennen, daß diese Dynamis Gottes auch *οὐσίᾳ καὶ ὑποστάσει* Gott ist; der Vater hat den Sohn als *ζῶσαν ἐνέργειαν* gezeugt[73]. Theognost sagt in seinen Hypotyposen sogar: *ἐκ τῆς τοῦ πατρὸς οὐσίας ἔφυ* (scil. die Usia des Sohnes) – wie der Glanz vom Licht, wie der Dampf vom Wasser, als *ἀπόρροια* ohne Teilung der Usia des Vaters[74]. Das ist ein Echo von Origenesstellen[75]. Es wirkt Origenes' Auslegung von Weisheit Salomos 7,25 f.[76] nach. Für Theognost wohnt die Gottheit im Sohn nicht als etwas von ihm Verschiedenes, sondern sie erfüllt seine Usia und bewirkt *τὴν ὁμοιότητα τοῦ πατρὸς κατὰ τὴν οὐσίαν*[77]. Arius bestreitet diese Ähnlichkeit des Seins: der Sohn ist dem Vater nicht *ὅμοιος κατ' οὐσίαν* (Tab. I Nr. II).
Die Befürchtung, daß Usia „stofflich" aufgefaßt werden könne, führt Euseb von Cäsarea wieder zum Mißtrauen gegen die Formel *ἐκ τῆς οὐσίας τοῦ πατρός*. Die „Theologie" lehrt einen Logos, aus dem ungewordenen Gott gezeugt *οὐ κατὰ διάστασιν ἢ τομὴν ἢ διαίρεσιν ἐκ τῆς τοῦ πατρὸς οὐσίας προβεβλημένον*, sondern *ἐκ τῆς τοῦ πατρὸς ... βουλῆς τε καὶ δυνάμεως οὐσιούμενον*[77a]. Als Bild des Vaters und seines Lichtes besitzt der Sohn Ähnlichkeit des Seins (*οὐσίας ὁμοίωσιν*)[78]. Auch Alexander von Alexandrien, der an der Gleichewigkeit von Vater und Sohn festhält[79], verwendet die Formel *ἐκ τῆς οὐσίας τοῦ πατρός* nicht, sondern sagt vorsichtiger, daß der Sohn

71 Origenes, princ. 1,2,6 S. 34,23–35,4 Koetschau, mit den Testimonien.
72 Hahn, Bibl. der Symbole S. 253 f.
73 Routh, Rel. sacrae Bd. 3, S. 290,16 f.; 293,10. Der Text des Hymenäusbriefes auch bei F. Loofs, Paulus v. Samosata, S. 324–330 und G. Bardy, Paul de S., S. 13–19.
74 Theognost, Frg. 2 S. 76 Harnack (= Athan. De decr. 25,2 S. 21,1 ff. Opitz).
75 Wie z.B. In Joh. 4,24,153 S. 249,29 ff. (oben in A. 55 zitiert).
76 Origenes, princ. 1,2,9 S. 39 ff. Koetschau.
77 Theognost, Frg. 4 S. 77,12 Harnack.
77a Euseb, Dem. ev. 4,3,13 S. 154,18–21 Heikel. Vgl. G.C. Stead, ‚Eusebius' and the Council of Nicaea, JThS 24 (1973) 85–100, S. 91.
78 Dem. ev. 4,3,8 S. 153,20 f. Heikel.
79 Urk. 14 S. 23,29–24,6 Opitz.

dem Vater nicht *ἀνόμοιος τῇ οὐσίᾳ*[80] und *ἐξ αὐτοῦ τοῦ ὄντος πατρός* gezeugt sei, ohne Teilung nach Art körperlicher Vorgänge[81]. Der Gegner des Arius erweist sich auch hier als Origenist.

c) μετοχῇ καὶ αὐτὸς ἐθεοποιήθη[82]

Mit der Bezeichnung des Sohnes als *εἰκὼν τοῦ θεοῦ* bei Origenes stellt sich die Frage nach seiner Teilhabe an Gott. Der Vater ist *αὐτόθεος* denn Johannes (17,3) nennt ihn *μόνον ἀληθινὸν θεόν*; der Sohn ist Gott durch Teilhabe und heißt deshalb *θεός*, ohne Artikel: *πᾶν δὲ παρὰ τὸ αὐτόθεος μετοχῇ τῆς ἐκείνου θεότητος θεοποιούμενον οὐχ' »ὁ θεός« ἀλλὰ »θεός« κυριώτερον ἂν λέγοιτο, οὗ παντῶς »ὁ πρωτότοκος πάσης κτίσεως«* (Kol. 1,15).
Der „Erstgeborene" zieht „Gottheit" in sich hinein (*σπάσας τῆς θεότητος εἰς ἑαυτόν*)[83], was ihn befähigt, andere zu Göttern zu machen. Der Logos/Sohn ist Bild Gottes, die übrigen „Götter" sind Abbilder dieser *ἀρχέτυπος εἰκών*. Der Sohn ist ewig Gott, weil er „bei Gott" (Joh. 1,1) ist; er bliebe es nicht, wenn er nicht in der ununterbrochenen Schau der göttlichen Tiefe verharrte[84]. Die Gottesschau vergöttlicht[85]. Origenes ergänzt das durch den Gedanken der willentlichen Einheit. Die „Wahrheit" (der Sohn) und der Vater der Wahrheit, obwohl zwei Hypostasen, sind doch eins *τῇ ὁμονοίᾳ καὶ τῇ συμφωνίᾳ καὶ τῇ ταυτότητι τοῦ βουλήματος*[86].
Hierzu finden sich auffallende Entsprechungen bei Arius. Der Sohn/Logos ist nicht *ἀληθινὸς θεός*, sondern *μετοχῇ καὶ αὐτὸς ἐθεοποιήθη*[87]. Und er bleibt gut durch seinen Willen (Tabelle I Nr. IV). Der Lukianschüler und Parteigänger des Arius, Asterius, spricht wie Origenes von der *συμφωνία* (in Worten und Werken) zwischen Vater und Sohn[88].

80 Urk. 4b S. 9,3 Opitz.
81 Urk. 14 S. 26,28; 27,4–7 Opitz.
82 Arius s. Tab. I Sp. 3 Nr. [V].
83 Vgl. Origenes, princ. 1,2,9 S. 40,11 Koetschau: hoc quidem quod est inde trahens; ebd. 1,2,2 S. 29,13: quod est ab ipso (Gott dem Vater) trahentis.
84 Origenes, In Joh. 2,2,17–18 S. 54,32–55,8 Preuschen. Origenes denkt natürlich nicht ernstlich daran, daß der Sohn aufhören könnte, Gott zu sein. Vgl. zur Stelle H. Crouzel, Théol. de l'image de Dieu chez Origène, Paris 1956, S. 85 f.
85 Origenes, In Joh. 32,27,338 S. 472,30 Preuschen.
86 Origenes, C. Cels. 8,12 S. 229,32–230,2 Koetschau.
87 Tab. I Sp. 3 Nr. [V] = Athan., Or. c. Ar. 1,9. MPG 26,29b.
88 Asterius, Frg. 32 bei Bardy, Lucien d'Antioche S. 352 f.

Zur Beurteilung dieser Ähnlichkeiten ist zunächst an den oben beschriebenen Teilhabebegriff des Arius zu erinnern. Der Sohn besitzt die göttlichen Attribute nach Arius nur akzidentiell. Das ist bei Origenes anders – die Sophia (der Sohn)[89] ist Gerechtigkeit, Weisheit, gloria omnipotentiae nicht akzidentiell, sondern substantiell[90].
Die Teilhabe des Sohnes am Vater ist bei Origenes eine Teilhabe an der Usia[91]. Es handelt sich, in der Sprache der Logik seiner Zeit ausgedrückt, um Teilhabe *καθ' αὐτό* und nicht *κατὰ ἐπιβεβηκός*. Daher ist der Sohn unveränderlich[92]. Er hat seine Macht, Würde und Heiligkeit nicht durch Verdienst, sondern von Natur, als substantiale bonum[93]. Arius lehrt das Gegenteil. Der Sohn ist grundsätzlich wandelbar und erhält durch das Verdienst seiner (von Gott vorausgesehenen) Tugend die Gnade des göttlichen Namens (Tab. I Nr. IV).

d) Sohn φύσει oder θέσει?[94]

Alexander von Alexandrien legt gegen Arius ausführlich dar, daß der Sohn von Natur und nicht durch „Adoption" (*θέσει*) Sohn Gottes und Gott sei[95]. Bei Arius aber wird der „Sohn" zum Sohne durch die Gnade Gottes und durch Einsetzung[96]. Alexander vertritt die Meinung

89 Über das Verhältnis zwischen den Begriffen Sohn, Weisheit, Logos bei Origenes handelt M. Simonetti, Note sulla teologia trinitaria di Origine (s.o. A. 68) S. 287 ff.
90 Origenes, princ. 1,2,10 S. 44,11–22 (vgl. S. 48,1–8); 1,5,3 S. 72,23 f.
91 Princ. 1,2,13 S. 48,1 ff: principalis bonitas in deo patre sentiendum est, ex quo vel filius natus vel spiritus sanctus procedens sine dubio bonitatis eius naturam in se refert, quae est in eo fonte, de quo ... natus est filius. Und zwar ist das eine substantialis bonitas im Unterschied zu Engeln und Menschen.
92 Origenes, princ. 1,2,10 S. 44,17–21: in omnibus inconvertibilis est et incommutabilis, et substantiale in eo omne bonum est, quod utique mutari ac converti numquam potest. Daß (unter Bezug auf Mk. 10,18) der Heiland nicht wie der Vater *ἀπαραλλάκτως ἀγαθός* sei, will keine Veränderlichkeit der zweiten Hypostase der Trinität besagen, sondern nur, daß sie Bild des Urguten sei. Außerdem scheint der Gedanke an den Fleischgewordenen hier einzufließen (princ. 1,2,13 S. 47,2–11. Vgl. In Joh. 13,36,234 S. 261,27 Preuschen). Das Material zur *ἀγαθότης* des Sohnes bei Huetius, Origeniana II qu. 2,15, Lommatzsch Bd. 22, S. 163–67.
93 Origenes, princ. 1,5,3 S. 72,23–73,6; vgl. 1,5,5 S. 77,10–23 Koetschau.
94 Arius: Tabelle I Nr. III.
95 Urk. 14 S. 24,8–25,7 Opitz.
96 Arius bei Athan., De sent. Dionys. 23,1 S. 63,1–2 Opitz: *καὶ οὐκ ἔστι μὲν κατὰ φύσιν καὶ ἀληθινὸς τοῦ θεοῦ υἱός, κατὰ θέσιν δὲ λέγεται καὶ οὗτος υἱὸς ὡς κτίσμα*. Das Begriffspaar *φύσει – θέσει* war bekannt und besonders in der Sprachphilosophie geläufig (s. R. Lorenz, Die Wissenschaftslehre

des Origenes[97]. Auch der Origenist Euseb von Cäsarea steht hier gegen Arius: der Sohn ist *φύσει* Gott und Sohn, nicht akzidentiell[98].

e) Die Erkenntnis des Vaters durch den Sohn[99]

Origenes hält daran fest, daß der Sohn den Vater und sich selbst erkennt und den Vater offenbart[100]. Er unterläßt es aber nicht, Zweifel an der Vollkommenheit der Gotteserkenntnis des Sohnes zu nähren – deutlich in der Frühschrift De principiis[101], verhüllter in den späteren Schriften[102]. In der Thalia hebt Arius hervor, daß der Sohn den Vater weder sehen noch erkennen, noch aussprechen kann und auch sein eignes Sein nicht kennt. Er räumt jedoch ein, daß der Sohn den Vater entsprechend seinen (eingeschränkten) Möglichkeiten sieht und erkennt (s. Tab. I Nr. VI). Dabei scheint sich Arius auf Äußerungen des Origenes zu beziehen. Dieser erörtert eine Meinung, nach welcher einiges von dem, was der Vater in seiner Tiefe erkennt, vom Sohn nicht gewußt wird, welcher es erträgt, auf die Stufe dessen, was vom ungewordenen Gott faßbar ist, gestellt zu werden: *ἐὰν δέ τις ... ἀποφαίνηταί τινα γινωσκόμενα ὑπὸ τοῦ πατρὸς ἀγνοεῖσθαι ὑπὸ τοῦ υἱοῦ διαρκοῦντος ἐξισωθῆναι ταῖς καταλήψεσι τοῦ ἀγεννήτου θεοῦ ...*[103]. Das heißt: der Sohn ist auf die *καταλήψεις* beschränkt und diesen entzieht sich das Verborgene in Gott[104]. In dieser Weise unterschieden die Valentinianer zwischen dem *ἀκατάληπτον* in Gott und dem *καταληπτόν*, welches durch den Sohn vermittelt wird[105].

Augustins, ZKG 67 (1955/6) 29–60; 213–251, auf S. 232 f.), es konnte vielfach Verwendung finden. So spricht der Gnostiker Herakleon (bei Origenes, In Joh. 20,24,213 S. 359,13 f. Preuschen) von Menschen, welche *φύσει* und solchen, die *θέσει* Söhne des Teufels sind.

97 Origenes, princ. 1,2,4 S. 33,2 f. Koetschau; In Joh. 2,10,76 S. 65,22 Preuschen: *μόνου τοῦ μονογενοῦς φύσει υἱοῦ ἀρχῆθεν τυγχάνοντος*.

98 Euseb, Dem. ev. 5,4,11 S. 225,26 Heikel.

99 Arius: Tabelle I Nr. VI.

100 Origenes, C. Cels. 6,17 S. 88,16–27 Koetschau; In Joh. 32,28,344–347 S. 473, 10–17 Preuschen.

101 Princ. 1,1,8 S. 25,16 ff. mit den Testimonien Koetschaus: der Sohn kann den Vater nicht sehen; 4,4,8 S. 360,4 ff: der Vater erkennt sich selbst klarer als der Sohn.

102 Das Material bei Huet, Origeniana II qu. 2,17–20, Lommatzsch Bd. 22, S. 169–76.

103 Origenes, In Joh. 1,27,187 S. 34,22–26 Preuschen. Ich tilge das Komma nach *υἱοῦ*.

104 So fasse ich den Sinn der schwierigen Stelle auf. Anders C. Blanc, Origène, Commentaire sur S. Jean, SC 120, Paris 1966, S. 152 A. 2.

105 Irenäus, Adv. haer. 1,2,5. Bd. 1,21 f. Harvey. Ähnlich Pseudoklement. hom. 17,10,2 S. 234,21 Rehm: *αὐτός* (Gott) *ἐστιν μόνος πῇ μὲν καταληπτός, πῇ*

Origenes scheint zwar die von ihm berichtete Ansicht abzulehnen, läßt sich jedoch (wie oft) eine Hintertür offen: man könne diese Auffassung zulassen, wenn es Erkennbares gäbe, welches die Wahrheit überschreitet – ein Wink mit der neuplatonischen Metaphysik[106]. Diese Hintertüre öffnet sich etwas weiter an der Stelle in Joh. 32, 28, 344 ff.[107]: der Sohn erkennt den Vater und sich selbst. Dadurch wird der Sohn verherrlicht und im Sohn der Vater (Joh. 13, 31). Aber wird Gott nicht in noch höherem Maße verherrlicht, wenn er sich selbst schaut und erkennt – eine Schau, welche größer ist, als die durch den Sohn?

Einige Stichworte des Origenes kehren bei Arius wieder. Der Sohn erträgt es (*ὑπομένει*)[107a], den Vater zu sehen, so wie es festgesetzt ist. Er ist *δόξα θεοῦ* und preist den Vater, gelangt aber nicht zur *κατάληψις* des Vaters[108]. Offenbar rückt Arius hier den Origenes in seinem Sinne zurecht. Der Satz, daß der Sohn den Unsichtbaren sieht *τῇ δυνάμει ᾗ δύναται ὁ θεὸς ἰδεῖν*[109], soll wohl zunächst die Unkörperlichkeit dieses Sehens andeuten[110]; vielleicht denkt Arius auch an eine Inspiration des vorzeitlichen Sohnes[111].

f) Der Wille des Vaters und der Wille des Sohnes[112]

Wie steht es nun bei Origenes und Arius mit dem schon oben gestreiften Verhältnis zwischen Wille des Vaters und Willen des Sohnes? Beide lehren den Ursprung des Sohnes aus dem Willen des Vaters und die Übereinstimmung der beiden Willen. Weil die Arianer behaupten, der Sohn sei durch Gottes Willen (*βουλήσει καὶ θελήσει*) geworden[113],

δὲ ἀκατάληπτος. Vgl. Philo, De post. Caini 167–9: nur der „Rücken" Gottes (die Gott folgenden Mächte (dynameis), aus denen sein „Vorhandensein" erkannt wird) ist erfaßbar für den Guten, Gott selbst bleibt *ἀκατάληπτος*. – Die gottliebende Seele gelangt dazu, zu begreifen (*καταλαβεῖν*), daß die Usia Gottes unbegreiflich ist, De post. Cain. 15.

106 Origenes, In Joh. 1,27,187 S. 34,26–31 Preuschen. Über den Unterschied, welchen Origenes zwischen der Wahrheit des Sohnes und der Urwahrheit des Vaters macht, s. Redepenning, Origenes Bd. 2, S. 305 f. mit Anm.

107 S. 473, 10–474,3 Preuschen.

107a Origenes (s. zu A. 103) sagte: *διαρκοῦντος τοῦ υἱοῦ*.

108 Arius, Thalia bei Athan., De syn. 15 S. 242,22; 243,7.13.16 Opitz.

109 Ebd. S. 242,22.

110 Vgl. Origenes, princ. 1,1,8 S. 26,2 f. Koetschau.

111 Darüber unten, Abschnitt h. – Verleihung von *δύναμις* an den Sohn: Asterius, Frg. 13 bei Bardy, Lucien S. 346 (*τοῦ πατρὸς δεδωκότος τὴν δύναμιν*).

112 Arius: Tabelle I Sp. 4 u. 6. Nr. VIII; Sp. 2 u. 4 Nr. IV. Zum Problem s. A. Orbe, Hacia la primera teologia de la procesión del Verbo, S. 465–73.

113 Vgl. Arius, Urk. 6 S. 12,9; 13,4 Opitz; Thalia bei Athan., Or. c. Ar. 1,5.

bezichtigt Athanasius sie des Valentinianismus[114]. Da Athanasius darauf abzielt, daß der Wille Gottes der Entstehung des Sohnes vorangeht (*προηγουμένην* col. 448c), trifft er mit Arius auch einige vornicänische Theologen, welche den Sohn als „Person" zum Zwecke der Weltschöpfung durch Gottes Willen hervorgehen lassen[115], jedoch nicht den Origenes. Denn dieser lehrt die Gleichewigkeit des Sohnes, der *ἐκ τοῦ θελήματος τοῦ πατρὸς ἐγενήθη*, mit dem Vater[116].
Stimmt nun der Wille des Sohnes mit dem Vater überein, weil der Sohn die Verwirklichung des väterlichen Willens ist[116a], oder stellt der Sohn durch seine Willensentscheidung diese Übereinstimmung her? Letzteres, also eine moralische Willenseinheit, wird ganz klar von Arius gelehrt (Tab. I Nr. IV). Für Origenes läßt sich die Frage nicht so einfach beantworten[117]. Die bekannte Stelle In Joh. 13,36, 228–234[118] spricht zunächst für eine moralische Willenseinheit. Indem der Sohn in sich das Wollen hervorbringt (*τοῦτο τὸ θέλειν ἐν ἑαυτῷ ποιῶν*), das auch im Vater war, ist der Wille Gottes im Willen des Sohnes und beide Willen sind ein Wille, so daß der, welcher den Sohn sieht, auch den Vater sieht. Der Sohn „faßt" (*χωρήσας*) den ganzen Willen des Vaters, daher ist er auch Bild Gottes. Der Wille des Sohnes ist Bild des Willens Gottes und seine Gottheit ist Bild der wahrhaftigen Gottheit[119].
Diese moralische Willenseinheit muß freilich in den Zusammenhang

MPG 26,21b; Ep. ad episc. Aeg. et Lib. 12. MPG 25,565b; De syn. 15 S. 243,3 Opitz.

114 Athanasius, Or. c. Ar. 3,59 f. MPG 26,445c und 448c. Die Polemik erstreckt sich bis col. 468. Zum Willensbegriff in der mythischen Spekulation der Valentinianer s. E. Benz, Marius Victorianus S. 319–26.

115 Novatian, De trin. 31. MPL 3,950a: hic ergo, quando pater *voluit*, processit ex patre; et qui in patre fuit, quia ex patre fuit, cum patre postmodum fuit... et merito ipse est ante omnia, sed post patrem, quando per illum facta sunt omnia. – Justin, Dial. 61,1 S. 166 Goodspeed: Der Logos ist als Archē vor allen Geschöpfen *τοῦ πατρὸς θελήσει* gezeugt; Dial. 128,4 S. 250: *δυνάμει καὶ βουλῇ*. – Tatian, Or. 5 S. 5,22 Schwartz: *θελήματι δὲ τῆς ἁπλότητος αὐτοῦ προπηδᾷ λόγος*. – Theophilus, Ad Autol. 2,22 S. 62 Grant: als Gott die Dinge erschaffen *wollte*, die er beschlossen hatte, zeugte er zuerst den Logos prophorikos.

116 Origenes, princ. 4,4,1 S. 349,11 ff. Koetschau.

116a Siehe oben Abschnitt b.

117 Vgl. A. Lieske, Die Theologie der Logosmystik bei Origenes, Münster 1938, S. 189–208. Origenes' „trinitätsmetaphysische Erklärung der innergöttlichen Erkenntnis- und Willenseinheit" wird mit Plotin verglichen. Lieske spricht sich gegen eine bloß moralische Willenseinheit bei Origenes aus.

118 S. 260,29–261, 29 Preuschen.

119 E. Benz, Marius Victorianus S. 336: der Sohn tut den Willen des Vaters, er ist nicht dieser Wille.

der origenistischen Lehre gestellt werden. Der Sohn macht sich nicht selbst zum Bild des Vaters, sondern er wird als Bild vom Vater ewig gezeugt[120] in ewigem Wirken[121]. Er ist Kraft Gottes in propria subsistentia, als Abglanz und „Dampf" der Dynamis des Vaters, hoc quod est inde trahens[122]. Die Dynamis des Vaters ist bei allem Sichtbaren und Unsichtbaren anwesend, gleichsam vereint damit[123]. „Ich und der Vater sind eins" (Joh. 10,30) muß bei Origenes auch von dieser Seite her verstanden werden. Weil der Sohn Sohn ist, will er den Willen des Vaters tun. Und Wollen und Wirken kommt von Gott (Phil. 2,13)[124]. Alexander v. Alexandrien versteht demgemäß die origenistischen Aussagen über den Sohn als Bild des Vaters, im Sinne einer ontischen Ähnlichkeit und verwendet sie gegen Arius[125]; noch stärker drückt sich das antiochenische Synodalschreiben von 324/5 aus: der Sohn ist kein Bild des Willens, sondern des väterlichen Selbst (q^{e}nomā = ὑπόστασις)[126].

g) Die Epinoiai des Sohnes[127]

Die zweite Hypostase des Origenes ist Einheit und Vielheit zugleich. Sie bietet sich dar in einer Mehrzahl von *ἐπίνοιαι* (Begriffen, Bezeichnungen)[128] – als Weisheit (Anfang), Logos, Leben, Licht[129],

120 Origenes, princ. 2,4 f. S. 33,1 und 36,3 Koetschau.
121 Origenes, hom. in Jerem. 9,4 S. 70,14 Klostermann.
122 S. oben A. 83 (princ. S. 40,6 f. Koetschau).
123 Origenes, princ. 1,2,9 S. 40,2–11 Koetschau; 1,3,5 S. 55,4 ff: (*ὁ πατὴρ*) *φθάνει εἰς ἕκαστον τῶν ὄντων, μεταδιδοὺς ἑκάστῳ ἀπὸ τοῦ ἰδίου τὸ εἶναι ὅπερ ἐστίν*. Zu dem Vergleich: der Sohn geht aus der Dynamis Gottes hervor velut voluntas ex mente (princ. S. 40,5–11), ist das neuplatonisch gefärbte Bruchstück 13 (zu Joh. 1.18) zu stellen: *ὁ υἱὸς ὑπὸ τοῦ πατρὸς νοούμενος καὶ νοῶν τὸν πατέρα*, In Joh. S. 495,25 Preuschen.
124 Origenes, In Joh. 20,23,191 ff. S. 356,19–21; 357,8. Vgl. ebd. 2,10,77 S. 65,29: die „Materie" der Gnadengaben wird von Gott gewirkt und vom Sohne (dem hl. Geiste) weitergegeben. – Durch die „Prägung" (*τυποῦσθαι*) seitens Gottes (oder des Teufels) wird man zum Bild und Sohn Gottes (des Teufels), In Joh. 20,21 ff.,171 ff (zu Joh. 8,44) S. 353–59, besonders S. 354, 33–355,17 Preuschen. Die Art der prägenden Form (*τύπος*) bestimmt die Art des Bildes, ebd. S. 358,32 ff.
125 Urk. 14 S. 25,22–26,5. Der Abschnitt enthält origenistische Begriffe.
126 Urk. 18 S. 39,8 f. Opitz. Vgl. Origenes, princ. 4,4,1 S. 349,20: (*τῆς*) *ὑποστάσεως τοῦ πατρὸς εἰκών*.
127 Arius, Thalia bei Athan., De syn. 15 S. 243,6 Opitz; Tab. I Sp. 3 und 4 Nr. III.
128 *τὸ μὲν ὑποκείμενον ἕν ἐστιν, ταῖς δὲ ἐπινοίαις τὰ πολλὰ ὀνόματα ἐπὶ διαφόρων ἐστίν*. Origenes, Hom. in Jerem. 8,2 S. 57,8 f. Klostermann.
129 Origenes, In Joh. 1,31,221 ff. S. 39,17–40,12; 1,19,109 ff. S. 23,12–24,22 Preuschen.

Dynamis[130]. Dies alles sind Wesensmerkmale und Tätigkeiten einer und derselben Wirklichkeit, sie sind in ihr und ineinander, aber sie decken sich nicht völlig und es besteht eine Stufenfolge unter ihnen[131]. Origenes entwickelt das in der Auslegung des Prologs zum Johannesevangelium, wobei die Archē in Joh. 1,1 (*ἐν ἀρχῇ ἦν ὁ λόγος*) mit Gen. 1,1[132] und Sprüche 8,22 (die Sophia als Archē) verknüpft wird[133]. Archē in Joh. 1,1 ist also keine zeitliche Bestimmung, sondern die Hypostase der Weisheit. Sophia ist die umfassendste und grundlegende Epinoia. „Weisheit" ist das „Älteste", was durch die Benennungen des Sohnes geistig erfaßt wird[134]. Denn als Logos ist der Sohn nicht Archē – der Logos war ja „in der Archē" (Joh. 1,1), in der Sophia, umschlossen von ihr[135]. Der Logos war nicht „bloß" (*οὐ γυμνῶς*) als Logos bei Gott, sondern *ἐν τῇ ἀρχῇ, τῇ σοφίᾳ*[136].

Die Epinoia „Zoē" entstand (*γέγονε*) im Logos[137], der seinerseits als Sophia ihre „Archē" ist. Origenes kann diese Ansicht für exegetisch begründet halten, weil er in Joh. 1,4, ebenso wie Klemens v. Alexandrien[138] und der Valentinianer Ptolemäus[139], mit anderer Zeichensetzung liest: *ὃ γέγονεν ἐν αὐτῷ ζωὴ ἦν καὶ ἡ ζωὴ ἦν τὸ φῶς τῶν ἀνθρώπων*. So enthält die zweite Hypostase eine Stufenfolge (ohne daß damit eine feste Systematik aufgestellt wird) von Sophia (Archē), Logos (in der Archē), Zoē (im Logos), und die Zoē ist das Licht der Menschen[140]. Das „Leben als Licht der Menschen" ist etwas zum Logos „Hinzukommendes", freilich als untrennbares Akzidenz[141]. „Leben als Licht der Menschen" konnte der Logos erst sein, nachdem es Menschen gab[142] – mit dem Auftreten der Relation (*σχέσις*)[143] zwischen Logos und Menschen. Origenes verwahrt sich dabei gegen das

130 In Joh. 1,39,291 S. 51,21 Preuschen.
131 Belege zur Vielheit im Sohn bei Redepenning, Origenes Bd. 2, S. 296–300.
132 Origenes, In Joh. frg. 1 S. 484,8–13; 19,22,147 S. 324,7 Preuschen.
133 In Joh. 1,31,222 S. 39,22–25 und oft.
134 *πρεσβύτερον πάντων τῶν ἐπινοουμένων ταῖς ὀνομασίαις τοῦ πρωτοτόκου πάσης κτίσεως*. Origenes, In Joh. 1,19,118 S. 24,20 Preuschen.
135 In Joh. 1,31,222 S. 39,24 f.
136 In Joh. 1,39,289 S. 51,5–12 Preuschen.
137 In Joh. 1,19,112 S. 23,27; 2,37,225 S. 96,18 f. Preuschen.
138 Klemens Alex., Exc. ex Theod. 19,2 S. 112,27 ff. Stählin.
139 Nach Irenäus, Adv. haer. 1,8,5 Bd. 1 S. 77 Harvey (= Völker, Quellen S. 94,7 f.).
140 Origenes, In Joh. 2,37,225 S. 96,17–19 Preuschen.
141 In Joh. 2,18,129 S. 76,2–4: *αὕτη δὲ ἡ ζωὴ τῷ λόγῳ ἐπιγίνεται, ἀχωρίστως αὐτοῦ μετὰ τὸ ἐπιγενέσθαι τυγχάνουσα*. Zur Lehre von den untrennbaren Akzidentien s. Porphyrius, Isagoge S. 12,25 ff. Busse.
142 In Joh. 2,19,130 S. 76,14 f. Preuschen.
143 AaO. Zeile 16.

Einfließen zeitlicher Vorstellungen; es handele sich lediglich um logische Ordnung[144]. Hinter der ganzen Erörterung steht die Unterscheidung zwischen dem, was der Soter an sich und was er für andere ist[145]. Die Namen (*ὀνομασίαι*) welche der Logos um unsertwillen angenommen hat (Licht der Menschen, Erstgeborener von den Toten, Hirte) sind auszuscheiden und es bleiben Weisheit, Logos, Leben (hier denkt Origenes an das Leben, welches der Sohn für sich, nicht für die Menschen hat), Wahrheit – als die eigentlichen Epinoiai[146].

Diese Auslegung des Johannesprologs bei Origenes ist eng verwandt mit der valentinianischen. Simonetti belegte das durch den Bericht des Irenäus[147]. Nach diesem deutete Ptolemäus die Archē in Joh. 1,1 auf den Sohn und Monogenēs, das heißt also auf den Nus (bei Origenes ist es die Sophia). In dieser Archē und aus ihr ist der Logos. Im Logos entstand die Zoē, weitere Emanationen folgen. Zu diesem Text muß noch der Valentinianer Theodotus[148] hinzugenommen werden, wo das gleiche Schema auftritt. Freilich beschränkt sich Origenes' Berührung mit den Valentinianern hier auf das Auslegungsverfahren; sein inhaltliches Verständnis ist neuplatonisch und nicht gnostisch. Während Nus, Logos, Zoē (und die nachfolgenden Äonen Anthropos und Ekklesia) bei den Valentinianern *προβολαί* und Äonen sind[149], faßt Origenes die Epinoiai nicht als stoffliche Ausströmungen, sondern sie sind in durchaus neuplatonischer Art Erweisstrukturen der zweiten Hypostase, in denen sich das Sein dieser Hypostase „erweist" und darstellt[150].

Die Epinoiai des Sohnes kehren bei Arius wieder. Sie sind „zahllos" (*ἐπινοεῖται γοῦν μυρίαις ὅσαις ἐπινοίαις*): Geist, Kraft, Sophia, Herrlichkeit, Bild, Logos, Abglanz, Licht[151], ja auch „Sohn" zählt zu ihnen[152]. Unter ihnen heben sich durch das Gewicht der theologischen Überlieferung Logos und Sophia hervor. Beide können der zweiten Hypostase nur gedanklich, begrifflich zugelegt werden, sie kommen

144 In Joh. 2,19,131 S. 76,16 ff.
145 In Joh. 2,18,128 S. 75,27 ff.
146 In Joh. 1,20,120–23 S. 24 f., bes. S. 25,12 ff. Preuschen.
147 M. Simonetti, Note sulla teol. trin. S. 288 f. Irenäus, Adv. haer. 1,8,5–6 Bd. 1 S. 75–80 Harvey (= Völker, Quellen S. 93–5).
148 Bei Klemens v. Alex., Exc. ex Theod. 6,1–4 S. 107,17–25 Stählin.
149 *προέβαλε σπερματικῶς* (Völker, Quellen S. 93,13).
150 Zum Begriff der Erweisstruktur vgl. Chr. Parma, Pronoia und Providentia. Der Vorsehungsbegriff Plotins und Augustins, Leiden 1971 S. 52 f.; 47 f. (zum Begriff der Verwirklichung bei Plotin).
151 Arius, Thalia, bei Athan., De syn. 15 S. 243,6–8 Opitz.
152 *χάριτι λέγεται υἱός*. Arius bei Athan., Or. c. Ar. 1,9. MPG 26,29b; nachdem „er" geschaffen war, nannte ihn Gott Logos und Sohn und Sophia, Athan., Ep. ad episc. Aeg. et Lib. 12. MPG 25,565ab.

ihr nicht wesensmäßig zu[153]. Denn Logos und Sophia sind wesensmäßig nur Gott zu eigen. Die Lehre des Arius vom doppelten Logos und der doppelten Sophia – wesentlich in Gott, als Titulatur beim erschaffenen Demiurgen (Tab. I Nr. III) – hat nichts mit den zwei Stufen des Logos bei den Apologeten (der Logos in Gott tritt bei der Schöpfung als Hypostase „Logos" neben Gott) zu tun. Sie erklärt sich vordergründig daraus, daß Arius Gott ewige Vernunft und Weisheit zuschrieb, nicht aber dem Geschöpf; andererseits aber dem geschöpflichen Demiurgen die überlieferten Bezeichnungen Logos und Sophia nicht vorenthalten konnte. Es besteht keine seinsmäßige Beziehung mit dem Logos und der Sophia in Gott. Vielmehr ist Gottes Weisheit und Vernunft der Schöpfer des uneigentlichen Logos. Bei der zweiten Hypostase werden also Logos und Sophia zu bloßen Namen.

Damit ebnen sich die bei Origenes geschiedenen Gruppen der Epinoiai (der, welche der Sohn für sich hat und derer, die er für die Menschen hat) ein. Der Sohn ist *κατ' ἐπίνοιαν* in gleicher Weise Logos und Sophia (erste Gruppe bei Origenes) wie Weinstock, Weg, Tür, Holz des Lebens (zweite Gruppe)[154].

Arius begnügt sich nicht mit der Verneinung. So wie er zunächst die Erkenntnis Gottes durch den Sohn in Abrede stellt, um das Grundsätzliche, daß eine Kluft zwischen beiden gähnt, klarzustellen, und dann eine Gotteserkenntnis, welche der Seinsstufe des Sohnes entspricht, zugibt, so verfährt er auch bei den Epinoiai. Eine Versammlung bloßer Namen auf dem Haupt des Schöpfungsmittlers wäre sinnlos. Arius fragt nach der sachlichen Berechtigung dieser Namen und begründet sie: *αὐτὸς δὲ οὗτος ὁ κύριος κατ' ἐπίνοιαν λέγεται λόγος διὰ τὰ λογικά, καὶ κατ' ἐπίνοιαν λέγεται σοφία διὰ τὰ σοφιζόμενα*[155]. Handelt es sich um λογικὰ und *σοφιζόμενα* innerhalb der zweiten Hypostase? Der Satz des Arius erinnert an die schon gestreifte Stelle aus dem Johanneskommentar des Origenes[156]: *ἡ γὰρ σοφία παρὰ τῷ Σαλομῶντί φησι· »ὁ θεὸς ἔκτισέν με ἀρχὴν ὁδῶν αὐτοῦ εἰς ἔργα αὐτοῦ«* (Spr. 8,22), *ἵνα »ἐν ἀρχῇ ᾖ ὁ λόγος«* (Joh. 1,1), *ἐν τῇ σοφίᾳ· κατὰ μὲν τὴν σύστασιν τῆς περὶ τῶν ὅλων θεωρίας καὶ νοημάτων τῆς σοφίας νοουμένης, κατὰ δὲ τὴν πρὸς τὰ λογικὰ κοινωνίαν τῶν τε θεωρημάτων τοῦ λόγου λαμβανομένου*. Origenes spricht

153 *κατ' ἐπίνοιαν* (Tab. I Sp. 4 Nr. III) ist das Gegenteil von *οὐσιώδης*: Pseudo-Athanasius, or. c. Ar. 4,2. MPG 26,469c – und ist synonym mit *ὀνόματι* (bloß dem Namen nach). Ebd. 12 col. 484a.

154 Athan., Or. c. Ar. 2,37. MPG 26,225a.

155 Bei Athan., Ep. ad episc. Aeg. et Lib. 12. MPG 25,565a.

156 Origenes, In Joh. 1,19,111 S. 23,20 ff. Preuschen.

davon, daß der Christus Weltschöpfer ist als Archē. Aus Spr. 8,22 und Joh. 1,1 ergibt sich, daß diese Archē (gefaßt – in stark technischer Sprache – als τὸ ὑφ' οὗ, ὅπερ ἐστὶ ποιοῦν) auch Sophia und Logos ist. Diese beiden Begriffe erklärt Origenes nun: die Weisheit wird verstanden als bestehende Ganzheit[157] der Schau des Alls und der Ideen. Der Logos wird (als solcher) aufgefaßt in Bezug auf die Mitteilung des Geschauten an die vernünftigen Wesen. Die Sophia ist also die Ideenwelt, der Logos in ihr vermittelt die Urbilder (τύποι) an die Schöpfung[158]. Die Logika erhalten also ihr Sein durch den Logos[159]. Die Quelle der Vernunft in jedem der vernünftigen Wesen ist der Logos.

Es ist nicht ausgeschlossen, daß Arius diese Stelle des Origenes oder eine ähnliche im Auge hat. Auf jeden Fall macht sie wahrscheinlich, daß er mit λόγος διὰ τὰ λογικά meint, der Demiurg heiße Logos, weil er die vernünftigen Wesen erschafft. Dann ist er auch Sophia weil er Weisheit mitteilt (διὰ τὰ σοφιζόμενα) und Dynamis, weil er Kraft verleiht (διὰ τὰ δυναμούμενα δύναμις λέγεται)[160]. Athanasius, der ja diese Sätze noch in ihrem Zusammenhang las, verstand sie jedenfalls so. Denn er erweitert ironisch das Ariuszitat: „Sicherlich wird er Sohn genannt wegen derer, die zu Söhnen gemacht wurden, und vielleicht hat er das Sein nur dem Namen nach (κατ' ἐπίνοιαν) wegen des Seienden"[161].

Die Epinoiai der zweiten Hypostase des Arius sind also von Gott her gesehen bloße Namen. Sie empfangen ihre inhaltliche Bestimmtheit von der Weisheit und Vernunft her, welche in der Schöpfung anzutreffen sind und die auf den Demiurgen zurückgehen, dazu von der Wirksamkeit des Christus unter den Menschen (Licht, Weg, Tür, Weinstock, Holz des Lebens).

Arius' Lehre von den Epinoiai ist zweifellos aus Origenes abgeleitet, jedoch verändert durch die Trennung des Seins des Sohnes vom Sein des Vaters. Der sabellianische Gebrauch von Epinoia: derselbe Vater wird nur mit einem andern Begriff (Epinoia) Sohn genannt, ist hiervon völlig verschieden[162].

157 Ebd. S. 24,2 gebraucht Origenes σύστημα als Synonym zu σύστασις.
158 Ebd. S. 24,1–10.
159 Vgl. In Joh. 2,2,15 S. 54,20 Preuschen.
160 Bei Athan., Or. c. Ar. 2,38. MPG 26,228a.
161 Ebd. Vgl. Ep. ad episc. Aeg. et Lib. 13–14. MPG 25,569a, wo Athanasius die Aussage: „dieser wird nur dem Namen nach wegen der vernünftigen Wesen Logos und Sophia genannt" so deutet, daß er „um unsertwillen" diese Bezeichnungen erhalte.
162 Über den sabellianischen Begriff der Epinoia s. Origenes, Matthäuskommentar, Werke X S. 624,12–16 Klostermann: οἱ συγχέοντες πατρὸς καὶ υἱοῦ

h) Τρεῖς εἰσιν ὑποστάσεις[163]

Von Origenes übernimmt Arius die hierarchisch abgestufte Dreiheit der Hypostasen Vater, Sohn, hl. Geist[164]. Bei Origenes überragt der Vater den Sohn um soviel, wie dieser und der heilige Geist alles andere[165], wobei der hl. Geist geringer als der Sohn ist[166]. Sie haben jedoch die gleiche Ewigkeit[167].

Die drei Hypostasen sind für Arius getrennt, unvermischt, von unterschiedlicher Herrlichkeit, ohne (substantielle) Teilhabe aneinander[168]. Das Band, welches bei Origenes noch um die „anbetungswürdige Dreiheit" geschlungen ist und Sohn und Geist im Bereiche der einen Gottheit festhält[169], ist bei Arius zerissen. Er hat keine Trinitätslehre[170], sondern er kennt nur den einen Gott und zwei zur irdischen Welt hin vermittelnde, geschaffene Hypostasen, eine höhere und eine niedere. Allein die theologische Überlieferung (und vielleicht das Beispiel der neuplatonischen Hypostasen) bewegt ihn dazu, die Drei zu einer Trias zusammenzufassen.

Athanasius schreibt den Neuarianern die Lehre zu, der hl. Geist sei durch den Sohn aus Nichts erschaffen[171]. Es läßt sich nicht mit Sicherheit sagen, wie Arius in diesem Stück gedacht hat, da Vorwürfe gegen ihn hier fehlen. Eine bisher kaum beachtete Äußerung des

ἔννοιαν καὶ τῇ ὑποστάσει ἕνα διδόντες εἶναι τὸν πατέρα καὶ τὸν υἱόν, τῇ ἐπινοίᾳ μόνῃ καὶ τοῖς ὀνόμασι ⟨μόνοις⟩ διαιροῦντες τὸ ἓν ὑποκείμενον. Vgl. In Joh. 10,37,246 S. 212,15 Preuschen; Ps. Athan., Or. c. Ar. 4,3. MPG 26,472b.

163 Arius, Urk. 6 S. 13,7 Opitz, Tabelle I Sp. 2 u. 6 Nr. IX.

164 Drei Hypostasen: Origenes, In Joh. 2,10,75 S. 65,16 Preuschen. Trias: ebd. 1,33,166 S. 142,30; 10,39,270 S. 216,31.

165 Origenes, In Joh. 13,25,151 S. 249,19–22 Preuschen.

166 Origenes, princ. 1,3,5 S. 55,4–56,8 und im Testimonienapparat Koetschaus S. 55.

167 Das geht z.B. aus dem von Markell zitierten Origenesfragment (bei Euseb, C. Markell. 1,4,22 S. 22,12–18 Klostermann) hervor: der Vater ist immer Vater, er beraubt sich nicht des Guten, Vater eines solchen Sohnes zu sein. „Dasselbe ist natürlich auch vom hl. Geist zu sagen".

168 Thalia, bei Athan., De syn. 15 S. 242,24–27 Opitz; Tab. I Nr. IX.

169 S. Redepenning, Origenes Bd. 2, S. 311 f.; Seeberg, DG Bd. 1, S. 514 f.; Simonetti, Note sulla teol. trin. S. 283 f. Vgl. Origenes, princ. 1,6,2 S. 80, 11–13 Koetschau: In hac enim sola trinitate, quae est auctor omnium, bonitas substantialiter inest, ceteri vero accidentem eam . . . habent.

170 Kritik der arianischen Trias bei Athanasius, Or. c. Ar. 1,17. MPG 26,48a–c.

171 Athan., Ep. ad Jov. 1. MPG 26,816b. Vgl. Or. c. Ar. 3,15 col. 353a. – Epiphanius, haer. 69,17 S. 166,10 f. Holl (der hl. Geist ist *κτίσμα κτίσματος*); haer. 76,3 S. 343,26 f.; Eunomius, Apol. 20. MPG 30,856c; 25 col. 861d; 28 col. 868bc.

Arius über den Geist ist durch Konstantin erhalten. Der Kaiser schreibt: *εἰ »τὸ πνεῦμα τῆς ἀϊδιότητος ἐν τῷ ὑπερέχοντι λόγῳ γεγενῆσθαι« λέγεις, δέχομαι*[172]. Ist nun zu übersetzen: „Wenn du sagst, der Geist der Ewigkeit sei durch den übergeordneten Logos erzeugt, so nehme ich das an"?[173]. Oder: „der Geist der Ewigkeit sei in dem überragenden Logos entstanden"?[174] Faßt man die Präposition *ἐν* instrumental, so liegt die Übersetzung von *γεγενῆσθαι*[175] mit „erschaffen" nahe. Wir hätten dann ein Zeugnis, daß Arius den hl. Geist als Geschöpf des Logos betrachtete.

Dafür läßt sich, neben der Lehre der Neuarianer, anführen, daß in der Zeit des Arius Euseb von Cäsarea die Geschöpflichkeit des hl. Geistes behauptet[176]. Der Geist als Paraklet ist weder Gott noch Sohn, sondern eins der Geschöpfe des Sohnes. Darin folgt Euseb dem Origenes, der den Geist als das Geehrteste und Vornehmste von allem betrachtet, was vom Vater durch den Sohn geschaffen ist[177], ohne ihm freilich die Gottheit abzusprechen. Mindestens seit dem Bekenntnis, welches Euseb von Cäsarea in Nicäa vorlegte, vertritt er auch mit den Lukianisten die Dreihypostasenlehre des Origenes[178], insbesondere gegen Markell von Ankyra[179].

Wenn man dagegen in dem Ariusbruchstück bei Konstantin das Verhältniswort *ἐν* mit „in" übersetzt („ der Geist der Ewigkeit wurde in dem überragenden Logos hervorgebracht"), dann erscheint der präexistente Sohn als Geistträger. Auch dafür läßt sich einiges geltend machen. Arius bezeichnet den Sohn als *πνεῦμα*[180]. Dahinter steht eine lange, bis auf 2 Kor. 3,17 zurückreichende Überlieferung. Theophilus von Antiochien setzt den Logos mit dem Geiste, der Weisheit und der

172 Konstantin, Brief an Arius, Urk. 34 S. 71,1–2 Opitz.

173 H. Kraft, Kaiser Konstantins religiöse Entwicklung, Tübingen 1955, S. 230.

174 H. Dörries, Das Selbstzeugnis Kaiser Konstantins, Göttingen 1954, S. 104. Ähnlich G. Bardy, S. Lucien S. 244: l'Esprit d'Eternité qui a été engendré dans le Verbe suréminent.

175 Gelasius v. Kyzikos schreibt allerdings *γεγεννῆσθαι*, siehe den Apparat bei Opitz, Urk. 34 zu S. 71,2.

176 Euseb, Praep. ev. 11,20,1 S. 46,7–9 Mras; De eccl. theol. 3,6 S. 164,18–21 Klostermann.

177 Origenes, In Joh. 2,10,75 S. 65,19–21; 2,11,86 S. 67,16 f. Die Stellen in De princ. (z.B. 1,3,3 S. 51,10 f. Koetschau), welche bestreiten, daß der h. Geist eine Kreatur sei, sind in ihrer Echtheit zu bezweifeln oder von Rufin verstümmelt. Vgl. den Testimonienapparat Koetschaus auf S. 52.

178 Ur. 28 S. 43,15–19 Opitz.

179 Euseb, De eccl. theol. 3,5 S. 162,27–31. Siehe den Index Klostermanns s.v. *τριάς*.

180 Thalia, bei Athan., De syn. 15 S. 243,6 Opitz.

Macht Gottes gleich[181]. Das ist in der spätjüdischen Weisheitsliteratur vorbereitet[182] und in die alexandrinische Theologie eingegangen[183]. Bei Irenäus wird dagegen nur der hl. Geist mit der Weisheit geglichen[184]. Auch der Gegner des Arius, Eustathius von Antiochien spricht von dem unkörperlichen und göttlichen Pneuma der Sophia[185]. Der pseudoklementinische Homilist[186] betrachtet die Weisheit von Spr. 8,30, an der Gott sich immer freute, als das eigne Pneuma Gottes, als seine Seele, die mit ihm eins ist. Das weicht erheblich von Arius ab. Wenn dieser den Sohn Pneuma nennt, so muß das ebenso gemeint sein, wie wenn er ihm die Epinoia „Weisheit" (oder „Logos") zuerkennt: weil er von der Weisheit Gottes (die Pneuma ist) geschaffen ist (*σοφία ὑπῆρξε σοφοῦ θεοῦ θελήσει*)[187] und weil er selbst Weises erschafft (*σοφία δὶα τὰ σοφιζόμενα*)[188].
Nach dieser Annahme müßten mehrere Arten von Pneuma unterschieden werden: der Geist Gottes, der Sohn als Geist (oder der Geist im Sohn), der vom Sohne hervorgebrachte Geist. Ähnliche Abstufungen sind schon bei Tatian belegbar: Gott ist Geist[189]; der himmlische Logos entstand als Geist vom Geiste[190] und als Logos aus der vernünftigen Macht (Gottes). Der hl. Geist ist der Diener Christi (des Gottes, der gelitten hat)[191]. Und das Pneuma, welches die Materie durchwaltet, ist geringer als der göttliche Geist[192]. Euseb von Cäsarea kennt ebenfalls eine Hierarchie des Geistes. Gott, der Heilige der Heiligen, ist Geist. Darunter ist der Sohn Geist und zwar

181 Theophilus, Ad Autol. 2,10 S. 38 Grant. Vgl. Lebreton, Trinité Bd. 2 S. 513.
182 Weisheit Sal. 7,22 u. 9,17 sind Pneuma und Sophia Wechselbegriffe; in 9,1–2 bahnt sich die Verschmelzung von Logos und Sophia an.
183 Klemens v. Alex.: Der Herr ist Geist und Logos, Paedag. 1,6 S. 116,2 Stählin. Zum Zusammenfallen von Logos, Sophia, heiligem Geist bei Klemens s.A. Wlosok, Laktanz S. 155 ff., bes. S. 157 A. 44; 158 A. 47; 174 f. – A. Orbe, La Teologia del Espiritu Santo, Rom 1966, Exkurs VIII: Sophia y el Espiritu Santo, S. 687–706.
184 Irenäus, Adv. haer. 4,34,1 Bd. 2 S. 213 Harvey. Weitere Stellen bei Lebreton, Trinité Bd. 2 S. 567 A. 2. Zu Philo ebd. Bd. 1, S. 214 A. 4. Vgl. auch die Angaben bei Lampe, A Patristic Greek Lexicon, Art. *πνεῦμα* VIII F S. 1098 Spalte a; IX e S. 1099 Sp. b.
185 Eustathius, Frg. 21 S. 101,34 Spanneut; Frg. 20 S. 104,9.
186 Pseudoklemens, Hom. 16,12,1 S. 223,28–224, 1 Rehm.
187 Arius, Thalia bei Athan. De syn. 15 S. 243,5 Opitz.
188 Tab. I Sp. 4 Nr. III.
189 Tatian, Or. 4 S. 5,2 Schwartz.
190 Tatian, Or. 7,1 S. 7,6 nach der Konjektur von E. Schwartz.
191 Ebd. 13 S. 15,5 Schwartz.
192 Ebd. 4 S. 5,10 f. Schwartz. Vgl. Lebreton, Trinité Bd. 2 S. 491 Anm.; M. Elze, Tatian S. 68 f; 86–88.

heiliger Geist als Abbild des Vaters. Von beiden verschieden ist der heilige Geist im eigentlichen Sinne, dessen Besonderheit mit dem Namen „Paraklet" umschrieben wird[193]. Auch die Engelmächte sind Geister, aber sie kommen dem Parakleten nicht gleich. Denn dieser gehört zur dreimalseligen Dreiheit, was (wie in Eusebs Bekenntnis zu Nicäa[194]) mit Mt. 28,19 begründet wird[195]. Der hl. Geist steht unter dem Sohn[196].

Es scheint jedoch, daß in dem Ariusfragment nicht vom Sohne als Geist oder vom Geist im Sohne die Rede ist. Denn Konstantin geht ein Bekenntnis (*γνώρισμα*)[197] durch, welches ihm Arius offenbar übersandt hatte. Er hält die Reihenfolge der Glaubensartikel ein und nimmt zunächst die Aussagen, denen er zustimmen kann. So billigt er das Bekenntnis zu dem einen Gott, in welchem ein anfangs- und endloser Logos ist[198]. Dann kommt die Inkarnation: wenn du „die Herberge des Leibes zur Ausführung des göttlichen Heilswirkens bekennst, lehne ich das nicht ab" (*εἰ »τὴν τοῦ σώματος ξενίαν πρὸς οἰκονομίαν τῶν θείων ἐνεργειῶν« παραλαμβάνεις, οὐκ ἀποδοκιμάζω*[199]). Es folgt der dritte Artikel vom ewigen Pneuma[200]. Hier steht also nicht mehr der Sohn im Vordergrund. Das ist erst wieder der Fall, als Konstantin sich vornimmt, was im Bekenntnis des Arius zu verwerfen sei, nämlich die Trennung der Usia des Sohnes vom Vater[201]. Daß mit dem „ewigen Pneuma" die dritte Hypostase gemeint ist, geht auch daraus hervor, daß der Logos als höherstehend davon geschieden wird. Das Verhältniswort *ἐν* könnte demgemäß mit „durch" übersetzt werden: „wenn du sagst, der Geist der Ewigkeit sei durch den darüber-

193 Der Arianer Eunomius gebraucht gern „Paraklet" vom hl. Geiste, z.B. in seinem Bekenntnis, Apol. 5. MPG 30,840c; dann Apol. 20 col. 856c; 25, col. 861b und d; 27 col. 864d. Auch in arianischen Bekenntnissen ist es beliebt (z.B. in den drei Formeln von Sirmium und im Symbol von Nike), es kommt natürlich auch in orthodoxen Bekenntnissen vor.

194 Urk. 22 S. 43,15–19 Opitz.

195 Euseb v. Cäs., De eccl. theol. 3,5 S. 163,5–23 Klostermann. Im Folgenden schließt sich Euseb eng an Origenes, In Joh. 2,10,77 S. 65,21–31 Preuschen, an.

196 Ebd. S. 162,31 Klostermann.

197 Urk. 34 S. 70,28 Opitz.

198 Ebd. S. 70,30 f. Opitz.

199 Urk. 34 S. 70,34–71,1 Opitz. – H. Kraft, Konstantin (s.o. A. 173) übersetzt: „Wenn du sagst, der Körper sei etwas Fremdes im Verhältnis zum Heilsplan der göttlichen Kräfte, so tadle ich es nicht" (S. 235). Ähnlich Dörries, Selbstzeugnis (s. A. 174), S. 104.

200 Urk. 34 S. 71,1 f. Opitz.

201 Ebd. S. 71,2 ff. Opitz.

stehenden Logos geschaffen, so nehme ich das an"[202]. Daß Konstantin so urteilt, wäre bei dem damaligen Stand der Lehre vom hl. Geiste nicht verwunderlich.

Aber auch bei instrumentalem *ἐν* schwingt die ursprüngliche Bedeutung „in" noch mit[203]. Darauf stützt sich der Arianer Eunomius. Er bemerkt zu Kol. 1,16 (*ἐν αὐτῷ ἐκτίσθη τὰ πἀντα*), daß Paulus nicht *δι' αὐτοῦ* sondern *ἐν αὐτῷ* sage, weil der Sohn mitsamt seinem Schöpfungswerk in den Erzeugnissen des Wirkens (*ἐνέργεια*) Gottes einbegriffen ist[204]. Dementsprechend möchte ich als Sinn der Ariusstelle festhalten: In der Erschaffung des Sohnes ist auch die Erschaffung des Geistes mitgesetzt[205]. So ist auch der Sohn Pneuma und bringt Pneuma hervor.

Die Bezeichnung des Sohnes als Pneuma wird also besagen, daß er eine geistige Substanz, eine *νοητὴ φύσις* ist, wie sich Asterius ausdrückt[206].

Die drei Hypostasen sind streng voneinander getrennt und besitzen keine gemeinsame Substanz. Doch stehen sie nicht gänzlich beziehungslos nebeneinander. Da Gott Herrscher, Regierer, Verwalter (*δυναστής, διοικητής, οἰκονόμος*) von allem ist[207], stellt vermutlich sein ordnendes Walten eine Verbindung zwischen ihnen her. Dadurch würde erklärlich, daß nach Asterius der hl. Geist „vom Vater ausgeht"[208]. Außerdem ist der Sohn auf den Vater bezogen, indem er ihn preist, seinen Willen in Übereinstimmung mit dem Willen Gottes bringt[209] – also Kenntnis von diesem Willen empfängt – und eine begrenzte Erkenntnis Gottes hat, obwohl er den Erhabenen nicht sehen und zureichend aussprechen kann[210]. Er sieht Gott *τῇ δυνάμει ᾗ δύνατει ὁ θεὸς ἰδεῖν*[211].

202 Ebd. S. 71,1 f. Die Ewigkeit des Geistes kann also nur anerschaffen sein.

203 S. das Wörterbuch von Liddel-Scott, Artikel *ἐν* A III S. 552 Spalte a.

204 Eunomius, Apol. 24. MPG 30,860d.

205 Arius nennt zwar (wie Asterius) den Sohn (Logos) das einzige von Gott selbst geschaffene Geschöpf (*μόνος ὑπὸ τοῦ πατρὸς ὑπέστη*. Urk. 6 S. 13,6 Opitz; Athan., De decr. 8,1 S. 7,19 Opitz). Doch wird auch die Entstehung der dritten Hypostase letztlich durch Gott verursacht: „Denn er (Gott) ist die Quelle von allem. So gibt es drei Hypostasen. Und Gott, die Ursache aller Dinge, ist als einzigster anfangslos . . ." (Arius, Urk. 6 S. 13,7 f.).

206 Asterius, Frg. 3 Bardy, Lucien S. 343 (= Athan., De syn. 19 S. 246,24 Opitz.

207 Arius, Urk. 6 S. 12,5 f.

208 Asterius, Frg. 31 Bardy, Lucien S. 352 (bei Markell, Frg. 67 S. 197,28 Klostermann).

209 Arianer bei Athan., Or. c. Ar. 3,10. MPG 26,341a; Tab. I Nr. IV.

210 Arius, Thalia bei Athan., De syn. 15 S. 242,19–23 Opitz. – Zur Beziehung zwischen den drei Hypostasen vgl. das oben im 3. Kapitel 3c über Teilhabe als Relation Gesagte.

211 S. 242,22 Opitz.

Scheidweiler hat hier Anstoß genommen und schlägt vor ὁ λόγος statt ὁ θεός zu lesen[212]. Aber es ist schwer einzusehen, wie das schwierigere und „orthodoxere" ὁ θεός an die Stelle von ὁ λόγος (oder ὁ υἱός) hätte treten können, zumal ὁ θεός nach dem Apparat von Opitz einhellig überliefert ist[213]. So wie der Text jetzt lautet, sagt er, daß die Kraft, mit der Gott selbst sieht – und das ist sein Geist und seine Weisheit – auch die Kraft ist, mit welcher der Sohn sieht, freilich innerhalb der Grenzen seines geringeren Seins. Bedeutet das eine Inspiration des Sohnes durch Gott? Gott ist ja Lehrer der Weisheit und lehrt den Sohn und verleiht ihm Kraft[214].

In diese Richtung weist eine späte Nachricht von Schahrastani (1086–1153/4 n.Chr.): „Arius war der Ansicht, daß Gott einer sei, welchen er Vater nannte, und daß der Messias das Wort Gottes und sein Sohn auf dem Wege der Erwählung sei und geschaffen vor der Erschaffung der Welt, und daß dieser die Dinge geschaffen habe; ferner daß Gott einen geschaffenen Geist habe, der die übrigen Geister übertreffe und daß auf ihn, den Mittler zwischen Vater und dem Sohne, die Inspiration komme; vom Messias glaubte er, daß er anfangs eine zarte, geistige, reine, unzusammengesetzte, mit keinem natürlichen Dinge vermischte Substanz gewesen sei, und daß er sich mit den vier Naturelementen erst bei der Vereinigung mit dem von der Marjam stammenden Körper bekleidet habe"[215]. Die etwas dunkle Bemerkung über den Geist, die ich nicht nachprüfen kann, da ich des Arabischen nicht mächtig bin, muß doch wohl so aufgefaßt werden, daß der Geist die Inspiration herbeibringt, welche zwischen Vater und Sohn vermittelt.

Den Angaben Schahrastanis entspricht eine Stelle in der dritten Rede des Athanasius gegen die Arianer. Diese legen Joh. 10,30 (Ich und der Vater sind eins) und 14,10 (Ich bin im Vater und der Vater in mir) von Joh. 17,11 (daß sie – die Menschen, welche der Vater dem

212 F. Scheidweiler, Zur neuen Ausgabe des Athanasius, Byz. Zeitschr. 47 (1954) 73–94, auf S. 87. Wenn konjiziert werden müßte, wäre ὁ υἱός (gemäß dem von Arius bevorzugten Sprachgebrauch) einzusetzen, was auch rhythmisch besser paßt.

213 Daß Arius mit ὁ θεός den Sohn meine, ist nicht anzunehmen, da schon Origenes θεός mit Artikel dem Vater vorbehält (In Joh. 2,2,14 f. S. 54,15–19 Preuschen).

214 Arius, Thalia bei Athan., De syn. 15 S. 242,18 Opitz: τῆς σοφίας διδάσκαλος αὐτός. Der Sohn vom Vater belehrt: Asterius, bei Athan., Or. c. Ar. 2,28. MPG 26,205cd.

215 Abu'l-Fath Muhammed asch-Schahrastani's Religionspartheien und Philosophenschulen. Übersetzt von Th. Haarbrücker, Erster Theil, Halle 1850, S. 270.

Sohn gegeben hat – eins seien, wie auch wir (Vater und Sohn) eins sind) her aus[216]. Die Einheit Gottes mit seinem Sohn ist also keine Einheit der Natur, sondern kommt so zustande, wie auch wir Christen eins werden. Dagegen führt Athanasius (der die verschiedenen Stufen des Geistes nicht berücksichtigt) 1 Joh. 4,13 (daran erkennen wir, daß wir in ihm bleiben und er in uns, daß er uns von seinem Geist gegeben hat) ins Feld. Wir sind in Gott (und werden dadurch eins), indem wir den Geist empfangen. Aber der Sohn ist nicht auf diese Weise im Vater. Er hat nicht Anteil am Geiste, um dadurch im Vater zu sein. Er erhält nicht den Geist, sondern verleiht ihn[217]. „Der Geist verbindet nicht den Logos mit dem Vater, sondern der Geist empfängt vielmehr vom Logos (Joh. 16,14 f.)". Wenn die Arianer das nicht einsehen, müssen sie jetzt gegen Johannes ihre stets vorgebrachte Behauptung aufrecht erhalten, daß „auch der Sohn durch Teilhabe am Geiste und durch die Vervollkommnung seines Tuns im Vater ist"[218]. Das ist ziemlich genau das, was auch Schahrastani überliefert[219].
Der präexistente Messias als Empfänger göttlichen Geistes führt in die Nähe des Spätjudentums. Im äthiopischen Henochbuch (Kap. 49,2 f.) steht der Auserwählte vor dem Herrn der Geister und seine Herrlichkeit ist von Ewigkeit zu Ewigkeit. In ihm wohnt der Geist der Weisheit und der Geist dessen, der Einsicht gibt, und der Geist der Lehre und Kraft. Arius bezieht in ähnlicher Weise die Ausstattung des Christus mit Gaben des Geistes, der in Gott ist[220], auf den Präexistenten.

i) Zusammenfassung

Der Vergleich zwischen Origenes und Arius zeigt, daß eine Reihe von Aussagen beiden Theologen gemeinsam ist: der Sohn ist nicht aus der

216 Athan., Or. c. Ar. 3,17. MPG 26,357a–360a.
217 Ganz ähnlich drückt sich in den Verhandlungen gegen Paul von Samosata der Presbyter Malchion aus: der Logos (meltā) für sich als nicht Inkarnierter, bedurfte des hl. Geistes nicht. Denn der Geist empfängt von ihm (vgl. Joh. 16,14 f.), Paulus v. Samosata, Frg. 23 (aus den Disputationsakten) de Riedmatten S. 146 = Frg. 28 Loofs, Paulus v. Samosata S. 88.
218 Athanasius, Or. c. Ar. 3,24. MPG 26,373a–376a.
219 Dessen doxographische Notiz sieht nicht so aus, als sei sie aus der Athanasiusstelle entnommen; sie enthält mehr (die Angaben zur arianischen Inkarnationslehre). Zur sittlichen Vervollkommnung des Sohnes bei den Arianern vgl. die bei Lampe, Patristic Greek Lexicon s.v. βελτίωσις angegebenen Stellen. Diese Parallelen räumen den Verdacht aus, Athanasius schiebe an unserer Stelle den Arianern Folgerungen unter, die er selbst erst entwickelt hat.
220 Vgl. Irenäus, Erweis der apost. Verkündigung 1,9, BKV Bd. 4 S. 8 (Weber).

Usia des Vaters entstanden, sondern aus dem Willen des Vaters. Er wird durch Teilhabe zum Gott und der Vater ist allein wahrer Gott. Der Sohn ist ein *κτίσμα* Gottes und seine Erkenntnis des Vaters ist geringer, als die Erkenntnis, welche dieser über sich selbst hat. Blickt man jedoch genauer hin, so wird hinter diesen äußeren Übereinstimmungen ein innerer Gegensatz sichtbar. Sowie Origenes „Usia" nicht im Sinne körperlicher Substanz, sondern als geistige Dynamis, welche sich selbst verwirklicht, auffaßt, kann er den Sohn/Logos aus der Usia des Vaters ableiten. So wird die Formel *ἐκ τῆς οὐσίας τοῦ πατρός* von dem Origenisten Theognost bejaht, und das Mißtrauen Eusebs von Cäsarea gegen dieselbe stammt lediglich aus der Befürchtung, Usia könne materiell-körperlich verstanden werden. Arius dagegen leugnet jede ontologische Beziehung zwischen dem Sein Gottes und dem des Sohnes.

Geschöpf ist der Sohn/Logos bei Origenes lediglich als Hervorbringung des Vaters. Aber es ist eine ewige Hervorbringung und keine Erschaffung im wörtlichen Sinne. Der Sohn/Logos ist kein Geschöpf aus Nichts. Die von der Dynamis Gottes ausgehende willentliche Energeia ist das Sein des Sohnes. Origenes versteht Sprüche 8,22 (Gott schuf die Weisheit) von 8,25 (Gott zeugte die Weisheit) und 8,30 (die Weisheit war immer bei Gott) aus. So lehnt er die Formel *ἦν ποτε ὅτε οὐκ ἦν* ab.

Auch die Begründung der Gottheit des Sohnes/Logos auf Teilhabe ist bei Origenes, wo der Sohn die göttlichen Eigenschaften substantiell besitzt und von Natur unveränderlich ist, etwas ganz anderes, als bei Arius, welcher dem Sohne göttliche Attribute nur akzidentiell zuerkennt und seine Natur als wandelbar ansieht. Für Origenes ist der Sohn *φύσει* Sohn, für Arius *θέσει*.

Arius' Lehre ist nicht aus einer Verschärfung des Subordinatianismus der origenistischen Logoslehre zu verstehen. Vielmehr setzt sich bei Arius stärker als bei Origenes der Gedanke des Schöpfungsgottes und die christliche Schöpfungslehre gegenüber dem neuplatonischen dynamistischen Emanatismus durch. Die Logoslehre des Origenes steht letztlich im Gegensatz zu der des Arius. Alexander von Alexandrien, der am Lehrbegriff des Origenes festhielt, mußte deshalb zum Gegner des Arius werden.

Arius behält aber unverkennbar Stücke des origenistischen Systems bei. Er übernimmt die origenistische Lehre von den Epinoiai des Sohnes – durch die Trennung des Seins des Sohnes vom Sein des Vaters stärker zum Nominalismus hin verändert: die beiden Klassen der origenistischen Epinoiai fließen zusammen zu der einen bloßer Ehrennamen des Sohnes. Ebenso ist unzweifelhaft origenistisch, daß

der Sohn/Logos als Schöpfer der Logika, der vernünftigen Geister, auftritt. Auch die Dreihypostasenlehre des Arius entstammt dem Origenismus. Der Geist als dritte Hypostase ist wie bei Origenes vom Sohne erschaffen, aber vom Vater durch die Erschaffung des Sohnes verursacht. Die drei Hypostasen sind stärker getrennt als bei Origenes. Die Verbindung zwischen ihnen wird sowohl durch das ordnende Walten Gottes hergestellt, wobei der präexistente Sohn von dem Geiste in Gott selbst inspiriert wird, als auch durch die Hinwendung der niederen Hypostase zur höheren.
Die Trinitätslehre des Origenes ist vom Neuplatonismus her gedacht. Die Trias des Arius ergibt sich, wenn der christliche Schöpfungsgedanke auf diesen Entwurf angewendet und an ihm durchgeführt wird.

2. Dionysius von Alexandrien und der Arianismus

Als einer der stärksten Gründe für die Einordnung des Arius in die innere Entwicklungsgeschichte des Origenismus kann der Streit der beiden Dionyse gelten. Denn dem Origenisten[221] Dionys von Alexandrien werden christologische Formeln zugeschrieben, welche diejenigen des Arius vorwegnehmen[222]. Aus dem Brief des römischen Papstes Dionys ist zu entnehmen, daß man dem Alexandriner vorwarf, er zerteile in seiner Abwehr des Sabellianismus die göttliche Monas (Monarchia) in drei Hypostasen, welche durchaus verschieden voneinander seien[223]; insbesondere trenne er den Sohn vom Vater[224]. Und er rede von der Erschaffung (*ποίησις*) des Sohnes, bezeichne den Sohn als *ποίημα*[225]. Die Folgerung: wenn der Sohn geworden ist, *ἦν ὅτε οὐκ*

221 Euseb v. Cäs., h.e. 6,29,4.
222 Qu. u. Lit.: M.J. Routh, Reliquiae sacrae Bd. 3, Oxford 1846,371–403. – Ch.L. Feltoe, The Letters and other Remains of Dionysius of Alexandria, Cambridge 1904. – Dionysius von Alexandrien, das erhaltene Werk. Eingeleitet, übersetzt und mit Anmerkungen versehen von W.A. Bienert, Stuttgart 1972. – K. Müller, Dionys v. Alexandria im Kampf mit den libyschen Sabellianern (Kleine Beiträge zur alten Kirchengeschichte 10), ZNW 24 (1925) 278–85. – H.G. Opitz, Dionys v. Alexandrien und die Libyer. Quantulacumque. Studies presented to Kirsopp Lake, ed. R.P. Casey and A.K. Lake, London 1937, S. 41–53. Nach Abschluß dieser Arbeit erschien W.A. Bienert, Dionysius von Alexandrien. Zur Frage des Origenismus im 3. Jahrhundert, Berlin 1978. (Dionysius ist kein Origenist).
223 Feltoe S. 177,1–178,5.
224 Feltoe, S. 191,16.
225 Feltoe S. 179,5 ff.

ἦν[226] wird jedoch von den Anklägern gezogen. Eine gewisse Berechtigung dieser Anschuldigungen wird durch die eignen Aussagen des Dionys von Alexandrien bezeugt: er habe gelegentlich den Vater *ποιητής* des Sohnes genannt[227]. Im Brief an Euphranor und Ammonius[228] schrieb er: *ποίημα καὶ γενητὸν εἶναι τὸν υἱὸν τοῦ θεοῦ μήτε δὲ φύσει ἴδιον, ἀλλὰ ξένον κατ' οὐσίαν αὐτὸν εἶναι τοῦ πατρός, ὥσπερ ἐστὶν ὁ γεωργὸς πρὸς τὴν ἄμπελον καὶ ὁ ναυπηγὸς πρὸς τὸ σκάφος· καὶ γὰρ ὡς ποίημα ὢν οὐκ ἦν πρὶν γένηται*[229]. Dagegen bekennt sich Dionys in seiner späteren Apologie an den römischen Bischof dazu, daß der Vater immer Vater und der Sohn ewig mit dem Vater war, als ewiger Abglanz des ewigen Lichtes[230], ja er läßt sich dazu herbei, den Sohn für homousios mit dem Vater (im Sinne der Abstammung des Sohnes vom Vater – *ὁμογενής, ὁμοφυής*) zu erklären[231].
Natürlich hat der alexandrinische Dionys einen gewissen Rückzug angetreten, doch unterstreicht er mit Recht den Zusammenhang seiner früheren Lehre mit den späteren apologetischen Ausführungen. Er hat ohne jeden Zweifel den Sohn nie als Geschöpf aus Nichts bezeichnet, sondern *ποίημα* und *ποιεῖν* im abgeschwächten Sinn von „Hervorbringung" gebraucht[232]. Gegen die Sabellianer hat er (wie das obige Zitat aus dem Brief an Euphranor und Ammonius beweist) zur Sicherung der selbständigen Hypostase des Sohnes einen Anfang der Sonderexistenz des Sohnes gelehrt, dabei aber am Ursprung des Sohnes aus Gott festgehalten[233]. Die Auskunft des Origenes, welcher im Grunde schon dieselben Gegner (modalistische Monarchianer)

226 Feltoe, S. 179,11.
227 Feltoe S. 195,3 = Athan., De sent. Dion. 21,3 S. 62,8 ff. Opitz.
228 Feltoe S. 167 Nr. 5 = Athan., De sent. Dion. 4,2 f. S. 48,19–23 Opitz. Vgl. auch das Fragment aus cod. Vat. lat 5750 p. 275 (herausgegeben von D. de Bruyne, ZNW 27 (1928) 106 ff. Rückübersetzung ins Griechische bei Opitz in Quantulacumque S. 57 f.): (Filius) factus est. Der Text auch bei G. Bardy, Lucien S. 207 f.
229 Das ist nicht bloß ein Bericht über die Dionysauslegung der Arianer, wie Opitz will (Quantulacumque S. 50), sondern Athanasius bestätigt ausdrücklich den Wortlaut: Ja, so schrieb er (de sent. Dion. S. 48,23 Opitz).
230 Feltoe S. 186 f. = Athan., De sent. Dion. 15,1 S. 57,1 ff. Opitz.
231 Feltoe S. 188,10 ff. = Athan., De sent. Dion. 18,2 S. 59,8 ff. Opitz.
232 Feltoe S. 193,9–195,8 = Athan., De sent. Dion. 20,3 S. 61,19–27; 21,3 S. 62,8–13.
233 Ita pater quidem pater et non filius; non quia factus est, sed quia est; non ex aliquo, sed in se permanens. filius autem et non pater, non quia erat, sed quia factus est; non de se, sed *ex eo qui eum fecit,* filii dignitatem sortitus est. Opitz in Quantulacumque (s.o. A. 222) S. 51 f. Das Fragment stammt wahrscheinlich aus dem Brief an Euphranor und Ammonius. S. Bienert (oben A. 222) S. 118 A. 215.

bekämpfte[234], daß Vater und Sohn „zwei" und nicht ein und derselbe sind, genügte Dionys nicht. Er kehrte zu der älteren Lehre der Apologeten zurück, daß der in Gott befindliche Logos (bei der Weltschöpfung) als Sohn aus Gott hervorgeht. Dafür bietet auch die Apologie an Dionys von Rom noch Anhaltspunkte. Im Anschluß an Ps. 44,2 (*ἐξηρεύξατο ἡ καρδία μου λόγον ἀγαθόν*) bringt er das Bild vom inneren Wort (dem Wort im Herzen, *νοῦς*) und dem äußeren Wort: *ὁ δὲ λόγος νοῦς προπηδῶν*[235]. Die Lehre vom Logos endiathetos und prophorikos weist auf die Apologeten[236]. Origenes stand ihr zurückhaltend gegenüber, da er fürchtete, daß bei Betrachtung des Sohnes als logos prophorikos die eigne Hypostase des Sohnes nicht gewahrt bleibe[237]. Bei Dionys von Alexandrien ist der Nus der Vater der Logos, der als Dolmetsch und Bote (Engel) des Vaters wirkt[238]. Das innere Wort (Nus) ist Bild für Gott, den Vater. Nus und Logos sind vor dem „Hervorspringen" des Wortes nicht geschieden. Es fällt schwer, hier nicht an Klemens von Alexandrien zu denken, welcher den Logos Abbild Gottes und „Sohn des Nus" nennt[239]. Der von Gott nicht getrennte Logos (*ὁ ἐν ταυτότητι λόγος*)[240] wird „am Anfang" (das heißt, bei der Schöpfung) *κατὰ περιγραφήν* zum Sohn. Der Logos-Demiurg ist also „Kind" des von Gott ungeschiedenen Logos[242]. Auch das „Erschaffen" klingt bei Klemens in diesem Zusammenhang an: Gott

234 Origenes, In Joh. 2,2,16 S. 54,23 f. Preuschen; 10,37,246 S. 212,13 ff.; Gespräch mit Heraklides 4 S. 60,18 ff. Scherer.

235 Feltoe S. 197,10 = Athan., De sent. Dion. 23,3 f. S. 63,13–64,2 Opitz; Feltoe S. 191,1–9 = Athan. aaO. 23,2 S. 63,5–11. Das „Hervorspringen" erinnert an Justin, Dial. 128,3 S. 250 Goodspeed; Tatian, Or. 5,1 S. 5,22 Schwartz.

236 Theophilus, Ad Autol. 2,10 S. 38 Grant; Athenagoras, Supplic. 10,2 S. 324 Goodspeed; Tertullian, Adv. Prax. 5–7 CSEL 47 S. 232 ff. Kroymann.

237 Origenes, In Joh. 1,24,151 S. 29,21–26 Preuschen. Auf Origenes scheint bei Dionys die Deutung der *καρδία* auf den Nus zurückzugehen (Origenes, In Joh. 1,38,282 S. 49,31 f.) doch läßt Origenes den Psalmvers (Ps. 44,2) lieber vom Sohne und nicht von Gott gesprochen sein.

238 Feltoe S. 197,14–19. Vgl. Justin, Dial. 128,2 S. 249 Goodspeed: der Logos ist „Engel" und vermittelt den Menschen die Worte des Vaters.

239 Klemens v. Alex., Protr. 10,98,4 S. 71,24–26 Stählin; Strom. 4,162,5 S. 320, 16: *ὁ λόγος υἱὸς τοῦ νοῦ πατρός*. Vgl. R.P. Casey, Clement and the two divine Logoi, JThS 25 (1924) 43–56.

240 Klemens, Exc. ex Theod. 8,1 f. S. 108,20 ff. Stählin.

241 Ebd. 19,1–2 S. 112,27 ff. Stählin.

242 Klemens, Exc. ex Theod. 19,4 S. 113,6 ff. Stählin. Wenn Klemens jedoch den Logos des Allvaters nicht *λόγος προφορικός* nennen will (Strom. 5,6,3 S. 329,20–24 Stählin), sondern lieber „Weisheit", „Macht", „Wille", dann möchte er die Klangvorstellung des gesprochenen Wortes von Gott fernhalten.

ist Veranlasser jeden Anfangs (*ἀρχῆς ποιητικός*) und so als Nus auch Vater des Logos (und damit Ursprung aller Wissenschaft und Erziehung)[243].

Da auch bei Theognost[244] der Logos als Erzeugnis des göttlichen Nus auftritt (mit dem Auftrag, dessen Gedanken nach außen zu vermitteln), muß es sich um eine alexandrinische Überlieferung handeln. Die Begriffe liegen schon bei Philo bereit: der Nus (inneres Wort) als Vater des gesprochenen Wortes[245], der Logos als Dolmetsch des Nus[246]. Mit Origenes berührt sich Dionys in diesem Punkt nicht so eng; bei jenem geht der Sohn aus dem Vater hervor, wie der Wille aus dem Nus (mens)[247]. Dionysius steht hier in der Nachfolge des Klemens von Alexandrien und von Apologeten wie Theophilus, Athenagoras, Tertullian. Vermutlich hat auch Theognost Einfluß auf ihn gehabt.

Die Ergründung des zwischen Gott und seinem Logos waltenden Verhältnisses entbehrt bei Dionys von Alexandrien durchaus nicht des kosmologischen Rahmens. Im ersten Buch seiner Apologie bestreitet er die Lehre, daß bei der Schöpfung die ungewordene Materie von Gott lediglich geordnet und gestaltet worden sei[248]. Daran haben sich zweifellos Ausführungen über die weltschöpferische Rolle der Sophia (des Sohnes)[249] angeschlossen. Die bekämpfte Ansicht ähnelt der des Hermogenes; es läßt sich freilich nichts darüber sagen, ob Dionys die Schrift des Theophilus von Antiochien oder diejenige Tertullians gegen Hermogenes kannte[250]. Wir erinnern uns nun daran, daß Tertullian in der Polemik gegen die Kosmologie des Hermogenes die Ansicht entwickelte, daß der Schöpfungsmittler, die Sophia (der Sohn) einen An-

243 Klemens, Strom. 4,162,5 S. 320,16 ff. Stählin. Zum Logos als „Geschöpf" bei Klemens s. Harnack, DG Bd. 1 S. 670 Anm., und Klemens, Hypotyposen Frg. 23 S. 202,12 Stählin.

244 Theognost, Hypotyposen Frg. 4 Z. 1–5 Harnack, TU 9,3 (1903) S. 77.

245 Philo Alex. De Abr. 83.

246 Philo, De migr. Abr. 78.

247 Origenes, princ. 1,2,6 S. 35,4–16 Koetschau.

248 Feltoe S. 182–5 = Euseb, Praep. ev. 7,19 S. 401 f. Mras.

249 Vgl. schon Feltoe S. 184,12: *εἰ δὲ οἷαν αὐτὸς ἐβούλετο κατὰ τὴν ἑαυτοῦ σοφίαν ἐποίωσε* (mit Qualitäten versah) *τὴν ὕλην*.

250 Auch der Gegner des Orthodoxen in Methodius' De autex. 5,1–12,8 S. 157–178 Bonwetsch (Von Euseb, Praep. ev. 7,22 S. 405–16 Mras fälschlich unter dem Namen „Maximus" zitiert – vgl. Euseb, h.e. 5,27 S. 498,20 Schwartz – weshalb das Fragment bei Routh, Rel. sacrae Bd. 2,77–121 ebenfalls unter „Maximus" erscheint) vertritt die Meinung von der Ungewordenheit der Materie. Gott ist Schöpfer, indem er die Qualitäten der Materie verändert (S. 171,7–9 Bonwetsch).

fang hatte (wobei Tertullian Genesis 1,1 mit Sprüche 8,22 verband[251]) und daß Gott nicht immer Vater gewesen sei. Das behauptet zwar Dionysius in seiner Apologie nicht mehr[252]. Aber Sprüche 8,22 hatte, wie aus dem Brief des römischen Dionys hervorgeht[253], im Streit des Alexandriners mit den Libyern eine Rolle gespielt und war von Dionys für den „Anfang" des Sohnes ins Feld geführt worden. Das macht den Zusammenhang seines ursprünglichen Standpunktes mit vororigenistischen Apologeten noch wahrscheinlicher. Auch die Ablehnung der Lehre von der Präexistenz der Seelen unterstreicht seinen Unterschied von Origenes[253a].

In der Apologie nähert er sich dem Gedanken einer Emanation göttlicher Substanz. Darauf deutet sowohl die Behauptung, der Sohn habe sein Sein „aus dem Vater", erfüllt mit dem seienden (Gott)[254], als auch die Betonung der (schon früher gebrauchten) Bilder von der menschlichen Zeugung, von Same oder Wurzel (für den Vater) und daraus sprossendem Gewächs (Sohn), von Quelle und dem ihr entströmenden Fluß[255], welche die Homousie verdeutlichen sollen, oder der (von Arius abgelehnte)[256] Vergleich mit der Entzündung eines Lichtes an einem anderen[257].

Karl Müller hat hier Beziehungen zu Tertullians Adv. Praxean gesehen[258]. Die Emanationslehre Tertullians in dieser Schrift verbindet Subordination des Logos mit Homousie – was den Zwecken der Apologie des Dionys entgegenkam. Müller[259] vergleicht auch die Worte des Dionys: *οὕτω μὲν ἡμεῖς εἴς τε τὴν τριάδα τὴν μονάδα πλατύνομεν ἀδιαίρετον καὶ τὴν τριάδα πάλιν εἰς τὴν μονάδα συγκεφαλαιούμεθα*[260]

251 Tertullian, Adv. Hermog. 3, CSEL 47 S. 129,5–7; 18 S. 145,18–146,6; 20 S. 148,8–13 Kroymann. Vgl. oben 3. Kap. 4c.

252 *οὐ γὰρ ἦν ὅτε ὁ θεὸς οὐκ ἦν πατήρ.* Feltoe S. 186,4.

253 Feltoe S. 180,12 ff.

253a Dionysiusfragmente im cod. Vatop. 236. Siehe W.A. Bienert, Neue Fragmente des Dionysius und des Petrus v. Alexandrien aus Cod. Vatop. 236, Kleronomia 5 (1973) 308–14, und ders.: Dionysius von Alexandrien (s. oben Anm. 222) S. 57.

254 Feltoe S. 191,11 = Athan., De sent. Dion. 15,6 S. 57,20 Opitz.

255 Feltoe S. 189,12 ff. = Athan., De sent. Dion. 18,2 f S. 59,11 ff. Opitz.

256 Arius, Urk. 6 S. 13,1 Opitz.

257 *ἀπὸ φωτὸς ἀσβέστου λαμπρὸν φῶς ἀνήφθη.* Feltoe S. 196,8–10 = Athan., De sent. Dion. 18,5 S. 60,10 Opitz. Dieser „Fackelvergleich" ist häufig: Justin, Dial, 61,2; 128,4 Goodspeed; Tatian, or. 5,2; Numenius, frg. 23 S. 139 Leemans.

258 K. Müller in ZNW 24 (1925) 282 ff. Schon Feltoe S. 187 zu Zeile 2 und S. 189 f. zu Z. 11 wies auf Tertullian hin.

259 AaO. S. 283.

260 Feltoe S. 193,2–4 = Athan., De sent. Dion. 17,2 S. 58,24 Opitz. Die letzten

mit der berühmten Stelle, wo Tertullian über die Entfaltung Gottes zur Trinität in der Heilsökonomie spricht[261]. Der alexandrinische Dionys hat die „Ausdehnung" zur Dreiheit bestimmt nicht sabellianisch gemeint. Dann wird er sie aber „ökonomisch" verstanden haben, wie Tertullian.

Müller[262] hat allerdings übersehen, daß in der Zeit zwischen Tertullian und Dionys das Bild von Quelle und Fluß, Sonne und Strahl (Glanz)[263] auch von Hippolyt gebraucht wurde[264]. Doch steht Dionys dem Tertullian näher, denn der Vergleich des Vaters mit der Wurzel und des Sohnes mit der daraus wachsenden Pflanze findet sich nur bei ihm und Tertullian. Aber die Ausführungen Hippolyts in C. Noetum 10[265] machen den ökonomisch-trinitarischen Hintergrund dieser Bilder sehr deutlich.

Ich glaube wahrscheinlich gemacht zu haben, daß die „arianisierenden" Formeln des Dionys auf einer Aufnahme älterer Gedanken der Apologeten beruhen[266]. Unter dem Eindruck des römischen Widerspruchs gebraucht er dann wieder Ausdrücke, die eine Rückkehr zur origenistischen Lehre von der ewigen Zeugung vermuten lassen. In diesem zweiten Entwurf findet sich eine Reihe von Übereinstimmungen mit Dionys' origenistischem Zeitgenossen in Alexandrien, Theognost. Erwähnt wurde schon, daß bei beiden der Logos Abkömmling des Nus ist[267]. Weiter ist zu nennen: das Sein des Sohnes ist erfüllt mit der Gottheit[268]; auf den Sohn werden die origenistischen Vergleiche *ἀπαύγασμα, ἀτμίς, ἀπόρροια* angewendet[269]; sowohl die Apologie des Dionys als auch die Hypotyposen Theognosts setzten mit der Polemik gegen die Ungewordenheit und Ewigkeit der Materie ein[270].

Worte des Zitats spielen auf den Brief des römischen Dionys an, s. Feltoe S. 178,9.

261 Tertullian, Adv. Prax. 2, CSEL 47 S. 229,28–230,7 Kroymann.

262 In ZNW 24 (1925) S. 284.

263 Dionys bei Feltoe S. 189,15; 187,3. Tertullian, Adv. Prax. 8 S. 238,19.

264 C. Noet. 11 ed. E. Schwartz, Zwei Predigten Hippolyts, SB der Bayerischen Akad. d. Wiss., Philos.-hist. Abteilung, Jahrg. 1936, Heft 3 S. 13,2. – Bei P. Nautin, Hippolyte Contre les hérésies, fragment. Etude et édition critique, Paris 1949, S. 253,9–13. Der Text Nautins enthält überflüssige Konjekturen.

265 S. 12,28–13,1 Schwartz (s. A. 264).

266 Schon W. Münscher, Handbuch der christl. DG, Bd. 1 (1797) S. 459 hat dies beobachtet, wie ich nachträglich sehe.

267 Dionys: Feltoe S. 197,15. – Theognost: Frg. 4 Z. 3 S. 77 Harnack (s.o. A. 244).

268 Dionys: Feltoe S. 191,11 f. – Theognost: Frg. 4 Z. 11 ff. S. 77 f. Harnack.

269 Dionys: Feltoe S. 187,18 ff; 191,1. – Theognost: Frg. 2 S. 76 Harnack.

270 Dionys: Feltoe S. 182–85 (im 1. Buch der Apologie). – Theognost: im ersten Buch der Hypotyposen nach Photius. Harnack S. 74,4–6. – Frg. 3

Die Parallelen mit Theognost erinnern daran, daß Dionys mit der zeitgenössischen Form des Origenismus in Alexandrien in Verbindung steht. Es deuten sich auch Unterschiede zu Theognost an[271], insbesondere führt von der Logoslehre des Theognost, welche den Origenes treu wiedergibt, kein Weg zu den „arianisierenden" Formeln, deren sich Dionys gegen die libyschen Sabellianer bediente. Die Fäden, die gerade von der Rückzugsstellung des Dionys zu Tertullian und Klemens von Alexandrien laufen, machen es sehr wahrscheinlich, daß er schon vorher gegen die Sabellianer die vororigenistische Logoslehre heranzog. Jedenfalls war Dionys kein „Arianer" vor Arius.

des Theognost, Harnack S. 77: (ὅς φησι) *τὸν θεὸν βουλόμενον τόδε τὸ πᾶν κατασκευάσαι πρῶτον τὸν υἱὸν οἷόν τινα κανόνα τῆς δημιουργίας προϋποστήσασθαι* besagt nach Harnack (aaO. S. 87) nicht, daß der Sohn erst zum Zwecke der Weltschöpfung entstanden ist. Ähnlich L.B. Radford, Three Teachers of Alexandria: Theognostus, Pierius and Peter, Cambridge 1908, S. 19 f. Als *ἐπιστημονικὸς κανών* für die Schöpfung erscheint der Sohn auch bei Euseb, Dem. ev. 4,2 S. 152,13 Heikel.

271 So ist zu bemerken (soweit nach den erhaltenen Fragmenten geurteilt werden kann), daß bei Dionys im Unterschied zu den Bruchstücken des Theognost der Eikongedanke – welcher bei Origenes die Unterordnung des Sohnes und seine Unterscheidung vom Vater begründete – kaum eine Rolle spielt. Ähnliches (mit dem gleichen Vorbehalt hinsichtlich der Lückenhaftigkeit des Materials) gilt für Usia, das bei Dionys stärker zurücktritt als bei Theognost. Allerdings scheint er es im Brief an Euphranor und Ammonius (oben zu A. 229 zitiert) im Sinne von Sonderexistenz des Sohnes zu verwenden, wie Theognost (Frg. 2 und 4, Harnack S. 76; 77 f.); damit läßt sich die Stelle besser verstehen, als wenn man mit Feltoe (S. 174) annimmt, Dionys habe Usia generisch verstanden. Im zweiten Entwurf des Dionys hätte dem ewigen Abglanz, der ewig mit dem Vater und aus dem Vater ist, erfüllt mit dem Seienden (*Μόνος δὲ ὁ υἱὸς ἀεὶ συνὼν τῷ πατρί, καὶ τοῦ ὄντος πληρούμενος, καὶ αὐτὸς ἔστιν, ὢν ἐκ τοῦ πατρός*. Feltoe S. 191,11 f. = Athan. De sent. Dion. 15,6 S. 57,19 f. Opitz) ohne weiteres „Usia" als Gattungsbegriff beigelegt werden können. Das Zurücktreten des Begriffs läßt vermuten, daß Dionys den hier liegenden Problemen ausweichen wollte. Wurde von Dionys die ewige Zeugung des Origenes stillschweigend durch Tertullian (und Klemens v. Alex.) „ergänzt" und umgebogen und so der frühere Standpunkt verschleiert festgehalten? Ausführungen über die Usia des Sohnes hätten diese Absicht gestört. Eine sichere Antwort läßt sich nicht geben.

5. KAPITEL

Das Verhältnis des Arius zur Logoslehre des Klemens und Philos von Alexandrien

1. Arius und Klemens

Unter den alexandrinischen Theologen vor Origenes ist Klemens arianischer Anschauungen beschuldigt worden[1]. Photius beklagt, daß Klemens in seinen Hypotyposen den Sohn zum *κτίσμα* erniedrige und zwei Logoi gelehrt habe, einen in Gott und einen geringeren, den Sohn[2]. Aber schon das Bruchstück, welches Photius wörtlich anführt[3], zeigt, daß etwas ganz anderes vorliegt, als die Lehre des Arius von den beiden Logoi. Nach Klemens ist der Logos-Sohn eine *ἀπόρροια* des göttlichen Logos, die tätige Vernunft des Vaters. Es handelt sich also um zwei Formen oder Stufen in der Existenz des einen Logos, vergleichbar dem Logos endiathetos und prophorikos der Apologeten[4]. Dementsprechend ist auch „ktisma“ nicht im arianischen Sinne gemeint, sondern als „Hervorbringung“ wie bei Origenes zu verstehen: man muß in der Geisteswelt (*ἐν τοῖς νοητοῖς*) das Älteste seiner Entstehung nach, den zeitlosen, anfangslosen Anfang und Erstling des Seienden, den Sohn, ehren[5].

Unter den von Harnack[6] für die Gleichewigkeit des Sohnes mit dem Vater (also für „ewige Zeugung“)beigebrachten Stellen ist wichtig:

1 Näheres bei R.P. Casey, Clement and the two divine Logoi, JThS 25 (1924) 43–56, S. 44. – S.R.C. Lilla, Clement of Alexandria, A Study in Christian Platonism and Gnosticism, Oxford 1971.

2 Photius, cod. 109 ed. R. Henry, Bd. 2 (Paris 1960) S. 80,15. Auch abgedruckt in GCS, Clemens Alex., Werke Bd. III S. 202 Stählin.

3 S. 202 Stählin (s. die vorige Anm.).

4 Das wird von Casey (s.o. A. 1), der auf Th. Zahns Supplementum Clementinum (in den „Forschungen zur Geschichte des neutestamentlichen Kanons“ III, 1884, S. 142 ff.) fußt, anhand zahlreicher Parallelen nachgewiesen.

5 Klemens, Strom. 7,2,2 S. 4,5 f. Stählin. Obige Übersetzung lehnt sich an Stählin, BKV, 2. Reihe Bd. 20, S. 10 an.

6 A. Harnack, DG [5]Bd. 1 S. 670 Anm.

οὐ μὴν οὐδὲ ὁ πατὴρ ἄνευ υἱοῦ· ἅμα γὰρ τῷ πατὴρ υἱοῦ πατήρ[7] – wo freilich, streng genommen, nur die Korrelation der Begriffe Vater und Sohn ausgesagt ist, was nicht ausschließt, daß Gott irgendwann Vater wurde[8].

Klemens nennt sowohl Gott als auch den Sohn „anfangslosen Anfang"[9]. *Ἄναρχος ἀρχή* heißt bei ihm: Gott als Anfang und Anfänger der Dinge, Übergang des anfangslosen Gottes zum Schaffen durch Hervorbringung des Sohnes als Hypostase, der wiederum, da dies vor aller Zeit geschieht, anfangsloser Anfang ist[10]. Der Sohn ist die Sophia, die zuerst „geschaffene"[11], welche Gott bei der Schöpfung berät, eine Kraft und Wirksamkeit Gottes[12]. Er ist der Anfang des Alls, der als erster und vor den Äonen als Bild des unsichtbaren Gottes entstanden ist und dann alles, was nach ihm wurde, gestaltet hat[13]. Der Sohn als „Anfang" ist die Einleitung des Schöpfungswerkes durch Gott. In der schon gestreiften Stelle Excerpta ex Theodoto 19,1[14] heißt es: *»καὶ ὁ λόγος σὰρξ ἐγένετο«* (Joh. 1,14) *οὐ κατὰ τὴν παρουσίαν μόνον ἄνθρωπος γενόμενος, ἀλλὰ καὶ ἐν ἀρχῇ ὁ ἐν ταυτότητι λόγος κατὰ περιγραφὴν καὶ οὐ κατ' οὐσίαν γενόμενος* [*ὁ*] *υἱός*. Der Logos in Gott wird eine selbständige Hypostase (*κατὰ περιγραφὴν ... γενόμενος υἱός*) am „Anfang". Dabei beziehe ich *ἐν ἀρχῇ* gegen Sagnard[15] auf den Anfang der Schöpfung von Genesis 1,1. Denn der Logos-Sohn ist „geworden" (*γενόμενος*) und von Gott *»κατὰ θεόν«* (Eph. 4,24), das heißt gemäß dem Logos in Gott, geschaffen (gezeugt), Kind und Sohn des Logos in Gott (*τοῦ λόγου ἐν ταυτότητι*), „Erstgeborener der ganzen Schöpfung" (Kol. 1,15), leidenschaftslos gezeugt und Schöpfer der ganzen Welt. Dabei wird

7 Klemens, Strom, 5,1,3 S. 326.10 Stählin.

8 Auch das für „ewige Zeugung" angeführte Fragment 24 aus den Adumbrationes (Hypotyposen) zu 1 Joh. 1,1 (Klemens Bd. III S. 210,2 Stählin: cum enim dicit »quod esset ab initio« generationem tangit sine principio filii cum patre simul exstantis) ist nicht über den Verdacht einer „Verschönerung" durch Cassiodor erhaben, der nach eigner Aussage Anstößiges bei Klemens ausmerzt (Inst. div. lit. 8). Man könnte sine principio auch zu filii statt zu generationem ziehen.

9 Gott: Strom. 4,162,5 S. 320,16 Stählin. – Der Logos: Strom. 7,2,2 S. 4,6.

10 Strom. 5,141,1 S. 421,7–10 Stählin; 4,162,5 S. 320,16–20. Vgl. Strom. 7,2,3 S. 4,5 f.: (*τιμητέον*)*ἐν δὲ τοῖς νοητοῖς τὸ πρεσβύτατον ἐν γενέσει, τὴν ἄχρονον ἄναρχον ἀρχήν τε καὶ ἀπαρχὴν τῶν ὄντων, τὸν υἱόν*.

11 Strom. 5,88,4 S. 385,4.

12 Strom. 7,7,1–7 S. 6,29–7,20 Stählin.

13 Strom. 5,38,7 S. 352,17–353,2.

14 S. 112,27–29 Stählin. Vgl. oben Kap. 4,2 zu Anm. 241–243.

15 F. Sagnard, Clément d'Alex., Extraits de Théodote, SC 23 S. 93: dans le principe.

die Einheit der Usia beider Logoi festgehalten: der Logos in Gott wird Sohn durch „Begrenzung“ (κατὰ περιγραφήν)[16]. Das ist ein wesentlicher Unterschied von Arius.
Im Ganzen ist nicht zu verkennen, daß sich Klemens von den Anschauungen der frühen Apologeten her, wo der Logos zum Zweck der Weltschöpfung persönliche Existenz gewinnt, schon auf Origenes zu bewegt, bei dem die Ewigkeit Gottes die Gleichewigkeit des Logos-Sohnes erzwingt. Die Logoslehre des Klemens ist nicht „arianisch“[17].

2. *Arius und Philo von Alexandrien*

H.A. Wolfson hat Philo von Alexandrien als geistigen Ahnen des Arius in Anspruch genommen[18]. Arius entlehne von Philo den transzendenten Gottesgedanken[19]. Er erneuere Philos Ansicht von den zwei Stufen im Dasein des Logos: in Gott und als geschaffenes Wesen außerhalb Gottes. Von Philo stamme seine Lehre von der Erschaffung des Logos aus Nichts[20]. Zu diesem Urteil gelangt Wolfson auf Grund seiner Philodeutung, die keine Widersprüche bei Philo anerkennt,

16 Exc. ex Theod. 19, Klemens Werke Bd. III S. 112,27–113,14 Stählin: γενόμενος S. 112,29; κτισθείς S. 113,3; γεννηθείς S. 113,9; τέκνον S. 112,28; υἱὸς τοῦ λόγου ἐν ταὐτότητι S. 113,8.

17 Andere Berührungen zwischen Klemens und Arius werden in Kap. 6,2 behandelt werden.

18 Dieser Gedanke wird schon (mit Verweis auf ältere Literatur) bei Hefele-Leclercq, Histoire des Conciles I,1, Paris 1907, S. 354 ausgesprochen. – Lit.: H.A. Wolfson, Philo. Foundations of religious Philosophy in Judaeism, Christianity and Islam. 2 Bände, [4]Cambridge (Mass.) 1968. – Ders., Philosophical Implications of Arianism and Apollinarianism, DumPap 12 (1958) 5–28. – Ders., The Philosophy of the Church Fathers, Bd. I [2]Cambridge (Mass.) 1964, S. 585–87. – E. Zeller, Die Philosophie der Griechen in ihrer geschichtlichen Entwicklung III,2, [5]Leipzig 1923, Nachdruck Hildesheim 1963, urteilt in seinem ausgezeichneten Philokapitel (S. 385–467) in mancher Hinsicht richtiger als Wolfson. – Zur Logoslehre Philos s. J. Lebreton, Histoire du dogme de la Trinité des Origines au concile de Nicée, Bd. 1, [7]Paris 1927, S. 209 ff. – E. Bréhier, Les idées philosophiques et religieuses de Philon d'Alexandrie, [3]Paris 1950, S. 83–157. – H.J. Krämer, Der Ursprung der Geistmetaphysik, Amsterdam 1964, S. 264–84 (Verknüpfung der Logoslehre mit mathematischen Spekulationen der älteren Akademie und des Neupythgoreismus). – F. Weiß, Untersuchungen zur Kosmologie des hellenistischen und palästinensischen Judentums, Berlin 1966, S. 248 ff. Dort weitere Literatur.

19 Wolfson, DumPap S. 10 f.

20 Wolfson, Philos. of the Church Fathers I S. 293; 585 f.; vgl. DumPap S. 13–16.

sondern alle Aussagen zu einer einheitlichen Lehre zusammenzwingt. Den von E. Zeller[20a] festgestellten Widerspruch, daß Philo den Logos (ebenso wie die „Kräfte" – dynameis – Gottes und die Ideen) sowohl als Eigenschaften Gottes wie als Einzelwesen behandelt, löst Wolfson mit der schon von Zeller[20b] verworfenen Auskunft einer doppelten Existenz des Logos. Der Logos oder Geist Gottes, der die intelligible Welt in sich enthält, ist zunächst in Gott. Dann werde er von Gott als wirkliches Wesen außerhalb Gottes geschaffen und enthalte wiederum in sich als Gegenstand seines Denkes eine intelligible Welt, welche aus Ideen besteht und das Urbild der irdischen Welt ist[21]. Diese Verdoppelung des Logos und der intelligiblen Welt ist jedoch ein willkürliches, den Texten aufgezwungenes Gebilde. Wolfson stützt sich vor allem auf Philo, De opif. 17 ff. Philo bringt hier den auch aus der rabbinischen Literatur bekannten Vergleich Gottes mit einem König, der eine Stadt gründen will[22]. So wie der Plan der Stadt zuerst in der Seele des mit dem Werk beauftragten Baumeisters vorhanden ist, so denkt Gott die Ideen der zu erschaffenden Welt, den *κόσμος νοητός*, in seinem Logos[23]. Philo betrachtet die Ideen, welche die intelligible Welt bilden, als erschaffen. Sie werden im Sechstagewerk des (ersten) Schöpfungsberichtes (Gen. 1) von Gott durch seinen Logos gemacht[24]. Der Logos ist das Denken Gottes in Gott, welches der „Ort" (*τόπος*) der Ideenwelt und der „Mächte" (*δυνάμεις*) Gottes ist[25]. Erschaffen ist Denken Gottes. Der Logos ist schöpferisches Denken Gottes[26] und Schöpferwort, das sich selbst verwirklicht[27]. Dieses Schwebende zwischen „in Gott" und „außer Gott" wird ganz deutlich an den beiden obersten „Kräften" Gottes, Macht und Güte, die zugleich Eigenschaften und Wirkungen Gottes sind[28]. Die Güte

20a Zeller III, 2 S. 429.
20b Ebd. S. 423 f.
21 Wolfson, Philo S. 245; vgl. S. 229–34.
22 Genesis rabba 1,1; vgl. Weiß (s.o. A. 18) S. 254.
23 Philo, De opif. 19–20.
24 *τῷ γὰρ περιφανεστάτῳ καὶ τηλαυγεστάτῳ ἑαυτοῦ λόγῳ ὁ θεὸς ἀμφότερα ποιεῖ, τήν τε ἰδέαν τοῦ νοῦ, ὃν συμβολικῶς οὐρανὸν κέκληκε, καὶ τὴν ἰδέαν τῆς αἰσθήσεως, ἣν διὰ σημείου γῆν ὠνόμασεν.* Leg. alleg. 1,21, vgl. De opif. 29.
25 Philo, De opif. 20.
26 De opif. 24: wollte jemand deutlich reden, *οὐδὲν ἂν ἕτερον εἴποι τὸν νοητὸν κόσμον εἶναι ἢ θεοῦ λόγον ἤδη κοσμοποιοῦντος· οὐδὲ γὰρ ἡ νοητὴ πόλις ἕτερόν τί ἐστιν ἢ ὁ τοῦ ἀρχιτέκτονος λογισμὸς ἤδη τὴν [νοητὴν] πόλιν κτίζειν διανοουμένου.*
27 Philo, De sacrif. 65: *ὁ λόγος ἔργον ἦν αὐτοῦ.* In der Parallele Vita Mos. 1,283: *ὁ λόγος ἔργον ἐστὶν αὐτῷ* ist „Logos" ganz klar das „Wort".
28 Philo, De sacrif. 59. Es kann hier nicht auf die verschiedenen Fassungen des

Gottes (seine schöpferische Macht) wohnt, als „Gott“ im abgeleiteten Sinne in der Welt als ihrem Hause[29]. Unter diesem Gesichtspunkt sind der Logos und die im Logos zusammengefaßten Ideen und Kräfte, die zwischen Gott und der sinnlich-sichtbaren Schöpfung vermitteln, bei Philo einerseits ein unabtrennbarer Teil des göttlichen Wesens und andererseits Hypostasen. Das ist sehr verschieden von der strengen Trennung, welche Arius zwischen Gott und dem „Sohn“ (Logos) vollzieht[30]. Bréhier (S. 82) spielt zwar mit dem Gedanken, die Hervorbringung der Ideen als creatio ex nihilo zu bezeichnen. Da Philo selbst dies aber nicht tut, dient das nur der Verwirrung der Begriffe. E. Zeller, der mit Recht bemerkt (S. 414 ff.), daß die Frage nach der Entstehung des Logos und der Kräfte (Ideen) von Philo nur ungenau berührt wird, weist darauf hin, daß Philo (in stoischer Weise) von einer Erweiterung des göttlichen Wesens, einer Ausbreitung der Kräfte durch die Welt redet[31]. Gott läßt die unkörperlichen Dynameis, deren wahrer Name „Ideen“ ist, jeweils die ihrer Aufgabe angemessene Gestalt annehmen[32].

Es ist nicht wahrscheinlich, daß Arius seine Lehre aus den unklaren und verschleierten Aussagen Philos gewonnen hat. Dennoch sollen noch einige einzelne Berührungen zusammengestellt werden. Sie finden sich in Äußerungen über die Erhabenheit und Einzigkeit Gottes[33]. Das Wesen Gottes kann nur von ihm selbst erfaßt werden[34]. Die Materie erträgt die ungemischte (*ἄκρατος*) Macht Gottes nicht, sondern nur den vermittelnden Logos[35]. Dieser ist weder ungeworden

Gedankens der königlichen und der schöpferischen Macht Gottes, welche durch die beiden Cheruben (Gen. 3,24; Exod. 25,19) versinnbildlicht werden (De cherub. 27–29; vgl. Quaest. in Exod. 2,68 S. 116 Marcus, Philo Suppl. II, 1953) eingegangen werden. Vgl. Bréhier (s.o. A. 18) S. 113 f.; 146 f.

29 Philo, De somn. 1,185; die Welt ist nichts anderes, als *οἶκος θεοῦ* (Gen. 28,17), *μιᾶς τῶν τοῦ ὄντος δυνάμεων, καθ' ἣν ἀγαθὸς ἦν*. – De Abrah. 121: die schöpferische Macht dessen, der ist (*τοῦ ὄντος* Exod. 3,14) wird „Gott“ genannt, die königliche „Herr“.

30 Beispiele dafür, daß Philo zuweilen Gott und dem Logos dieselben Bezeichnungen und Tätigkeiten zulegt, bei Bréhier (s.o. A. 18) S. 98 A. 1.

31 Stellen bei Zeller aaO. S. 414 A. 2.

32 Philo, De spec. leg. 1,329.

33 Vgl. Wolfson, DumPap (s.o. A. 18) S. 19;28.

34 Philo, De praem. et poen. 40: *διότι μόνῳ θέμις αὐτῷ ὑφ' ἑαυτοῦ καταλαμβάνεσθαι* – Arius: (Gott) *ἔστι γὰρ ἑαυτῷ ὅ ἐστι, τοῦτ' ἔστι ἄλεκτος*. Und: der Sohn sieht den Vater *ὡς θέμις ἐστίν*. Thalia, bei Athan., De syn. 15 S. 243,15 und 242,23 Opitz.

35 Asterius (und auch Arius): Gott erschafft den Sohn, weil die übrigen Geschöpfe nicht das Wirken seiner unmittelbaren (*ἄκρατος*) Hand ertragen könnten, Athan. De decr. 8 S. 7,18–20 Opitz. Vgl. Or. c. Ar. 2,24. MPG 26,200a. –

wie Gott, noch geworden wie die Geschöpfe[36]. Er kann nur uneigentlich (ἐν καταχρήσει) „Gott" genannt werden[37].
Diese Entsprechungen, unter denen diejenige zwischen Asterius und Philos De opificio mundi bemerkenswert ist (s. A. 35), genügen nicht, um Philo als Ahnherrn des Arius zu erweisen. Die scharfe Grenze, welche Arius zwischen dem Logos-Sohn und Gott zieht, gibt es so bei Philo nicht. Es bleibt die Frage Wolfsons, ob die Übereinstimmung beider in der unbedingten Einheit und Einzigkeit Gottes auf einen jüdischen Hintergrund bei Arius deutet[38].

Philo, De opif. 20: τίς ἂν εἴη τῶν δυνάμεων αὐτοῦ (Gottes) τόπος ἕτερος (außer dem Logos), ὃς γένοιτ' ἂν ἱκανὸς οὐ λέγω πάσας ἀλλὰ μίαν ἄ κ ρ α τ ο ν ἡντινοῦν δέξασθαί τε καὶ χωρῆσαι; In § 21 bis 23 wird ausgeführt, daß die Materie die wohltuende Dynamis Gottes nur in abgeschwächter Form ertragen kann. Dazu vgl. Quaest. in Ex. 2,13 Marcus S. 48: An Angel is an intellectual soul (νοερὰ ψυχή) or rather wholly mind (νοῦς), wholly incorporeal, made (to be) a minister of God and appointed over certain needs and the service of the race of mortals, since it was unable, because of its corruptible nature, to receive the gifts and benefactions extended by God. For it was not capable of bearing the multitude of (His) good gifts. (Therefore) of necessity was the Logos appointed as judge and mediator (μεσίτης), who is called Angel.

36 Philo, Quis rer. div. h. 206: οὔτε ἀγέννητος ὡς ὁ θεὸς ὢν οὔτε γεννητὸς ὡς ὑμεῖς, ἀλλὰ μέσος τῶν ἄκρων, ἀμφοτέροις ὁμηρεύων. – Arius: γέννημα ἀλλ' οὐχ' ὡς ἓν τῶν γεγεννημένων, Urk. 6 S. 12,10 Opitz.

37 Philo, De Somn. 1,229 – Hier unterscheidet Philo (wie später Origenes) zwischen ὁ θεός (Gott) und θεός (Logos). „Zweiter Gott" ist der Logos in dem Philobruchstück bei Euseb, Praep. ev. 7,13,1 S. 389,8 Mras. – Arius: der Logos ist nicht wahrer Gott, sondern wird nur so genannt, Athan., Or. c. Ar. 1,6. MPG 26,21d–24a. Dem Sohn ist nur καταχρηστικῶς der Name Logos und Sophia zuzubilligen, bei Athan., De decr. 6 S. 5,29 Opitz. Hier ist aber eher ein Unterschied zwischen Arius und Philo festzustellen. Denn bei letzterem ist das Mittelwesen ohne weiteres Logos und Weisheit Gottes, bei Arius nicht. – Zur wechselnden Aufeinanderbeziehung der Größen „Gott", „Logos", „Sophia" bei Philo s. Bréhier S. 115 ff; Früchtel (s.o.A.18) S. 175–78; B.L. Mack, Logos und Sophia. Untersuchungen zur Weisheitstheologie im hellenistischen Judentum, Göttingen 1973, S. 142 f.

38 Wolfson, Philosophy of the Church Fathers I S. 362 f., DumPap S. 28.

6. KAPITEL

„Arianisches“ bei Gruppen, die von Origenes und den Origenisten bekämpft werden

1. Gnostiker

Der Vergleich zwischen Arius und der Logoslehre des Origenes hat eine Reihe von Übereinstimmungen ergeben, aber auch einen grundsätzlichen Unterschied. Origenes lehnt die Grundlehre des späteren Arianismus ab, den Anfang der Existenz des Sohnes und seine Erschaffung aus Nichts. In dem zusammenfassenden 4. Kapitel des 4. Buches von De principiis heißt es: „Wir sagen nämlich, im Unterschied zu den Häretikern, nicht daß ein Teil der Substanz Gottes zum Sohne umgewandelt wurde, oder daß der Sohn aus Nichts geschaffen wurde vom Vater, das heißt nicht aus dessen Substanz, so daß es eine Zeit gab, da er nicht war“[1]. Man hat sich verhältnismäßig wenig darum bemüht wer diese Häretiker waren. Orbe hält sie für Valentinianer. Die Lehre, daß die Weisheit (der Sohn) einen Anfang habe, sei valentinianisch[2]. In der Tat streitet Origenes im Zusammenhang unserer Stelle[3] gegen die valentinianische Probolē, die „stoffliche“ Ausströmung des Logos aus der Usia des Vaters. Aber die Erschaffung des Logos aus Nichts ist bei den Valentinianern nicht nachweisbar und Orbe begnügt sich damit, diesen Gedanken als arianisch ante litteram zu kennzeichnen. Origenes wendet sich offensichtlich gegen zwei häretische Anschauungen über den Ursprung des Logos, die valentinianische und eine andere, welche den Logos als Geschöpf aus Nichts, welches einst nicht war, betrachtet.

1 Origenes, princ. 4,4,1 (28) S. 349,3–6 Koetschau. Vgl. princ. 1,2,9 S. 40,11; In ep. ad Rom. 1,5, Lommatzsch Bd. 5 S. 22 f.; Pamphilus, Apol. pro Orig. 3, Lommatzsch Bd. 24 S. 328.

2 A. Orbe, Hacia la primera teologia de la procesión del Verbo, Rom 1958, S. 165 f. Freilich ist „Anfang der Sonderexistenz der Weisheit“ kein eindeutiges Merkmal und Orbe gibt selbst zu, daß es auch auf Tertullian (und andere Apologeten) zutrifft, aaO. S. 166.

3 Princ. 4,4,1 S. 348,5–10 Koetschau.

Die Beschreibung dieser zweiten Häresie erinnert an das System des Basilides in der Darstellung Hippolyts[4]. Der nichtseiende Gott – womit der über alles Sein Erhabene gemeint ist – schafft aus Nichts die „nichtseiende" Welt, die als „Weltsame" die Ideen des Seienden in sich trägt[5]. Das geschieht nicht durch Emanation, sondern Gott schuf durch sein Wort. Er sprach: Es werde Licht! (Gen. 1,3) und so entstand aus Nichts der Same der Welt, der Logos, der mit diesen Worten ausgesprochen wurde und zum Sein kam, und der als das wahrhaftige Licht „jeden Menschen erleuchtet, der in diese Welt kommt" (Joh. 1,9)[7]. Auch der Valentinianer Markus faßt den Logos als gesprochenes Wort des höchsten Gottes auf. Als der Unbegreifliche sein unsichtbares Wesen offenbar machen wollte, öffnet er seinen Mund und entsandte das Wort (Logos), das ihm gleich (ὅμοιος) war. Das Aussprechen (ἐκφώνησις) geschieht im Sprechen des ersten Wortes seines Namens, das Ἀρχή lautet[8].
Nach Basilides ist in diesem „Samen" (Logos) die dreifache Sohnschaft (über die dann ausführlich spekuliert wird) enthalten, die als „nichtseiende" dem „nichtseienden" Gott homousios ist[9].
Man könnte freilich Zweifel hegen, ob sich der gedrängte Satz des Origenes: (non dicimus) ex nullis substantiis filium procreatum a patre, id est extra substantiam suam, ut fuerit aliquando quando non fuerit[10],

4 So auch H.A. Wolfson, The Philosophy of the Church Fathers Bd. I (1964), S. 248. Wir haben hier nicht zu entscheiden, ob dem Bericht Hippolyts über Basilides (Ref. 7,20–27 S. 195,19–208,7 Wendland = W. Völker, Quellen zur Geschichte der christl. Gnosis, Tübingen 1932, S. 46–56) oder dem stark abweichenden des Irenäus (Adv. haer. 1,24–37. Harvey Bd. 1, S. 198–203 = Völker, Quellen S. 44–46) der Vorzug gebührt. Es genügt für uns die Tatsache, daß zur Zeit des Origenes eine Fassung des basilidianischen Systems, wie Hippolyt sie bietet, vorhanden war. Zum Problem der beiden Berichte über die Basilidianer: H. Waszink, Artikel Basilides, RAC 1,1217–25. – A. Orbe (s. A. 2) S. 699–709 (harmonisiert die Quellen zu stark). – W. Foerster, Das System des Basilides, New Test. Studies 9 (1962/3) 233–55. – G. May, Schöpfung aus dem Nichts, Berlin 1978, S. 63–86 (Hippolyt bietet das Ursprüngliche).

5 Hippolyt, Refutatio 7,21,1–4 S. 196,15–197,16 Wendland. Die angeblichen Entlehnungen des Basilides aus Aristoteles sind pseudogelehrte Fündlein Hippolyts.

6 Ref. 7,22,2 S. 198,1–5 Wendland.

7 Ref. 7,22,3–5 S. 198,7–19 Wendland.

8 Irenäus, Adv. haer. 1,14,1. Harvey Bd. 1, S. 129 f. Vgl. hierzu die Namenspekulationen des koptischen „Evangeliums der Wahrheit", cod. Jung f. XIX v. – XXv. S. 38,5–40,30 ed. Malinine, Puech, Quispel.

9 Hippolyt, Ref. 7,22,5–8 S. 198,15–26 Wendland.

10 Origenes, princ. 4,4,1 S. 349,5 Koetschau.

tatsächlich auf die basilidianische Spekulation bezieht. Der bei Basilides aus Nichts geschaffene „Samenhaufe" ist kein „Sohn". Und der Sohn, den sich der große Archon der himmlischen (ätherischen) Welt, die sich bis zum Monde erstreckt[11], schafft, wird nicht aus Nichts, sondern *ἐκ τῶν ὑποκειμένων* hervorgebracht[12]; ebenso der Sohn des zweiten, über die irdische Welt herrschenden Archonten, des alttestamentlichen Gottes[13]. Der Sohn des großen Archonten zieht die Gedanken der „Sohnschaft" (welche „oben" ist und aus Nichts geschaffen wurde) an sich, wie Naphta das Feuer[14]. Von ihm kommen (nachdem der oberste Archon, sein Vater, durch ihn unterwiesen wurde) diese Gedanken der „Sohnschaft" (das „Licht") zum Sohn des zweiten Archonten[15] und von diesem (der ebenfalls seinen Vater erleuchtet) dann auf Jesus[16]. „Die Kraft des (göttlichen) Ratschlusses (*κρίσις* – das ist der Welt- und Erlösungsplan) kam also vom Gipfel oben über den Demiurgen bis zur Schöpfung, das heißt, bis zum Sohn"[17].

Von diesem Bericht Hippolyts zur oben angeführten Aussage des Origenes ist es ein ziemlich weiter Weg. Die Annahme, Origenes habe die abstrakte „Sohnschaft" und die mannigfaltigen Brechungen der Sohnesgestalt in dem gnostischen System als „Sohn" angesehen, bereitet Schwierigkeiten. Immerhin ist die Bezeichnung des aus Nichts geschaffenen Weltsamens als „Logos"[18] eine Brücke zu den Angaben des Origenes. Da wir nicht wissen, welche Quellen dem Alexandriner über die Basilidianer vorlagen[19], ist mit der Möglichkeit zu rechnen, daß er auf eine Abwandlung des bei Hippolyt dargestellten Systems stieß. In dem Bericht des Irenäus über Basilides ist die Ersthervorbringung des Vaters, der Nus, tatsächlich eine persönliche Größe, die mit Christus gleichgesetzt wird[20]. Daß Origenes die Häretiker, welche den Sohn aus „Nichts" geschaffen sein lassen, in Nachbarschaft mit

11 Hippolyt, Ref. 7,23,7 S. 201,15–19; 24,3 S. 202,2–5 Wendland.
12 Ref. 7,23,5 S. 201,10 Wendland.
13 Ref. 7,24,3 f. S. 202,5–13; 25,4 S. 203,10–16 Wendland.
14 Ref. 7,25,6–7 S. 203,20–30.
15 Ref. 7,26,5 S. 204,21–25.
16 Ref. 7,26,8–9 S. 205,12–19.
17 Ref. 7,26,9 S. 205,18 f.
18 Ref. 7,22,4 S. 198,12.
19 Erwähnungen des Basilides bei Origenes sind abgedruckt bei A. Harnack, Gesch. der altchristl. Literatur I,1 S. 159 f.
20 Irenäus, Adv. haer, 1,24,3 f., Harvey Bd. 1 S. 199. Vgl. Ps. Tertullian, Adv. omnes haer. 1, CSEL 47 S. 214,17 f. Kroymann: (Basilides) esse dicit summum deum, nomine Abraxan, ex quo mentem creatam, quam graece *νοῦν* appellat. Ps. Tertullian, der Irenäus benutzt, hat „creatus", wo bei Irenäus (S. 199 Z. 1 Harvey) „natus" steht.

den Valentinianern nennt – er führt auch die miteinander „verwandten“ Ketzereien der Monarchianer und Adoptianer gern paarweise zusammen an – spricht dafür, daß es sich um Gnostiker handelt. Da diese gnostische Lehre „arianisierende“ Züge aufweist, stellt sich das Problem des Verhältnisses zwischen Arius und der Gnosis.

2. *Arius und die außerkirchliche Gnosis*

Arius selbst grenzt sich von der Gnosis ab[21]. Er verurteilt, wie Irenäus und Origenes, den valentinianischen Emanationsgedanken (Probolē). Wenn er die substantielle Homousie des Logos-Sohnes mit Gott ablehnt, so kann daraus mit Sicherheit auch die Leugnung der Homousie des Geistigen im Menschen mit der göttlichen Usia erschlossen werden. Mit der Verwerfung von Emanation und Homousie entfällt die Voraussetzung für den tragenden Gedanken der gnostischen Erlösungslehre: die Rückversammlung der in die Materie gebundenen göttlichen Substanz ins Pleroma. Arius denkt nicht im Rahmen eines gnostischen Systems[22]. Ungnostisch ist auch die Ablehnung des Doketismus in der Christologie[23].

Die Zurückweisung der häretischen Gnosis schließt jedoch, wie das Beispiel des Origenes zeigt, eine Beeinflussung durch diese Gnosis nicht aus[24]. Hält man nach Einzelzügen Ausschau, welche auf Berührungen zwischen Arius und der Gnosis deuten könnten, so bietet sich – neben der soeben behandelten Parallele zu den Basilidianern Hippolyts – die Transzendenz und Agennesie Gottes[25], die Rolle des göttlichen Willens bei der Hervorbringung der unter Gott stehenden Wesenheiten (einschließlich des Logos), die Lehre von der dop-

21 Arius, Bekenntnis an Alexander, Urk. 6 S. 12,10 f. Opitz.

22 Zum Begriff „Gnosis“ s. C. Colpe, Artikel Gnosis, RGG³. Über die Bemühungen zur Bestimmung des Begriffs berichtet K. Rudolph, ThR 36 (1971) 6–30.

23 Epiphanius, haer, 69,48,2 S. 195,8 f. spricht diesbezüglich zwar nur von Arianern, doch gilt dies auch für Arius. Athanasius hätte ihm Doketismus zweifellos angekreidet.

24 Über die Verwandtschaft des origenistischen Systems mit der valentinianischen Gnosis s. H. Jonas, Gnosis u. spätantiker Geist II,1 (Göttingen 1954) S. 204–13.

25 Valentinianisch: Irenäus, Adv. haer. 1,4 S. 8 Harvey. Vgl. die valentinianische *μονὰς ἀγέννητος* (Hippolyt, Ref. 6,29,2 S. 155,22 Wendland) mit dem *ἀγέννητος* welcher *μονάς* ist, in der Thalia des Arius (Athan., De syn. 15 S. 242,11 u. 243,1 Opitz). Basilidianisch: Irenäus, Adv. haer. 1,24,3 S. 199 Harvey (innatus pater).

pelten Sophia, die Erschaffung der Welt durch Engel[26] oder einen Demiurgen.

a) Die Anklänge an Basilides geben nicht allzuviel her. Das Nichts (οὐκ ὄν) des Basilides ist die Transzendenz des Über-Seins als Nicht-Seienden. Und der von diesem „Nicht-Seienden" und aus dem „Nichtseienden" geschaffene[27] Logos-Weltsame[28] mit der in ihm enthaltenen „Sohnschaft" ist gleichwesentlich (homousios) mit dem nichtseienden Gott[29] – was den Anschauungen des Arius zuwiderläuft. Doch unbestreitbar bleibt als Entsprechung die Hervorbringung des Logos aus „Nichts". Sie erklärt sich als Anpassung des Basilides oder seiner Schule an die christliche Schöpfungslehre. Es ist kaum anzunehmen, daß hier Fäden zu Arius laufen, vielmehr besteht ein gemeinsamer jüdisch-christlicher Traditionshintergrund. Außerdem betrachtet Arius, wie seine Polemik gegen die Auffassung des Logos als „Aussprudelung" (ἐρυγή) (Ps. 44,2) Gottes beweist[30], im Unterschied zu Basilides den Logos nicht als von Gott gesprochenes Wort. Auch die Transzendenz und Agennesie Gottes ist, wie schon gesagt wurde, als Parallele wenig brauchbar, da sie ein durch die verschiedensten geistigen Richtungen der Spätantike hindurchgehendes Motiv ist.

b) Nicht viel beweiskräftiger ist der Hinweis auf die valentinianische Willensspekulation, obwohl er bereits von Athanasius gegeben wird. Athanasius, der sich offenbar an Irenäus, Adv. haer. 1, 12, 1 (Harvey S. 109) anlehnt, leitet die Lehre des Arius von der Erschaffung des Sohnes durch den Willen Gottes aus der Behauptung des Valentinianers Ptolemäus ab, daß der höchste Gott (Bythos) durch Gedanke und Wille (Ennoia und Thelema oder Thelesis[31], die mythologisch als „Gattinnen" des Gottes gefaßt werden) die Äonen hervorbringt[32]. Man wird Ptolemäus nicht gerecht, wenn man Thelema hier bloß als die männlich zeugende Kraft ansieht[33]. Ennoia und Thelema sind geistige Zustände (διαθέσεις)[34] und Vorgänge in Gott. Wo diese

26 Gnostische Belege in Harveys Ausgabe von Irenäus, Adv. haer. Bd. 1 S. 275 Anm. 1.
27 Hippolyt, Ref. 7,21,4 S. 197,7 f. Wendland: ἐποίησε.
28 Ref. 7,22,4 S. 198,12 Wendland.
29 Ref. 7,22,7 S. 198,25 f.
30 Arius, Urk. 1 S. 2,7 Opitz.
31 Thelema und Thelesis bei Epiphanius, haer, 33,1,3 S. 448,12 ff. Holl. Nur Thelesis bei Hippolyt, Ref. 6,38,5 S. 169,14 f. Wendland. Beide Texte sind zu Irenäus, haer, 1,12,1 von Harvey S. 109 parallel abgedruckt. Athanasius (s. die folgende Anm.) hat θέλησις.
32 Athan., Or. c. Ar. 3,60. MPG 26,448c–449a.
33 Gegen G. Schrenk in ThWNT III (1938) S. 53,12 ff.
34 Irenäus, Harvey Bd. 1 S. 109.

Willensspekulation nur mit knapper Andeutung ihres psychologischen und mythologischen Gewandes erscheint, wie im „Evangelium der Wahrheit", tritt ihr biblischer Hintergrund hervor. „Der Wille aber ist es, in dem der Vater ruht und der ihm gefällt. Nichts entsteht ohne ihn und nichts entsteht ohne den Willen des Vaters"[35]. „Zu dem Zeitpunkt, da er will, ist das, was er will"[36]. Es geht in diesen Stellen um die Selbstoffenbarung des Vaters durch den Sohn, der sein Name ist und der vom Willen des Vaters hervorgebracht wird. Von hier ließe sich eher eine Linie zu Arius ziehen. Aber man wird sich besser damit begnügen, daß sowohl in der gnostischen Spekulation wie bei Arius eine Einwirkung der jüdisch-christlichen Anschauung vom Willen Gottes vorliegt. Außerdem lehrt auch Origenes die Zeugung des Sohnes durch Gottes Willen[36a].

c) Die doppelte Sophia im valentinianischen System – die obere Sophia im Pleroma und die untere Sophia Achamoth[37] – entsteht durch einen „Fall" der oberen Sophia, welche in Leidenschaft und Begehren geriet und diese „Enthymesis" abtun muß, aus der die untere Sophia außerhalb des Pleromas gestaltet wird[38]. Die untere Sophia bringt dann durch die Formung des Demiurgen aus seelischer Substanz die Entstehung der irdischen Welt in Gang, ist aber auch im Schöpfungswerk des Demiurgen die eigentlich Tätige, indem sie ihn ohne sein Wissen bewegt. Diese Sophia strebt eine Nachbildung des unsichtbaren Pleromas an[39]: sie selbst ist Bild des unsichtbaren Vaters, der Demiurg Bild des eingeborenen Sohnes, die von ihm geschaffenen Erzengel und Engel Abbild der Äonen[40]. Der Demiurg wird auch „gottähnlicher Engel" (ϑεῷ ἐοικώς) genannt[41].

35 Ev. der Wahrheit, cod. Jung f. XIX r. S. 37,20–25 ed. Malinine, Puech, Quispel (auch mit deutscher Übersetzung). Ich folge der Übertragung von M. Krause in „Die Gnosis", herausgegeben von W. Foerster, Bd. 2, Zürich 1971, S. 80.

36 Ebd. Zeile 30.

36a S.o. Kap. 4,1 Abschnitt f.

37 Irenäus, Adv. haer. 1,1,2 S. 13 f. Harvey; 1,4,1 S. 31 u. 33.

38 Näheres bei Irenäus, Adv. haer. 1,4,1 S. 31 ff. Harvey. Vgl. U. Wilckens, Art. „Sophia", ThWNT VII (1964) S. 510–14. – G.C. Stead, The Valentinian Myth of Sophia, JThS 20 (1969) 75–104. – G.W. Macrae, The Jewish Background of the Gnostic Sophia Myth, Nov. Test 12 (1970) 86–101.

39 Irenäus, Adv. haer. 2 praef. S. 249 Harvey.

40 Adv. haer. 1,5,1 S. 42 f. Harvey.

41 Adv. haer. 1,5,2 S. 45 Harvey. – Mit dieser Irenäusstelle hat J. Zandee (Die Person der Sophia in der vierten Schrift des Codex Jung. In: Le Origini dello Gnosticismo, Colloquio di Messina 1966, Leiden 1967, S. 203–14) einen Abschnitt aus der 4. Schrift des Kodex Jung verglichen: der Logos (die Sophia) bringt aus seinen Gedanken nach dem Bild des Vaters der Äonen den

Aus diesem Gemisch, in dem Platonisches (Mimesisgedanke) und Judaisierendes (schöpferische Rolle der Sophia, Engellehre) zusammengeflossen ist, können nicht einzelne Punkte herausgenommen und mit Arius verglichen werden[42]. Es fehlt bei Arius der mythologische Rahmen. Die untere Sophia (der Sohn) ist bei ihm schlicht ein Geschöpf der Sophia Gottes, die aber keine Hypostase, sondern eine Eigenschaft Gottes ist. Deshalb ist die Erschaffung des Demiurgen durch die Sophia im valentinianischen System keine echte Parallele. Der Gedanke vom Fall eines Äons, der die Weltschöpfung vorantreibt, fehlt bei Arius im Gegensatz zur Gnosis und zu Origenes. Gottes Wille ist geradlinig und von sich aus auf die Erschaffung des Menschen und der Welt gerichtet: mit demselben Willen, mit dem er das All schuf, machte er auch den Sohn, welcher den Menschen erschaffen sollte[43]. Lediglich dort ist der Vergleich mit Arius sinnvoll, wo der valentinianische Sophiamythus auf seinen Grundgedanken beschränkt wird, wie in der Bekenntnisformel, welche der pneumatische Mensch nach dem Tode beim himmlischen Aufstieg zu den Engelmächten des Demiurgen spricht: „Ich bin ein kostbares Gefäß, kostbarer als das Weib (die untere Sophia), welches euch schuf. Wenn eure Mutter auch ihre Wurzel nicht kennt, ich kenne mich selbst und weiß, woher ich bin und rufe die unvergängliche Sophia an, die im Vater ist, die Mutter eurer Mutter, welche keinen Vater noch männlichen Gatten hat. Aber ein Weib, vom Weibe geboren schuf mich, ohne ihre Mutter zu kennen und in der Meinung, sie sei allein. Ich jedoch rufe ihre Mutter an"[44]. Die Unwissenheit der unteren Sophia über die Sophia in Gott bietet sich hier als Vergleichspunkt mit der mangelhaften Gotteserkenntnis des Sohnes (der Sophia) bei Arius[45]. Sichere Schlüsse

Demiurgen hervor. Dieser wird auch Vater, Gott, König, Richter, Ort, Wohnung, Gesetz genannt. Der Logos (die Sophia) benutzt den Demiurgen als eine Hand, um durch ihn zu schaffen und inspiriert ihn zur Prophetie (Zandee S. 206 f. = Tractatus tripartitus, ed. Kasser, Malinine u.a., Bern 1973, S. 100, 30–35).

42 Obwohl gerade die 4. Schrift aus dem Kodex Jung (s. die vorige Anm.) dazu reizt.

42a S. Tabelle I Nr. III.

43 Athan., Ep. ad episc. Aeg. et Lib. 12. MPG 25,565b. Erschaffung des Sohnes zwecks Schöpfung des Menschen s. Tabelle I Nr. VIII

44 Irenäus, Adv. haer. 1,21,5 S. 187 f. Harvey. Der höchste Gott der Valentinianer kennt sich selbst allein, so wie er ist, er ist sein eigner Verstand, sein eignes Auge (so wie der unerkennbare Gott des Arius ἐφ' ἑαυτοῦ ist): Tract. tripart. ed. Kasser, Malinine u.a. S. 54,40–55,14; Arius, Thalia bei Athan. De syn. 15 S. 243,17 Opitz.

45 S. Tabelle I Nr. VI.

lassen sich daraus nicht ziehen, der gnostische Gedanke der ἄγνοια über das höchste Prinzip spielt ja auch bei Origenes eine Rolle. Jedoch ist sehr merkwürdig, daß für Arius der Sohn sein eignes Wesen nicht kennt[46]. Hierzu ist die Unkenntnis der gnostischen unteren Sophia und des gnostischen Demiurgen über sich selbst die nächste Parallele[47].

d) Es ist noch zu fragen, ob gnostische Sophiamythologie bei einem der ältesten Mitstreiter des Arius, Athanasius von Anazarbos, auftaucht. Er schreibt an Alexander von Alexandrien: „Was tadelst du Arius und seine Anhänger, wenn sie sagen, daß der Sohn als Geschöpf aus Nichts gemacht worden und eines von allen Geschöpfen ist? Denn da im Gleichnis unter den hundert Schafen alles Geschaffene dargestellt wird, ist auch der Sohn eines davon. Wenn nun die Hundert nicht Geschöpfe und nicht geworden sind oder wenn es noch etwas außer den Hundert gibt, dann möge auch der Sohn kein Geschöpf und nicht einer unter allen sein. Wenn aber die Hundert alles Geschaffene (γενητά) sind und nichts außer den Hundert ist, als Gott allein, was sprechen Arius und seine Anhänger Böses, wenn sie sagen, Christus sei einer von allen, indem sie ihn unter die Hundert einbegreifen und rechnen?“[48]. Diese Auslegung des Gleichnisses vom verlorenen Schaf (Mt. 18,12 f.; Lk. 15, 4–7) deutet Christus nicht als Hirten, sondern zählt ihn unter die hundert Schafe. Es liegt nahe, dabei an das verlorene Schaf zu denken, das im Thomasevangelium[49] als das „größte“ besonders ausgezeichnet ist. In der Gnosis wird nun vielfach das verlorene Schaf auf die aus dem Pleroma gefallene Sophia gedeutet; bei den Simonianern auf die Ennoia, welche von den Engelmächten im Niederen festgehalten wird[50], bei den Valentinianern

46 S. Tabelle I Nr. VII.

47 Die Unwissenheit des Demiurgen über seinen Ursprung – er kennt seine Mutter, die Sophia nicht (Irenäus, Adv. haer. 1,5,1–3 S. 41–46 Harvey) – ist Unwissenheit über sich selbst, die ihn zu dem Glauben führt, er sei der einzige Gott (Irenäus, Adv. haer. 1,5,3 S. 46 f. Harvey). Vgl. Klemens v. Alex., Exc. ex Theod. 49,1 S. 123,3 f. Stählin: „Da er (der Demiurg) die nicht kannte, die durch ihn wirkte (die Sophia Achamoth), in dem Glauben befangen, er schaffe aus eigner Kraft . . .“; dazu Hippolyt, Ref. 6,33 S. 162, 5 f. Wendland: der Demiurg weiß nichts und ist unverständig. – In gleicher Weise mangelt es der unteren Sophia an Gnosis über sich selbst (s. oben die im Text zu A. 44 übersetzte Formel).

48 Athanasius von Anazarbos, Urk. 11 S. 18 Opitz.

49 Thomasev., Spruch 107 (Das Ev. nach Thomas, herausgeg. von Guillaumont, Puech, Quispel, Till, Yassat ʿabd al Masíh, Leiden 1959, S. 52,22 ff.).

50 Irenäus, Adv. haer. 1,23,2 S. 192 Harvey.

auf die Sophia Achamoth[51]. Der Markionit Apelles sieht in dem verlorenen Schaf den Engel, der die Welt erschuf und Reue über sein Werk empfindet[52]. Die Gnostiker halten am Sinn des Gleichnisses fest, indem sie den Soter nach dem verlorenen Schaf suchen lassen[53]. Dagegen blickt Athanasius von Anazarbos in dem zitierten Satz nicht auf die Erlösungslehre; das Gleichnis wird in einen kosmologischen Rahmen gestellt. Die Brücke zur kosmologischen Deutung der hundert Schafe bildete zweifellos die Anschauung vom All als Schafherde (*ποιμνή*) welche bei Philo von Alexandrien in allegorischer Auslegung von Psalm 23,1 (22,1) begegnet. Die Erde mit allem, was in ihr ist, die sterblichen und göttlichen Lebewesen, Himmel, Sonne, Mond und Sterne sind eine Herde, die da singt: der Herr ist mein Hirte, mir wird nichts mangeln. Gott weidet diese Herde durch seinen wahren Logos und erstgeborenen Sohn[54]. Es ist nicht anzunehmen, daß Athanasius von Anazarbos Christus als verlorenes Schaf im Sinne der valentinianischen Sophia bezeichnet hat. Darüber hätte sich sein Namensvetter, der uns die Stelle überliefert hat[55], bestimmt entrüstet. Der Arianer ging unter Beschränkung auf den Anfang des Gleichnisses „ein Mann hatte hundert Schafe" davon aus, daß die Schafherde die geschaffene Welt und Christus als Lamm Gottes (Joh. 1,24.36; Apg. 8,32; *ἀρνίον* in der Offenbarung Joh.) eines der Schafe ist. Dabei konnte er sich eine exegetische Überlieferung zunutze machen, welche die Gestalt des Hirten und des verlorenen Schafes miteinander verschmolz, und zwar in der Menschwerdung des Erlösers. Wir treffen sie bei Methodius (genannt von Olympus): die hundert Schafe sind die Engel im Himmel, die Christus weidet[56]. Zu ihnen gehörte ursprünglich auch der Mensch, der durch den Fall zum verlorenen Schaf wurde. Der Hirte steigt hernieder und nimmt den

51 Irenäus, Adv. haer. 1,8,5, S. 73 Harvey. Ebenso die Markosier, Irenäus 1,16,1 S. 157 f. Harvey. Dagegen ist im Ev. der Wahrheit (f. XVI S. 31,35–32,5) der Sohn der Hirt, welcher die 99 Schafe verläßt, um das verlorene zu suchen.

52 Bei Tertullian, De carne Christi 8. Abgedruckt bei A. Harnack Markion [2]1924 (Nachdruck Berlin 1960) S. 408,3. Zur altkirchlichen Auslegung des Gleichnisses vom verlorenen Schaf s. K. Beyschlag, Simon Magus und die christliche Gnosis, Tübingen 1974 S. 128–35 und vor allem Th. K. Kempf, Christus der Hirt, Rom 1942 S. 159–76.

53 Irenäus, Adv. haer. S. 73 Harvey; Thomasev. s. A. 49; Ev. der Wahrheit siehe A. 51.

54 Philo, De agric. 51–52. Vgl. Theologumena arithmetica (Jamblich) 43,6: die Sternensphären als Herde (*ἀγέλη*).

55 Athan., De syn. 17,4 S. 244,29 ff. Opitz; vgl. ebd. 36,5 S. 263,21 f.

56 Ähnlich Origenes, In Gen. hom. 9,3. Werke Bd. VI S. 92,5 ff.; hom 13,2 S. 114,18–22 Baehrens.

Menschen Adam als Gewand an sich, um ihn wiederzubringen. In der Inkarnation sind also Hirte und verlorenes Schaf zu einem geworden[57]. Dieselbe Auslegung findet sich in der pseudoathanasianischen Epistula ad Antiochenos: der Heiland zieht Adam (genannt Jesus) an und bringt durch ihn das verlorene Schaf dem Vater dar, wie ein Schaf zur Schlachtbank geführt und wie ein Lamm stumm vor seinem Scherer. Dieser zweite Adam heißt Menschensohn, Schaf, Weinstock, Brot, Baum, Weizenkorn und Ähnliches[58]. Die Gleichsetzung von Hirte und Schaf ist auch bei Origenes[59] und in seiner Schule anzutreffen. Euseb von Cäsarea betrachtet Christus als Hirten, sofern er Logos ist und als Schaf, sofern er menschlicher Leib ist[60]. Athanasius von Anazarbos ist also in diesem Stück nicht an die eigentlich gnostische, sondern (ebenso wie Methodius, der Origenes bekämpft und benutzt) an die von Origenes herkommende Tradition anzuschließen. Indem er aber die Zusammenschau von Hirte und Schaf als Beweis für die Geschöpflichkeit des Logos-Sohnes verwendet, belegt er, wie stark die arianische Christologie von der Menschwerdung her gedacht ist.

e) Hinsichtlich der Erschaffung der Welt durch ein Mittelwesen – Demiurgen oder Engel – bieten sich die gnostischen Systeme für den Vergleich mit Arius dort an, wo sie in entmythologisierter Form auftreten, so daß ihr Grundgerüst erscheint, ohne von zahllosen Äonenhypostasen und Ereignissen der kosmischen Education sentimentale überwuchert zu werden. Tertullian unterscheidet eine einfachere Form des valentinianischen Lehrgebäudes bei Valentin selbst, der die Äonen als Empfindungen und geistige Bewegungen innerhalb der Gottheit betrachte, während Ptolemäus sie als persönliche Wesen aus der Gottheit herausverlege[61]. Doch hält auch Ptolemäus daran fest, daß die Urbilder der Äonen geistige Zustände (διαθέσεις) des höchsten Gottes sind[62] und trägt in einer Missionsschrift, dem Briefe an Flora, den vereinfachten Grundriß der Lehre vor[63]. Er unterscheidet drei

57 Methodius, Symposium 3,5–7 S. 32,1–33,19 Bonwetsch.

58 Ed. E. Schwartz, Der sogenannte Sermo maior de fide des Athanasius, SB der Bayerischen Akad. d. Wiss., Phil.-hist. Klasse, Jahrgang 1924, 6. Abhandlung (1925), Nr. 61 S. 21 f.

59 Origenes, In Gen. 14,1 S. 122,1–3 Baehrens.

60 Euseb v. Cäs., Dem. ev. 10 prooem. S. 444,9 ff. Heikel.

61 Eam (scil. viam, nämlich den Weg zur Bekämpfung der Wahrheit) postmodum Ptolemaeus intravit, nominibus et numeris Aeonum distinctis in personales substantias, sed extra deum determinatas, quas Valentinus in ipsa summa divinitatis ut sensus et affectus ⟨et⟩ motus incluserat. Tertullian, Adv. Val. 4. CSEL 47 S. 181,5–9 Kroymann.

62 Irenäus, Adv. haer. 1,12,1 S. 109 Harvey.

Götter: den vollkommenen Gott, der ungeworden ist, den Demiurgen (den Weltschöpfer und gerechten Gott) und den bösen Gott (Kap. 7,5). Letztere beiden sind von dem vollkommenen Gott, der die Archē ist, hervorgebracht worden (Kap. 7,8: *ἀπὸ μιᾶς ἀρχῆς. . . συνέστησαν*). Eine Reihe von Ähnlichkeiten mit Arius fällt auf. Ptolemäus stellt betont den Vater als den einzigen Ungewordenen dem Demiurgen, welcher *γεννητός* und nicht *ἀγέννητος* ist, gegenüber (Kap. 7,6). Die drei Gottwesen bilden eine absteigende Stufenfolge, wobei der Demiurg in der Mitte steht, und sind einander *ἀνομοούσιοι* (vgl. Arius: *οὐδὲ ὁμοούσιος*)[64], obwohl es dem Wesen des Vaters entspricht, ihm Wesensgleiches (homousia) zu zeugen (Kap. 7,8). Ptolemäus sagt von der zweiten Hypostase (dem mittleren Gott): *ἑτέρας οὐσίας τε καὶ φύσεως πεφυκὼς παρὰ τὴν ἑκατέρων τούτων* (des höchsten und des niedrigsten Gottes) *οὐσίαν* (Kap. 7,6). Und von Arius hören wir: (der Sohn) *μονογενὴς θεός ἐστι καὶ ἑκατέρων* (der ersten und der dritten Hypostase) *ἀλλότριος οὗτος*[65]. Auch wird bei Ptolemäus (Kap. 7,7) und bei Arius[66] der höchste Gott in Bezug auf den Demiurgen *ὁ κρείττων* genannt und bei beiden ist der Demiurg *εἰκὼν τοῦ κρείττονος*[66]. Vermutlich hat der Pseudo-Anthimus an solche Parallelen gedacht, wenn er die drei Hypostasen der Arianer auf Valentin zurückführt[67]. Allerdings ist die dritte Hypostase des Ptolemäus nicht der heilige Geist, wie bei Arius. Zudem ist die Herstellung einer absteigenden Göttertrias in der Kosmologie der Zeit nicht ungewöhnlich[68]. Die im Demiurgen des Ptolemäus angelegte Zwiespältigkeit (*ἡ δὲ τούτου οὐσία διττὴν μέν τινα δύναμιν προήγαγεν*)[69]

63 Ptolemäus, Ep. ad Floram, Kap. 7 bei Epiphanius, haer. 33,7 S. 456 f. Holl = Völker, Quellen S. 92 f.

64 Ptolemäus bei Epiph. S. 457,12 Holl. – Arius, Thalia bei Athan., De syn. 15 S. 242,17 Opitz.

65 Thalia bei Athan., De syn. 15 S. 243,4 Opitz.

66 Thalia aaO. S. 243,9.13 Opitz.

66 Ptolemäus, Brief an Flora 7,7, Epiphanius S. 457,8 Holl. – Arius, Thalia aaO. S. 243,7 in Verbindung mit Zeile 9 u. 13 Opitz.

67 Ps. Anthimus Nicomed., De sancta ecclesia § 9 S. 96,45 Mercati = Völker, Quellen S. 60,8 ff.

68 Vgl. Numenius, Testim. 24 S. 88 Leemans.

69 Ptolemäus, Brief an Flora bei Epiphanius S. 457,3 Holl. Holl (zur Stelle) bezieht mit Recht gegen Harnack das *τούτου* auf den Demiurgen. Holl meint hier, die „doppelte Kraft", die der Weltschöpfer hervorbringt, sei die zwischen Licht und Finsternis geteilte *μεσότης*. Aber der Demiurg ist doch selbst die *μεσότης* (S. 456,21). So vermute ich nach Irenäus, Adv. haer. 1,5,2 f. S. 43 f. Harvey, daß mit der „doppelten Kraft" das Psychische und Hylische, das „Rechte" und „Linke", das „Aufsteigende" und „Fallende" gemeint ist, das der Demiurg voneinander trennt.

findet eine Entsprechung bei Numenius[70]. Trotz dieser Verschiedenheit der dritten Hypostase bei Arius und Ptolemäus (bei Numenius ist der dritte Gott die Welt) und trotz der Querverbindungen zum mittleren Platonismus ist darauf hinzuweisen, daß die Aufmerksamkeit des Arius in erster Linie auf das Verhältnis zwischen Gott und dem Schöpfungsmittler gerichtet war. Hier sind die Berührungen mit Ptolemäus in der Tat auffällig.

Das Dreiprinzipiensystem der Peraten[71]: Vater, Sohn, Materie, steht dem Typ nach ferner, denn hier ist der Sohn derselben Gattung wie der Vater[72]. Der Sohn (der Logos, die Schlange) vermittelt in platonisierender Weise zwischen Vater und Materie; er empfängt die Ideen vom Vater und wendet sich zur gestaltlosen Materie, welche diese Ideen (Kräfte) dann in sich ausprägt[73].

f) Aus der hermetischen Gnosis, von welcher die Arianer nach Pseudo-Anthimus (Markell v. Ankyra) abhängig sein sollen, läßt sich kein neues Vergleichsmaterial gewinnen. Ps. Anthimus behauptet, die Arianer hätten vom Trismegistos gelernt, daß der Logos durch den Willen Gottes entstanden[74] und daß der zweite Gott (der Sohn) vom Vater geschaffen sei[75]. Letzteres ist in Wirklichkeit keine Parallele, denn im Asklepius ist der zweite Gott (und Sohn) die Welt[76].

g) *Zusammenfassung:* Die Nähe einer von Origenes bekämpften „arianischen“ Ansicht (es gab eine Zeit, da der Sohn nicht war, der aus Nichts vom Vater geschaffen wurde) zu der von Hippolyt gebotenen Form des basilidianischen Systems gab Anlaß, das Verhältnis des Arius zur Gnosis zu untersuchen.

Arius teilt nicht die Grundvoraussetzung der gnostischen Systeme und der gnostischen Erlösungslehre: den Emanationsgedanken und

70 Die Stellen siehe oben in Kap. 3,3d. (Monas – Dyas).

71 Hippolyt, Ref. 5,12–17 S. 104–116 Wendland.

72 Er ist die Fülle *δυνάμεων. . . ἐξ αὐτῶν γεγενημένων*; er ist *αὐτογενὲς ἀγαθόν* (Ref. 5,12,2 S. 104,20–23 Wendland). Irenäus 1,29,2 S. 223 Harvey: bei den Valentinianern kann ein durch Emanation hervorgebrachter Äon *Αὐτογενής* heißen. Belege für *αὐτογενής* in der Bedeutung „ex eodem genere“ im Thesaurus von Stephanus s.v.

73 Hippolyt, Ref. 5,17,1 f. S. 114,15–23 Wendland. Zur Struktur der gnostischen Dreiprinzipiensysteme s. H. Jonas, Gnosis Bd. 1 S. 335 ff.; 341 ff.

74 Ps. Anthimus S. 98,77–83 Mercati.

75 Ebd. S. 97,51–56 Mercati, unter Bezug auf Asklepius 8, Corp. Hermet., ed. Nock-Festugière Bd. 2 (Paris 1945) S. 304 f.

76 Asclep. 10, Bd. 2 S. 308,8 Nock-Festugière. Die Welt als Sohn Gottes: tract. IX,8 Bd. 1 S. 99,17. Über den ersten und zweiten Gott in den Hermetica s. Bd. 1 S. 40 A. 17.

die Homousie des Pneumatischen mit der Gottheit. Er lehnt auch den Doketismus in der Christologie ab.
Von den unstreitig vorhandenen Berührungen in Einzelheiten läßt sich sowohl die Erschaffung des Logos aus Nichts bei Basilides und Arius, wie die Hervorbringung des Logos durch den Willen Gottes bei den Valentinianern (auch bei Basilides[77]) und Arius auf den gemeinsamen Hintergrund der jüdisch-christlichen Lehre von der Schöpfung und dem Willen Gottes zurückführen.
Die gnostische Anschauung von der doppelten (oberen und unteren) Sophia unterscheidet sich ziemlich stark von der entsprechenden arianischen: es fehlt bei Arius (der zudem die obere Weisheit nicht als Hypostase ansieht) der Fall des Äons als Ursache für die Hervorbringung der unteren Sophia und die Weltschöpfung. Auch in der Gleichsetzung des verlorenen Schafes (Mt. 18,12; Lk. 15, 4–7) mit dem Hirten Christus durch Athanasius von Anazarbos spiegelt sich nicht gnostischer Sophiamythus (die Sophia als verlorenes Schaf), sondern origenistische exegetische Überlieferung. Doch ist die Unkenntnis der unteren Sophia über die obere Weisheit und über sich selbst eine bemerkenswerte gnostische Parallele zu Arius.
Die Dreihypostasenlehre des Arius unterscheidet sich zwar hinsichtlich der dritten Hypostase von derjenigen des Ptolemäus. Aber der „arianische“ Gedanke, daß die Hypostasen (vor allem die erste und die zweite) einander nicht homousioi sind, ist bei Ptolemäus deutlicher ausgesprochen als bei Origenes (bei dem wir eine dynamistische Homousie feststellten)[77a].
Im Ganzen ist Arius nicht an die Seite der außerkirchlichen gnostischen Systeme zu stellen. Übereinstimmung mit einzelnen gnostischen Gedanken ist feststellbar. Insbesondere zeugt sein überschwängliches Reden von der Ferne und Erhabenheit Gottes für eine gewisse „gnostische Stimmung“ bei ihm.

3. Die Gnosis des Arius

Arius bietet seinen Jüngern „Gnosis“ an:

κατὰ πίστιν ἐκλεκτῶν θεοῦ, συνετῶν θεοῦ, παίδων
ἁγίων, ὀρθοτόμων, ἅγιον θεοῦ πνεῦμα λαβόντων
τά δε ἔμαθον ἔγωγε ὑπὸ τῶν σοφίας μετεχόντων,

77 Vgl. die Umschreibung von „er (Gott) wollte“ bei Basilides: Hippolyt, Ref. 7, 21,1 f. S. 196,26–197,1. Wendland.
77a S.o. Kap. 4,1b.

ἀστείων, θεοδιδάκτων, κατὰ πάντα σοφῶντε.
Τούτων κατ᾽ ἴχνος ἦλθον ἐγὼ βαίνων ὁμοδόξως
ὁ περίκλυτος ὁ πολλὰ παθὼν διὰ τὴν θεοῦ δόξαν
ὑπό τε θεοῦ μαθὼν σοφίαν καὶ γνῶσιν ἐγὼ ἔγνων[78].

Diese Gnosis ist Sophia. Sie entspricht dem rechten Glauben, dem Glauben der ὀρθοτόμοι, der Erwählten Gottes, der „heiligen Kinder“. Arius hat die Sophia von Weisen gelernt. Er steht in einer Überlieferung. Zugleich aber hat er diese Weisheit von Gott (ὑπό τε θεοῦ μαθών), ebenso wie seine Lehrer, die von Gott gelehrt (θεοδίδακτοι) waren[79]. Zur Tradition kommt also die Inspiration[80]. Die Inhaber der Gnosis haben den heiligen Geist empfangen (πνεῦμα λαβόντες). Das paßt garnicht zum Bild des „Rationalisten“ Arius, welches ein zähes Leben in den Dogmengeschichten führt, wohl aber zu der von Konstantin aufbewahrten Äußerung: „Ich bin erhoben von Entzücken und springe und hüpfe vor Freude und werde beflügelt“. Darauf folgt dann Niedergeschlagenheit[81]. Arius hatte in sich das Zeug zum Enthusiasten.
Welchen Inhalt hat seine „Gnosis“ und Weisheit?[81]. Dazu kann zunächst nur gesagt werden: die in der Thalia vorgetragene Lehre über Gott und Christus, die eine Einsicht in die unaussagbare Majestät Gottes, neben der es nur Geschöpfe gibt, vermittelt. Die Rechtgläubigen (Orthotomoi) sind ja συνετοὶ θεοῦ und Arius leidet wegen der δόξα θεοῦ. Diese Gotteserkenntnis (Gnosis) vollzieht sich durch die Verleihung des Geistes Gottes[83] und entsprechend dem jeden gesetzten Maße[84].
Der Vorspruch zur Thalia enthält sachliche und begriffliche Entsprechungen zur alexandrinischen theologischen Überlieferung. So betont Klemens von Alexandrien wie Arius die Übereinstimmung der

78 Arius, Anfang der Thalia, bei Athan., Or. c. Ar. 1,5. MPG 26,20c–21a. Siehe G. Bardy, Lucien S. 252. G.C. Stead, The Thalia of Arius and the Testimony of Athanasius, JThS 29 (1978) 20–53 legt S. 40 ff. eine neue Untersuchung der metrischen Form der Thalia vor.

79 θεοδίδακτος hat hier einen volleren Inhalt als die höfliche Wendung Alexanders v. Alexandrien: auch ihr seid von Gott gelehrt. Urk. 14 S. 25,9 Opitz. Vgl. 1 Thess. 4,9.

80 Mani dagegen rühmt sich dessen, daß er keinen Lehrer hatte, von dem er die Weisheit lernte, sondern daß er sie von Gott durch einen Engel empfing. Manich. Homilien 47,7–16, ed. H. Polotsky, 1934.

81 Konstantin, Brief an Arius Urk. 34 S. 74,5 f. Opitz.

82 Die Arianer nannten die Thalia des Arius eine καινὴ σοφία. Athan., Or. c. Ar. 1,4. MPG 26,20a (vermutlich ist καινή Zutat des Athanasius).

83 Die συνετοὶ θεοῦ haben den Geist empfangen, siehe das Zitat zu Anm. 78.

84 Diese Beschränkung ist aus der ebenfalls begrenzten Gotteserkenntnis des Sohnes zu erschließen. Thalia bei Athan., De syn. 15 S. 242,22 f. Opitz.

Sophia derer, die zur Vollkommenheit gelangen, mit dem Glauben der παῖδες unter denen die zu verstehen sind, welche Gott allein als Vater kennen[85]. Der Gnostiker bewahrt die gnostische und kirchliche Rechtgläubigkeit (ὀρθοτομία)[86]. Pistis, Synesis (vgl. Arius: συνετοὶ θεοῦ) und pneumatisches Hören wirken bei Klemens zusammen und vernehmen, was kein Auge je gesehen und kein Ohr gehört hat[87]. Die Unterweisung durch den von Gott dazu befähigten Gnostiker wird durch Inspiration (ἐμπνεῖ) des Lernenden seitens der göttlichen Macht gefördert[88]. Die christliche Weisheit ist θεοδίδακτος[89]. Dem Bilde des kirchlichen Gnostikers bei Klemens von Alexandrien und im Origenismus ähnelt Arius auch durch seine Askese. Daß er asketisch lebte, schließt man aus der Schilderung des Epiphanius[90]: er ist von demütigem Aussehen, bekleidet mit dem kurzen Obergewand und einer kurzärmeligen Tunika – also dem Gewand der Mönche. Dafür, daß er Askese predigte, zeugt sein Anhang von siebenhundert alexandrinischen „Jungfrauen"[91].

Diese Berührungen mit Klemens von Alexandrien werfen Licht auf die Gestalt des Arius, doch dürfen sie nicht abgesondert für sich betrachtet werden. Theophilus von Antiochien findet bei der Schilderung der Propheten ähnliche Worte: sie sind Menschen Gottes, Träger des heiligen Geistes, von Gott gelehrt (θεοδίδακτοι) und empfangen Weisheit durch Einhauchung Gottes[92]. Und insbesondere ist Philo von Alexandrien zu nennen: Wer wie Jakob, Gott zum Lehrer der Weisheit und Erkenntnis hat, wird zum Lehrer anderer und kann ihnen nützen[93]. Gott lehrt durch Erleuchtung[94] und Einhauchung des Geistes[95], er verleiht σοφίας πνεῦμα[96]. Das steht der jüdischen Weisheitsliteratur nahe, wo vom Geist der Weisheit die Rede ist (Weisheit Sal. 1,6a; 7,7) und der Lehrer der Weisheit von Gott mit

85 Klemens v. Alex., Pädagog. 1,16–18 S. 99–101 Stählin.
86 Klemens, Strom. 7,104,1 S. 73,16 Stählin.
87 1 Kor. 2,9. Strom. 2,15,3 S. 120,15–19 Stählin. Das wird 2,16,2–4 S. 121, 6–22 näher ausgeführt. Vgl. auch zum gegenseitigen Verhältnis von Gnosis, Sophia, Pistis: Strom 6,155,3 S. 511,28–32 Stählin.
88 Klemens, Strom. 6,161,1–5 S. 514,29–515,10 Stählin.
89 Strom. 6,166,5 S. 517,28.
90 Epiphanius, haer. 69,3,1 S. 154,13–16 Holl.
91 Epiphanius, haer. 69,3,2 S. 154,17 Holl.
92 Theophilus v. Antiochien, Ad Autol. 2,9 S. 38 Grant.
93 Philo, Quaest. in Gen. 4,208 Marcus, Philo Suppl. 1,505.
94 Ebd. 3,43 S. 236 Marcus.
95 Philo, Leg. alleg. 1,37 f. Vgl. E. Bréhier, Les idées philosophiques et rel. de Philon d'Alexandrie, [3]Paris 1950 S. 231 f.; 187–96 (Inspiration bei Philo).
96 Philo, De gig. 47.

dem *πνεῦμα συνέσεως* erfüllt wird (Sirach 39, 6–8). Diese Weisheit ist von Gott vor allen Dingen geschaffen (Sir. 1,1 ff.). In dem von Arius benutzten 8. Kapitel der Sprüche Salomos steht die Weisheit auf den Straßen und an den Toren und ruft die Menschen zur Gnosis: *λάβετε παιδείαν καὶ μὴ ἀργύριον, καὶ γνῶσιν ὑπὲρ χρυσίον δεδοκιμασμένον*[97] – so wie Arius durch seine Lieder die Matrosen, Müller, Reisenden rief[98]. Und der Titel „Thalia“ könnte sogar durch Sprüche 9,1 ff. mit angeregt sein, wo die Weisheit zum Gastmahl lädt.

Hier, in der jüdisch-hellenistischen Weisheit, liegt zweifellos eine wichtige Wurzel der „Gnosis“ des Arius. Er hat aber den Zugang zu ihr durch die alexandrinische Theologie gefunden. Dafür spricht sowohl die Rolle der Weisheitsliteratur (Spr. 8,22 und Weisheit Sal. 7,25) in der Logoslehre des Origenes, als auch die an Klemens erinnernde Harmonie von Pistis und Sophia im Vorspruch der Thalia. In Einzelheiten wird – wie oben ausgeführt – Einfluß außerkirchlicher Gnosis spürbar.

4. Die Adoptianer. Arianismus und Adoptianismus

a) Origenes nennt verschiedentlich zwei Gruppen, deren Christologie durch die Furcht vor Gefährdung der Einzigkeit Gottes in falsche Bahnen gelenkt worden sei. Die einen halten an der Gottheit des Sohnes fest, unterscheiden ihn aber nicht als Hypostase vom Vater (Monarchianer vom Typ Noets), die andern leugnen die Gottheit des Sohnes und betrachten ihn als eine vom Vater verschiedene Wesenheit (Adoptianisten)[99]. Der Alexandriner hält seine Christologie, welche die Gottheit des Sohnes festhält, ihn aber dem Vater unterordet, für die Lösung des Problems, welches der Gegensatz zwischen „Monarchianern“ und „Adoptianisten“ stellte[100]. Für den Christus der Adoptianer trifft zu, daß es eine Zeit gab, als er noch nicht war: Sed et eos, qui hominem dicunt Dominum Jesum praecognitum et praedestinatum, qui ante adventum carnalem substantialiter et proprie non exstiterit, sed quod homo natus Patris solam in se habuerit deitatem, ne illos quidem sine periculo est ecclesiae numero sociari: sicut et illos

97 Spr. 8,2–4. 9–12.
98 Philostorgius, Kirchengesch. 2,2 S. 13,6–10. 24–29 Bidez.
99 Origenes, In Joh. 2,2,16 S. 54,23 ff. Preuschen; Gespräch mit Heraklides 4 S. 60,15 ff. Scherer; Frg. in ep. ad Titum, Lommatzsch Bd. 5, S. 287.
100 Origenes, In Joh. 2,2,16 S. 54,29: *ἐντεῦθεν λύεσθαι δύναται.*

qui superstitiose magis, quam religiose, uti ne videantur duos deos dicere, neque rursum negare Salvatoris deitatem, unam eandemque subsistentiam Patris ac Filii asseverant ...[101]. Zwar sind die „Adoptianer" keine „Arianer". Aber es muß gefragt werden, ob der arianische Streit wirklich als ein Auseinanderbrechen der origenistischen Logoslehre in einem homousianischen und einen subordinatianischen Zweig zu verstehen ist. Melden sich nicht in einer durch den Origenismus veränderten theologischen Landschaft Anschauungen wieder, welche Origenes hatte verdrängen wollen? So sieht es jedenfalls der späte Euseb von Cäsarea. Auf der einen Seite steht für ihn Markell von Ankyra, der aus Furcht vor zwei Göttern die Hypostase des vorzeitlichen Sohnes beseitigt und so den sabellianischen Irrtum erneuert. Auf der anderen stehen diejenigen, welche zwar zwei Hypostasen annehmen, die eine ungezeugt, die andere aus dem Nichts geschaffen (womit auf die Arianer angespielt wird), aber die Gottheit des Sohnes beseitigen[102].

b) Harnack hat auf die Zusammenhänge zwischen Arianismus und Adoptianismus aufmerksam gemacht[103]. Arius spricht deutlich von der Adoption des vorzeitlichen Demiurgen: *καὶ ἤνεγκεν εἰς υἱὸν ἑαυτῷ τόνδε τεκνοποιήσας*[104]. Dasselbe besagt Konstantins Wiedergabe der Meinung des Arius: Gott auf seinem Thron erwirbt und hat durch Adoption (*θέσεως νόμῳ*) den Christus als Gefährten für sich oder Sohn (*σύνοδον ἑαυτῷ ἢ παῖδα*)[105].

Der Logos rückt auf zwiefache Weise an die Seite des Menschen: als Geschöpf und als einer, der zum Sohn erhoben wird. Arius bemüht sich indessen, den Logos, der ein Geschöpf aus Nichts wie alle Geschöpfe – und, so folgert Athanasius, wie alle Menschen[106] – ist, auszuzeichnen als „vollkommenes Geschöpf, nicht wie eines der

101 Origenes, In ep. ad Tit. frg. 2. Lommatzsch Bd. 5 S. 287.

102 Euseb, De eccl. theol. 1,10 S. 69,4–13 Klostermann.

103 A. Harnack, DG Bd. 2 S. 189 f.; 202; 220 f. Harnacks Bemerkung, daß beide Lehrformen mit den Mitteln der aristotelischen Philosophie durchgeführt und kritisch exegetisch aus der Bibel begründet seien (aaO. S. 190), bedarf für den ältesten Arianismus der Einschränkung. Das Aristotelische bei Arius geht nicht über Begriffe der Logik hinaus (s.o. Kap. 3,2c) und die arianische Exegese (vgl. Athanasius v. Anazarbos, Urk. 11 Opitz, mit der allegorischen Deutung des Gleichnisses vom verlorenen Schaf) ist ebensowenig „kritisch" wie die der Orthodoxen, sondern vom erstrebten Beweisziel bestimmt.

104 Thalia bei Athan., De syn. 15 S. 242,15 Opitz.

105 Konstantin, Brief an Arius. Urk. 34 S. 72,26–29 Opitz. Vgl. weitere Belege oben in Kap. 4,1e (*θέσει – φύσει*).

106 Athan., De decr. 9,2 S. 8,25 Opitz.

(übrigen) Geschöpfe“[107], und läßt ihn von Gott selbst geschaffen sein, während die Menschen Geschöpfe des „Logos“ sind[108]. Allerdings wirkt die Geschöpflichkeit und Menschlichkeit Jesu auf die Logoslehre des Arius zurück. Alexander von Alexandrien beklagt sich, daß die Arianer die Schriftstellen, welche sich auf die Menschwerdung (*σωτήριος οἰκονομία*), Erniedrigung, Armut Christi beziehen, heraussuchen, um seine Gottheit zu leugnen[109]. Neben kosmologischen Zügen (der Logos als Schöpfungsmittler) enthält die Christologie des Arius solche, die man anthropozentrisch nennen könnte. Sie deuten sich schon in der Erschaffung des „Logos“ um des Menschen willen an[110] und sind auch in der Lehre von der Gottessohnschaft zu beobachten. Die Erhebung des Demiurgen zum Sohne Gottes steht in Parallele mit der Annahme der Menschen zu Gottessöhnen. Die „Verderber“ des christlichen Volkes (so Alexander) sagen: „Auch wir können Söhne Gottes werden wie auch jener (Christus). Denn es steht geschrieben: Söhne habe ich gezeugt und erhöht (Jes. 1,2)“[111]. Der „Sohn“ ist zum Sohne erhoben worden, weil er in strenger Tugend sich nicht zum Schlechteren hinwendete. Gott sah dies voraus und vollzog die Erwählung vor aller Zeit. Hätten Paulus und Petrus ebenso gelebt, so unterschiede sich ihre Sohnschaft in nichts von der seinigen[112]. Die sittliche Bewährung Jesu, auf die Arius hinweist, gehört zur Tradition der „Christologie von unten“, die vom Menschen Jesus her gedacht ist[113].

107 Arius, Urk. 6 S. 12,9 f. Opitz. Athanasius tadelt dies als Täuschungsversuch: Or. c. Ar. 2,19. MPG 26,185c ff.

108 Athan., De decr. 8,1 S. 7,18–21 Opitz (gemeinsame Lehre des Asterius und Arius). Vgl. Athan., Or. c. Ar. 2,24. MPG 26,200a und Alexander v. Alexandrien, Urk. 4b S. 8,6 Opitz. (s. Tabelle I Nr. VIII).

109 Alexander, Urk. 14 S. 20,7–9; 25,17–20 Opitz. Ebenso Athanasius, Or. c. Ar. 3,26. MPG 26,377a–380b; Ps. Athanasius, Or. 4,6. MPG 26,476 ab.

110 Alexander, Urk. 4b S. 8,6 f. Opitz.

111 Alexander v. Alex., Urk. 14 S. 21,15 f. Opitz. Euseb v. Nikomedien verwendet die Stelle ebenfalls, jedoch zum Nachweis, daß *γεννᾶσθαι* nicht bedeute „aus der Usia des Vaters sein“: Urk. 8 S. 16,15–17,4. Jes. 1,2 spielt übrigens auch bei den Gnostikern eine Rolle: Apophasis megale bei Hippolyt, Ref. 6,13 S. 139,5 Wendland; Herakleon Frg. 40 bei Origenes, In Joh. 13,60,426 S. 293,3 Preuschen = Völker, Quellen S. 82,8.

112 Alexander, Urk. 14 S. 21,18–23. Vgl. Arius, Thalia bei Athan., Or. c. Ar. 1,5. MPG 26,21c. Siehe Tabelle I Nr. IV. Als Schriftbeweis wird neben Jes. 1,2 noch Hebr. 1,9 (= Ps. 44,8) und Phil. 2,9 f. angeführt: Alexander, Urk. 14 S. 21,15; 22,1–3 (Jes. 1,2 u. Hebr. 1,9); Athan., Or. c. Ar. 1,37. MPG 26, 88c–89a (Phil. 2,9; Hebr. 1,9 (= Ps. 44,8); Jes. 1,2.)

113 Vgl. Theodotus bei Hippolyt, Ref. 7,35 S. 222,7 Wendland: *εὐσεβέστατον γεγονότα.*

Auch wenn man berücksichtigt, daß Alexander und Athanasius – die Bestreitung des Arius durch beide ist eng verwandt miteinander – dem Arius zuweilen Folgerungen beilegen, welche sie selbst gezogen haben, und daß nicht auszuschließen ist, daß für Arius schon das Beharren des präexistenten „Logos“ bei Gott eine Rolle für seine Erhöhung zum Sohne spielte, so hat Athanasius mit seinem Verweis auf das menschliche Leben des Christus als Grundlage der arianischen Christologie[114] etwas Richtiges gesehen[115].

c) Nach der Meinung des Arius ist niemand *φύσει* Sohn Gottes – darin steckt auch eine antignostische Spitze. Durch ein tugendhaftes Leben nach dem Vorbild Christi erlangt der Mensch die Annahme zur Sohnschaft. Erschöpft sich für Arius die Heilsbedeutung Christi darin, daß er Vorbild ist? Er hebt in der Menschwerdung des Sohnes neben der Tugend[116] die Wundertaten[117] und das Leiden für uns[118] hervor, aber wir wissen nichts Näheres[119]. Es scheint nach einigen Stellen, daß unsere Sohnschaft durch Christus vermittelt wird. Die „Eusebianer“ verbreiten, daß der Sohn allein am Vater teilhat (*μετέχει*) alles andere aber nur am Sohn[120]. Und im Briefe Eusebs von Nikomedien an Paulin v. Tyrus heißt es, daß ein Teil der Geschöpfe (es sind die Menschen gemeint) dem Logos ähnlich sein sollte, um Gott ähnlich zu sein[121]. Von Asterius behauptet Athanasius dagegen, er lehre eine unmittelbare Beziehung der Inspirierten (der Propheten) zu Gott, welche der des „Sohnes“ zu Gott entspricht – der Sohn empfängt seine Worte und Werke vom Vater – so daß der Sohn und Logos nur einer unter vielen sei[122]. Wenn Asterius andererseits sagt, daß die *παῖδες θεοῦ*

114 Athan., Or. c. Ar. 1,38. MPG 26,89bc.

115 Markell v. Ankyra leitet die Annahme einer selbständigen Hypostase „Logos“ neben dem Vater bei Asterius aus Einfluß der Betrachtung des Menschgewordenen ab, Markell Frg. 63, S. 196,28 Klostermann = Asterius, Frg. 27 Bardy (Lucien S. 352).

116 Arius bei Athan., Or. c. Ar. 1,5. MPG 26,21c.

117 Arius bekennt in Bezug auf Christus *τὴν τοῦ σώματος ξενίαν* (Herberge) *πρὸς οἰκονομίαν τῶν θείων ἐνεργειῶν*. Konstantin, Brief an Arius, Urk. 34 S. 70,33 f. Opitz.

118 Bei Konstantin, Urk. 34 S. 73,15 Opitz.

119 Asterius sagt, daß der fleischgewordene Christus durch seine Werke die von Gott geschaffene Dynamis und Sophia (also den Logos) offenbart (bei Athanasius, De syn. 18 S. 246,1–16 Opitz).

120 Athan., De decr. 9,4 S. 8,34–9,2 Opitz.

121 *ὁ μὲν γὰρ θεός, τὰ δὲ πρὸς ὁμοιότητα αὐτοῦ λόγῳ ὅμοια ἐσόμενα, τὰ δὲ καθ' ἑκουσιασμὸν γενόμενα* Euseb v. Nik., Urk. 8 S. 17,5 f. Opitz.

122 Athan., Or. c. Ar. 3,2. MPG 26,324c–328a, besonders 325c: *δῆλον, ὅτι κατ' αὐτὸν* (Asterius) *κοινὴ ἂν εἴη πάντων καὶ ἡ τοιαύτη φωνή, ὥστε καὶ ἕκαστον λέγειν δύναται· Ἐγὼ ἐν τῷ πατρὶ καὶ ὁ πατὴρ ἐν ἐμοί* (Joh. 14,10) · *καὶ*

nicht Logos und Sophia sind[123], wird er an den „oberen“ Logos in Gott denken.

Erfolgt also unsere Annahme zu Söhnen durch den „Sohn“? Die erhaltenen Quellen lassen eine runde Antwort auf diese Frage nicht zu. Auch die Erinnerung daran, daß Philo von Alexandrien eine Sohnschaft gegenüber dem Logos kennt (*καὶ γὰρ εἰ μήπω ἱκανοὶ θεοῦ παῖδες νομίζεσθαι γεγόναμεν, ἀλλὰ τοῦ τῆς ἀειδοῦς εἰκόνος αὐτοῦ, λόγου τοῦ ἱεροτάτου*)[124], hilft nicht weiter, denn das Verhältnis des Logos zu Gott ist bei Philo viel enger als bei Arius, und Philo betrachtet diese Sohnschaft nur als Durchgang auf dem Wege zur eigentlichen Gottessohnschaft. Da bei Arius der Sohn auf einer viel tieferen Stufe als Gott steht, wäre eine von ihm verliehene Sohnschaft notwendig minderen Wertes und geringer als die ihm selbst von Gott gegebene[125]. Petrus und Paulus hätten aber bei entsprechender Tugend grundsätzlich eine Sohnschaft erreichen können, die sich von der des „Sohnes“ nicht unterschied[126]. Ist dabei eine besondere Einwirkung Gottes zu vermuten? Athanasius bemerkt, daß diejenigen, welche nicht von Natur Söhne sind, sondern wegen ihrer Tugend so genannt werden, dies auf Grund einer besonderen Gnadengabe erlangen[127]. Es ist schwer denkbar, daß Arius, dem alles daran lag, eine Minderung Gottes zu vermeiden, zu Gunsten des „Sohnes“ dem Vater jede Einwirkung auf Welt und Menschen abgesprochen hätte. In der Tat nennt er Gott den Verwalter (*διοικετής*) und Haushalter (*οἰκονόμος*) des Alls[128]. Gott lehrt den Sohn[129] und der Fleischgewordene erhält das Wort, das er sagt und die Kraft zu seinen Werken vom Vater[130]. Der Vater wirkt also durch den Sohn hindurch auf die Welt. So kann Arius sagen, daß Gott die Ursache und Quelle von allem ist[131] und nach

λοιπὸν μηκέτι ἕνα εἶναι τοῦτον υἱὸν θεοῦ καὶ λόγον καὶ σοφίαν, ἀλλ' ἐκ πολλῶν ἕνα καὶ τοῦτον τυγχάνειν.

123 Bei Athan., Or. c. Ar. 2,40. MPG 26,232b = Asterius, Frg. 12 Bardy (Lucien S. 346).

124 Philo, De conf. ling. 147.

125 Das ist der Vorwurf, den Athanasius gegen Arius richtet: Wenn der Sohn nicht seinem Wesen nach, sondern nur durch Teilhabe Gott ist, dann kann er andere nicht vergöttlichen. Athan., De syn. 51 S. 274, 30 f. Opitz.

126 S.o. A. 112.

127 Athan., Or. c. Ar. 1,37. MPG 26,89a.

128 Arius, Urk. 6 S. 12,6 Opitz.

129 Arius, Thalia bei Athan., De syn. 15 S. 242,18 Opitz. Nach Asterius (bei Athan., Or. c. Ar. 2,28. MPG 26,205c = Frg. 9 Bardy, Lucien S. 345) wird der Sohn von Gott in „Weltschöpfung“ unterwiesen.

130 Asterius, Frg. 13 Bardy S. 346 = Athan., Or. c. Ar. 3,2. MPG 26,324c–325a.

131 Arius, Urk. 6 S. 13,7–8 Opitz.

Asterius durchdringt der Wille Gottes alle Geschöpfe[132]. Daß der heilige Geist vom Vater ausgeht[133] paßt zum Eingang der Thalia, wo sich Arius ϑεοδίδακτος nennt. Gott, der Lehrer der Weisheit[134] erscheint in diesem Vorspruch als Lehrer des Arius. Die wahrscheinlichste Annahme ist dementsprechend, daß die Sohnschaft der Erwählten – die ja durch den Geistempfang (ϑεοῦ πνεῦμα λαβόντες) und die dadurch ausgelöste sittliche Leistung zustande kommt – vom Vater verliehen wird, unter Mitwirkung des Sohnes[135].

d) *Zusammenfassung:* Als weitere Gruppe, welche von Origenes abgelehnt wird, aber verwandte Züge mit dem Arianismus besitzt, erwiesen sich die Adoptianer. Zwar ist bei Arius die Annahme des Christus zum Sohn vom irdischen Christus auf den vorzeitlichen verschoben. Aber in drei wichtigen Punkten stimmt er mit den Adoptianern überein: Der Christus hat einen Anfang seiner Existenz. Er ist vom Vater vorher erkannt und prädestiniert. Die Annahme zur Sohnschaft erfolgt auf Grund der sittlichen Leistung Jesu. – Die Christologie des Arius scheint von unten her, vom Menschen Jesus her gedacht zu sein.

Darüber hinaus ist der Sohn in seiner kosmologischen Rolle grundsätzlich auf den Menschen bezogen: er tritt ins Dasein um der Erschaffung des Menschen willen. Es gibt also für Arius eine kosmologische und eine soteriologische Beziehung des Sohnes auf den Menschen.

Die Heilsbedeutung des Christus ist in seiner eignen „Laufbahn" vorgezeichnet. Sein „Weg" zum Sohne Gottes[136] ist auch der unsere, daß heißt das Nachleben des von ihm während seiner Erdenzeit in seinen Werken und seinem Leiden durchgehaltenen Tugendlebens. Unsere Erhebung zur Sohnschaft wird von Arius vermutlich Gott selbst zugeschrieben, welcher durch den Sohn und den heiligen Geist hindurch wirkt.

132 Asterius, Frg. 6 Bardy S. 344 = Athan., De syn. 19,3 S. 246,31 Opitz.

133 Asterius, Frg. 31 Bardy S. 352 (bei Markell, Frg. 67 S. 197,28 Klostermann).

134 Arius, Thalia, bei Athan., De syn. 15 S. 242,18 Opitz.

135 Vgl. Athanasius, De decr. 10 S. 9,6–8 Opitz: „Wenn nämlich jener (der Logos) Sohn Gottes ist, wir aber Söhne des Sohnes heißen, dann wäre ihre Erfindung überzeugend. Wenn aber auch wir Söhne Gottes genannt werden, dessen Sohn auch er ist, dann ist klar, daß auch wir am Vater Anteil haben (was die Arianer nach S. 9,2 in Abrede stellten), der sagt: Söhne habe ich gezeugt und erhöht (Jes. 1,2)". Die durch Rabulistik verdunkelte Stelle erweckt den Eindruck, daß die Arianer von Söhnen Gottes (nicht von Söhnen des Sohnes) sprachen.

136 Es ist zu beachten, daß seine Erhöhung zum Sohn nach seiner Erschaffung stattfindet.

5. Arius und Paul von Samosata

a) Alexander von Alexandrien behauptet, die arianische Lehre stamme von „Ebion", Artemas und Paulus von Samosata, dessen „Nachfolger" Lukian sie an Arius vermittelt habe[137]. Alexander nimmt damit die Polemik der Origenisten gegen Paulus von Samosata auf und verweist Arius in das Lager derer, die kirchlich (das heißt in diesem Falle, vom Origenismus) verurteilt worden sind[138]. Athanasius wiederholt diese Anschuldigung Alexanders[139]. Dabei sucht er dem Arius die Ansicht zuzuschieben, der Herr sei bloßer Mensch gewesen[140], was natürlich den Anschluß an den Samosatener recht deutlich machen soll. Aber Athanasius entstellt hier die Tatsachen, denn man kann nicht bestreiten, daß Arius den „Sohn" hoch über das menschliche Maß emporhebt. Und darin, daß er ihm eine persönliche Präexistenz vor der Menschwerdung zuerkennt, liegt ein wesentlicher Unterschied zwischen ihm und Paul von Samosata.
Infolgedessen ist in der neueren Forschung verschiedentlich der Zusammenhang der beiden Lehrweisen bestritten oder gering veranschlagt worden[141].
b) Es scheint zunächst, daß es bei Arius und bei Paulus von Samosata um ganz verschiedene Fragen geht. Arius beschäftigt sich mit der Beziehung zwischen Gott und dem Demiurgen, während sich die Verhandlungen zwischen Paulus von Samosata und seinen Gegnern um die Person des Christus, um das Verhältnis zwischen Logos und Mensch im Fleischgewordenen drehen. Doch dieser Schein trügt. Für den Samosatener gibt es einen „Sohn" erst seit der Inkarnation[142]. In diesem wohnt die Weisheit und der Logos Gottes wie in einem

137 Alexander, Urk. 14 S. 25,10–15 Opitz.
138 Ein Vorspiel zum Streit der Origenisten mit Paulus von Samosata scheint die Auseinandersetzung des Origenes mit Beryll von Bostra gewesen zu sein. S. Harnack, DG [5]Bd. 1 S. 720 f.
139 Athanasius, Or. c. Ar. 1,37–38. MPG 26,88c–92b.
140 Ebd. col. 89d.
141 So von G. Bardy, Paul de Samosate, Löwen 1929, S. 383–85 und von H. de Riedmatten, Les actes du procès de Paul de Samosate, Freiburg/Schw. 1952, S. 110–12. – F. Loofs, Paulus v. Samosata, Leipzig 1924, S. 183–86 vertritt die These, es habe zwei Lukiane, den Märtyrer und Lehrer des Arius, und den Anhänger des Paul v. S. und Bischof der Sondergemeinde der Paulinianer in Antiochien, gegeben. Damit wird ein Einfluß des Paul v. S. auf Arius von Loofs abgewiesen.
142 Bardy, Paul de Sam. S. 436 mit Anm. 5; vgl. Paulus v. S. Frg. 21 Bardy, S. 51.

Tempel[143]. Da Weisheit und Wort unpersönliche Eigenschaften Gottes sind, handelt es sich bei Paul von Samosata im Grunde um das Gegenüber und Miteinander von Gott und Sohn[144]. In dieser allgemeinen Fassung ist die Fragestellung mit der des Arius, bei dem es ebenfalls um das Verhältnis zwischen Gott (beziehungsweise der unpersönlichen Weisheit und dem unpersönlichen Logos in Gott) und dem Sohne geht, vergleichbar. Nur spielt diese Beziehung bei dem antiochenischen Bischof in der irdisch-zeitlichen Ebene des Menschenlebens Jesu, bei Arius in der überirdisch-vorzeitlichen, wo der von Gott geschaffene Sohn angesiedelt ist – wobei jedoch die irdische Ebene (die Bewährung des Christus in seinem Leben und Leiden) mit einbezogen wird.

c) Unter diesem Vorbehalt kann eine Reihe vergleichbarer Züge bei beiden Theologen genannt werden.

1. Die göttliche Usia teilt sich dem Sohne nicht substantiell mit. Die Weisheit (der Logos) Gottes ist nicht als Substanz im Sohne anwesend, sondern er hat Anteil an ihren Qualitäten[145].

2. Der Sohn war nicht immer[146].

143 Paulus v. S., Frg. 14 Loofs S. 77 = Frg. 27 Bardy S. 57. Da de Riedmatten (der leider die Verdienste von Loofs um den Text der Fragmente zu verkleinern sucht) die Zählung Bardys übernimmt, nenne ich ihn in der Regel nicht gesondert.

144 Vgl. die Auszüge aus Leontius in der Schrift De sectis 3,3. MPG 86,1213d–1216b: *πατέρα μὲν ἔλεγε* (scil. Paulus v. S.) *τὸν ϑεὸν τὸν πάντα δημιουργήσαντα, υἱὸν δὲ τὸν ἄνϑρωπον τὸν ψιλόν*. Abgedruckt bei Loofs, S. 84 f.

145 Paulus v. S., Frg. 20, Loofs S. 80: *τὴν δὲ συνάφειαν ἑτέρως πρὸς τὴν σοφίαν νοεῖ, κατὰ μάϑησιν καὶ μετουσίαν, οὐχὶ ⟨κατ'⟩ οὐσίαν οὐσιωμένην ἐν σώματι* (= Frg. 33 Bardy S. 60). Vgl. Frg. 27, Loofs S. 88 (= Frg. 14a de Riedmatten S. 141 u. 143) und Frg. 16, Loofs S. 79: Paul v. S. sage: *οὐ γὰρ συγγεγενῆσϑαι τῷ ἀνϑρωπίνῳ τὴν σοφίαν ὡς ἡμεῖς* (Pauls Ankläger) *πιστεύομεν, οὐσιωδῶς, ἀλλὰ κατὰ ποιότητα* (= Frg. 29 Bardy S. 59). – Frg. 12 Loofs S. 76 (= Frg. 25 Bardy S. 54): die Weisheit ist im Sohn secundem participationem. – In der Einleitung zu Frg. 23 Loofs S. 82 (= Einleitung zu Frg. 36 Bardy S. 61) wird gesagt, die gegen Paul v. S. versammelten Väter hätten sich über den Unterschied der *οὐσιώδης ἕνωσις* des Logos mit dem Menschen und der *κατὰ μετοχὴν ἤτοι ποιότητα ἕνωσις* ausgelassen. – Arius: der Sohn ist nicht *ἴδιος τῆς οὐσίας τοῦ πατρός* (Tabelle I Spalte 3 Nr. II); der Sohn hat Anteil an (den Qualitäten) der Sophia (des Logos) in Gott (Tabelle I Sp. 2 Nr. III), vgl. oben Kap. 3,3c zum Teilhabebegriff des Arius.

146 Gegen Paul v. S. stellt der Hymenäusbrief fest: *τοῦτον* (den Sohn) *πιστεύομεν σὺν τῷ πατρὶ ἀεὶ ὄντα* (Loofs S. 325,24); Contestatio des Euseb v. Doryläum: *Παῦλος· Οὐδὲ γὰρ ἦν πρὸ αἰώνων* (Loofs S. 70 Nr. 6 = Bardy S. 37 Nr. 2); Athanasius, Or. c. Ar. 1,25. MPG 26,64c: der Samosatener sage, der Sohn sei vor der Menschwerdung nicht gewesen. – Arius: s. Tabelle I Nr. II.

3. Der Sohn ist geringer als der Logos Gottes[147].
4. Die Erhabenheit des Logos (der Weisheit) Gottes und damit Gottes selbst, muß vor jeder Minderung bewahrt werden[148].
5. Der Sohn empfängt Belehrung von der Weisheit Gottes. Der Mensch Jesus wird nach Paulus von Samosata mit der Weisheit Gottes zusammengefügt, indem er von ihr belehrt wird (*συνάφεια... κατὰ μάθησιν*)[149]. Das ist als Inspiration zu verstehen[150]. Arius betrachtet den weisen Gott als Lehrer (*διδάσκαλος*) des Sohnes, der dadurch weise wird[151]. Der Sohn lernt nach Asterius das Erschaffen von Gott, wie von einem Lehrer und Künstler[152]. Die Arianer führen auch die Predigt des Sohnes auf die *διδασκαλία* des Vaters zurück. Der Sohn weicht nicht von dieser ab, er will das, was der Vater will und deshalb sind er und der Vater eines[153]. Hinsichtlich der göttlichen Belehrung des Menschen Jesus Christus darf also eine Ähnlichkeit zwischen dem Arianismus und Paulus von Samosata festgestellt werden. Aber hinsichtlich der Erschaffung der Welt ist der Logos bei Paul von Samosata lediglich Werkzeug als das gesprochene Wort Gottes, ohne Persönlichkeit[154]. Das Verhältnis Lehrer-Schüler zwischen Gott und Sohn

147 Paulus v. S., Frg. 25 Loofs S. 86: *ὁ λόγος μείζων ἦν τοῦ χριστοῦ* (= Frg. 38 Bardy S. 64); vgl. Frg. 15 Loofs S. 78 (= Frg. 28 Bardy S. 58). – Arius: s. Tabelle I Nr. III.

148 Paul v. S., Frg. 12 Loofs S. 76: kein dispendium der sapientia (= Frg. 25 Bardy S. 54); Frg. 16 Loofs S. 79: Paul v. S. will *τηρεῖν τὸ ἀξίωμα τῆς σοφίας* (= Frg. 29 Bardy S. 59). Dazu Loofs S. 246 ff. – Arius im Brief Konstantins, Urk. 34 S. 73,6–9.23 f.: Gott nicht *ἐλάττονα ποιεῖν*.

149 Paul s. S., Frg. 20 Loofs S. 80 (= Frg. 33 Bardy S. 60).

150 So faßt Epiphanius die Meinung des Paulus v. S. auf: haer. 65,7,3 S. 10,7 Holl = Loofs Frg. 47 S. 163. Vgl. Loofs S. 225 f.; 249.

151 Arius, Thalia, bei Athan., De syn. 15 S. 242,18 Opitz.

152 Asterius nach Athan., Or. c. Ar. 2,28. MPG 26,205c (= Asterius, Frg. 9 Bardy, S. Lucien S. 345). Diese Gedanken gehören zum Teil in den Zusammenhang der Auslegung von Spr. 8,22. Laktanz sagt nach Anführung von Spr. 8,22–31: idcirco illum (den Sohn) Trismegistus *δημιουργὸν τοῦ θεοῦ* et Sibylla *σύμβουλον* appellat, quod tanta sapientia et virtute sit *instructus* a deo patre, ut consilio eius et manibus uteretur in fabricatione mundi. Inst. 4,6,9. CSEL 19,1 S. 291,7 ff. Brandt. Zwar heißt instructus hier „ausgerüstet“, aber von der „Ausrüstung“ mit Weisheit ist der Schritt zur „Belehrung“ nicht groß.

153 Athanasius, Or. c. Ar. 3,10. MPG 26,341a. Vgl. Athan., De syn. 45,7 S. 270, 26–271,20 Opitz: Nach Arius und den „Eusebianern“ besteht zwischen Vater und Sohn *συμφωνία τῶν δογμάτων καὶ τῆς διδασκαλίας*.

154 Der Hymenäusbrief bekennt gegen Paul v. S., daß Gott durch den Logos schuf *οὐχ' ὡς δι' ὀργάνου, οὐδ' ὡς δι' ἐπιστήμης ἀνυποστάτου* Loofs S. 326,8 f. – Der Logos bei Paul v. S. als gesprochenes Wort: s. die homöusianische Denkschrift bei Epiphanius, haer. 73,12,2 S. 284,17–285,3 Holl. Vgl. Bardy, Paul de Sam. S. 441.

wird für die Schöpfertätigkeit des Sohnes von Origenes (der hier wieder in einem anderen Lager steht als die Arianer) abgelehnt[155].

6. F.Chr. Baur sah als wichtigstes Stück der Lehre des Paul von Samosata die Erhebung des Sohnes zum Gott auf Grund seiner sittlichen Fortschritte an[156]. Auch Harnack teilte diese Ansicht[157]. Damit ergäbe sich eine weitere Parallele zu Arius. Jedoch Bardy bestreitet, daß der Samosatener so gelehrt habe[158].

Die Einheit des Willens des Sohnes mit dem Willen des Vaters und der sittliche Fortschritt (*προκοπή*) des Sohnes, der zu seiner Vergöttlichung führt, wird dem Paulus von Samosata in den Fragmenten der Logoi an Sabinus zugeschrieben[159]. Aber deren Echtheit ist umstritten[160]. Doch finden sich Andeutungen einer sittlichen Willenseinheit zwischen Gott und Sohn auch in den als echt geltenden Bruchstücken: unionem (scil. des Sohnes) cum sapientia aliter intelligit (Paulus v. S.) nempe per amicitiam, non autem per substantiam[161]. Vor allem ist auf die oben erwähnte *συνάφεια κατὰ μάθησιν*[162] hinzuweisen. Diese setzt eine Willenseinheit im Erteilen und Empfangen der Belehrung voraus. Und erfolgreiche Belehrung schließt in sich den Fortschritt des Belehrten. Das ist gemeint mit den Worten: *χριστὸς γὰρ διὰ σοφίας μέγας ἐγένετο*[163]. Die Einwohnung der Sophia im Sohne ist ja keine Seinsmitteilung, sondern Wirken[164].

155 Origenes, princ. 1,2,12 S. 46,5 ff. Koetschau: Ea sane quae secundum similitudinem vel imitationem discipuli ad magistrum a quibusdam dicta sunt, vel quod in materia corporali ea a filio fiunt, quae a patre in substantiis spiritalibus prius fuerint deformata, convenire quodammodo possunt, cum in evangelio filius dicitur non similiter facere, sed eadem similiter facere? (Joh. 5,19).

156 F.Chr. Baur, Lehrbuch der Dogmengeschichte, Stuttgart 1847, S. 86.

157 A. Harnack, Artikel „Monarchianismus", RE^3 Bd. 13 (1903) S. 322,6–8.

158 G. Bardy, Paul de Sam., S. 463.

159 Loofs, Paulus v. S., S. 339,1–23 = Frg. 4–7 der Logoi an Sabinus, Bardy S. 186 f. Vgl.: *τῷ γὰρ ἀτρέπτῳ τῆς γνώμης ὁμοιωθεὶς τῷ θεῷ* (Loofs S. 339,3 = Frg. 4); der Soter hatte denselben Willen und dasselbe Wirken wie Gott *ταῖς τῶν ἀγαθῶν προκοπαῖς* (Loofs S. 339,14 = Frg. 6).

160 Loofs, Paulus v. S., S. 283–93 gegen die Echtheit. Ebenso Bardy, Paul de Sam., S. 187–96. Für Echtheit: A. Harnack, Die Reden Pauls v. S. an Sabinus (Zenobia?), SB der Preußischen Akad. der Wiss., Berlin 1924, S. 130–151 und F. Scheidweiler, Paul v. S., ZNW 46 (1955) 116–129, auf S. 125 f.

161 Frg. 27 Loofs S. 88 (= Frg. 24 Bardy S. 52). Damit ist zu vergleichen Logoi an Sabinus S. 339,26 Loofs: *τὰ δὲ σχέσει φιλίας κρατούμενα ὑπεραινετά* (= Frg. 8 Bardy S. 187) und Loofs S. 339,21: *ἡ σχέσις τῆς ἀγάπης* (= Frg. 7 Bardy S. 187).

162 Frg. 20 Loofs S. 80 (= Frg. 33 Bardy S. 60).

163 Frg. 13 Loofs S. 77 (= Frg. 26 Bardy S. 56).

164 S. Loofs S. 248–50. – Die Weisheit „hilft" dem Menschen Jesus nach Paul v. S. (Timotheus Aelurus bei Bardy S. 71).

Unter diesem Gesichtspunkt gewinnen die Zeugnisse des 4. Jahrhunderts über den Gedanken der *προκοπή* und darauf beruhender Erhöhung des Sohnes zu Gott bei Paulus v. S. an Gewicht[165]. Bardy verwirft sie mit Berufung auf Ps. Athanasius[166]: Paulus v. S. bekenne den Gott aus der Jungfrau, den Gott, der aus Nazareth sichtbar wurde. Aber diese Stelle[167] kann das Zeugnis des Athanasius und der „langen Formel“ nicht entkräften. Denn sie versteht den Christus als „Gott“ sowohl von der Prädestination (*προορισμῷ*) durch den Vater, wie vom Endergebnis seines Erdenlebens (in dem er „den Anfang seiner Herrschaft empfing“) her.

7. Paul v. S. hat davon gesprochen, daß der Sohn vor aller Zeit im Vorherwissen Gottes „ist“[168], oder (unter Bezug auf Rm. 1,3 f.) daß der Mensch Jesus zum Sohne Gottes vorherbestimmt ist[169]. Es handelt sich aber um keine persönliche Existenz. Der Bischof nimmt hier ältere Überlieferungen auf, gegen die schon Origenes stritt[170].

Die *πρόγνωσις* Gottes bezüglich des Sohnes kehrt bei Arius wieder[171]. Dieses Vorherwissen richtet sich aber in erster Linie nicht auf die Existenz des Sohnes, sondern auf seine sittliche Bewährung.

8. Der Vater ist allein Gott[172]. Der Sohn wird Gott durch Gnade[173].

165 Athanasius, Or. c. Ar. 3,51. MPG 26,429b; Or. c. Ar. 2,13 col. 173a; die Ekthesis makrostichos von 345, bei Athan., De syn. 26 S. 252,28–30 Opitz (= Hahn, Bibl. der Symbole S. 193): *οἱ ἀπὸ Παύλου τοῦ Σαμοσατέως ὕστερον αὐτὸν* (den Christus) *μετὰ τὴν ἐνανθρώπησιν ἐκ προκοπῆς τεθεοποιῆσθαι λέγοντες τῷ τὴν φύσιν ψιλὸν ἄνθρωπον γεγονέναι.*

166 Ps. Athanasius, C. Apollin. 2,3. MPG 26,1136b. Bardy, Paul de S., S. 463.

167 Vgl. die Erwägungen von Loofs S. 138–41 und das von ihm aus den beiden Paralleltexten in MPG 26,1128ab und 1136bc versuchsweise hergestellte Fragment 43 S. 141.

168 Der Hymenäusbrief nennt den Sohn *σοφίαν καὶ λόγον καὶ δύναμιν θεοῦ, πρὸ αἰώνων ὄντα, οὐ προγνώσει* (gegen Paul v. S.), *ἀλλ' οὐσίᾳ καὶ ὑποστάσει θεόν.* Loofs S. 234,23 f.

169 Frg. 13 Bardy S. 43 (griechische Rückübersetzung S. 45); Eustathius v. Antiochien, Frg. 59 (M. Spanneut, Recherches sur les écrits d'Eustathe d'Antioche, Lille 1948, S. 112): His consonantia enarrans Paulus, ipsum quidem hominem deiferum vocat Sapientiam; bene autem dicit eum ante saeculum praedestinatum fuisse. Zitiert von F. Scheidweiler, ZNW 46 (1955) 116. Dazu die o.a. Stelle aus Ps. Athanasius.

170 Origenes, Kommentar zum Titusbrief, Lommatzsch Bd. 5,287: Sed et eos qui hominem dicunt dominum Jesum *praecognitum et praedestinatum*, qui ante adventum carnalem substantialiter et proprie non exstiterit, sed quod homo natus patris solam in se habuerit deitatem, ne illos quidem sine periculo est ecclesiae numero sociari.

171 Athan., Or. c. Ar. 1,5. MPG 26,21b (= ep. ad episc. Aeg. et Lib. 12. MPG 25,564bc; De decr. 6 S. 6,15 Opitz).

172 Belege für Paul v. S. bei Bardy S. 432. – Epiphanius, haer. 65,3,2–4 S. 5, 10–21 Holl.

9. Sowohl bei Paul v. S. als auch bei den Arianern liegt ein gewisser Nachdruck auf den Niedrigkeits- und Leidensaussagen über den Sohn[174]. Der Verteidigung gegenüber dem Vorwurf, Paul v. S. würdige den Herrn zu einem bloßen Menschen herab, dient der Versuch, einen Unterschied zwischen der Beschaffenheit (*κατασκευή*) des Christus und der unsrigen zu machen[175]. Dieses Bemühen findet sich (mit anderer Begründung) auch bei Arius[176].

d) Aus dem Schlußsatz des Fragments 24: „Jenen Logos zeugte Gott ohne Jungfrau und ohne irgendetwas, da es nichts gab außer Gott, *καὶ οὕτως ὑπέστη ὁ λόγος*[177] schließt Bardy, daß Paulus v. S. hier ein Zugeständnis mache und dem Logos in undeutlicher Weise eine substantielle, persönliche Wirklichkeit zuerkenne[178]. Schon vorher war Loofs in ausführlichem Vergleich zwischen Paulus v. S., Tertullian und Markell von Ankyra zu dem Ergebnis gekommen, daß „Logos" für Paulus v. S. mehr sei, als „bloß unpersönliche Kraft"[179]. Das mag zutreffen, aber *ὑπέστη* in Fragment 24 führt nicht weiter als zur Wirklichkeit des Logos als gesprochenes Wort, als *λεκτικὴ ἐνέργεια*. So faßt es die homöusianische Denkschrift vom Jahre 359[180]. Daß Paul v. S. die vorzeitliche Sophia (den Logos)[181] in gelegentlichem Mangel an Folgerichtigkeit „Sohn" genannt habe, bleibt mir zweifelhaft[182]. Jedenfalls fand Arius (oder Lukian) hier keinen Ansatzpunkt für seine Auffassung des Sohnes als persönlicher Hypostase.

173 Paul v. S.: der Mensch Jesus wird „gesalbt" (mit dem hl. Geiste, vgl. Apg. 10,38 und Logoi an Sabinus S. 339,1 Loofs = Frg. 4 Bardy S. 186), seine Auszeichnung ist *χάρις*, Frg. 13 u. 14 Loofs S. 77 f. (= Frg. 26 u. 27 Bardy S. 56 f.). – Arius: s. Tabelle I Spalte 2 Nr. III u. V; Sp. 3 Nr. III. Über das Bestreben Pauls v. S., den Monotheismus zu wahren, s. Loofs S. 204 f.

174 Paul v. S., Frg. 34b Loofs S. 90: dixit enim esse filium Dei illum Jesum Christum qui passus est, qui toleravit alapas et verbera (= Frg. 21 Bardy S. 50). Vorliebe der Arianer für Niedrigkeitsaussagen: s. Alexander v. Alex., Urk. 14 S. 20,8 f. Opitz.

175 Paul v. S., Frg. 17 u. 18 Loofs S. 79: Logos und Sophia wohnen in Christus in weit höherem Maße als in uns (= Frg. 30 u. 31 Bardy S. 59, dazu S. 459 f.). F. Scheidweiler, ZNW 46 (1955) S. 122 ändert die Zeichensetzung in Frg. 17 Loofs.

176 Arius, Urk. 6 S. 12,10: „nicht wie eines der Geschöpfe".

177 Paul v. S., Frg. 24 Loofs S. 86 (= Frg. 37 Bardy S. 63 f.).

178 G. Bardy, Paul de Sam., S. 438.

179 F. Loofs, Paulus v. S., S. 214–18.

180 Epiphanius, haer. 73,12,3 u. 6 S. 285,1–3.20–22 Holl. Zu dieser Denkschrift s. J. Gummerus, Die homöusianische Partei bis zum Tode des Konstantius, Leipzig 1900, S. 121 ff.

181 Über das Verhältnis von Logos und Sophia bei Paulus v. S. handelt Loofs S. 219 ff.

182 Trotz Harnack, RE[3] Bd. 13 S. 320,45 ff.

e) Die Ansicht des Arius, daß sich die Sohnschaft der Christen, etwa der Apostel Petrus und Paulus, bei einer sittlichen Leistung, welche der Christi gleichkäme, nicht von der Sohnschaft Christi unterschiede, läßt sich in den Fragmenten Pauls v. S. nicht belegen. Es gibt nur eine späte Bemerkung des Syrers Bar Hebraeus (†1286), Paul v. S. habe behauptet, jeder Christ, der den gerechten Werken des Herrn nacheifere, könne dieselbe Stufe erreichen wie dieser. Bardy hält diese Nachricht nicht für vertrauenswürdig[183]. Aber die berichtete Lehre selbst ist alt, älter als Paulus v. S.. Irenäus schreibt Ähnliches gnostischen Sekten zu: die Karpokratianer behaupten, daß die Seelen, welche den Archonten dieser Welt verachten, ebenso wie Jesus Kräfte zum Wirken von Gott erhalten, durch welche sie Jesus gleichkommen, ja sogar ihn oder seine Jünger, wie Petrus und Paulus[184] übertreffen[185]. Die Markosier halten sich durch ihre Gnosis dem Petrus, Paulus und den übrigen Aposteln für überlegen[186]. Aber eine genauere Paralle zu Arius findet sich im Judenchristentum. Für die Ebioniten ist Jesus durch Gesetzeserfüllung gerecht worden und deshalb „Christus Gottes“ genannt worden. Wer in gleicher Weise wie Jesus das Gesetz erfüllte (obwohl dies tatsächlich nicht vorkommt), würde auch zum Christus[187]. Es ist nicht ausgeschlossen, daß Paul v. S. diese judenchristliche Überlieferung aufnahm[188]. Die Fragmente, welche hervorheben, daß Jesus Christus durch eine besonders starke Einwohnung der Sophia (des Logos) ausgezeichnet wurde[189], sprechen nicht grundsätzlich dagegen. Denn die Weisheit wohnte ebenfalls in den Propheten, stärker in Mose;

183 G. Bardy, Paul de S., S. 126–9. Auf S. 126 ist der Text des Bar Hebräus in lateinischer Übersetzung abgedruckt.

184 Das Auftauchen dieses Apostelpaares ist ein Topos. So auch bei Alexander v. Alex., Urk. 14 S. 21,23 Opitz, und bei Origenes, princ. 4,4,4 S. 354,6–15 Koetschau – hier wird ein Unterschied der Einwohnung des Sohnes in der Seele Christi von seiner Einwohnung in Paulus und Petrus ausgesagt. Origenes zielt also in entgegengesetzte Richtung wie die Gnostiker.

185 Irenäus, Adv. haer. 1,25,2 Bd. 1 S. 205 Harvey.

186 Ebd. 1,13,6 S. 123 Harvey.

187 Hippolyt, Ref. 7,34,1–2 S. 221 Wendland.

188 Alexander v. Alex. behauptet die Abhängigkeit Pauls v. S. von „Ebion“ (s.o. A. 137). Die „Sabinusfragmente“ des Paulus v. S. sind dementsprechend mit angeblichen Bruchstücken „Ebions“ zusammengestellt worden. Vgl. A. Harnack, Die Reden Pauls v. S. an Sabinus (s.o. A. 160) S. 141 ff.; Bardy, Paul de S., S. 185 f. Über die Beurteilung Pauls v. S. als Genossen der Ebioniten s. Loofs, Paulus v. S., S. 60–63. Loofs (S. 61) hält sie für die „oberflächlichste und ungerechteste“.

189 Paul v. S., Frg. 13; 14; 17 Loofs S. 77 und 79 (= Frg. 26; 27; 30 Bardy S. 56–59).

sie war auch in „vielen Herren“[190] – in verschiedenem Maße[191]. Andererseits kann die Anschließung Pauls v. S. an „Ebion“ in den Häretikerkatalogen auch dazu geführt haben, ebionitische Lehren auf ihn zu übertragen.

f) *Zusammenfassung:* Der Vergleich des Arius mit Paul v. S. zeigt sowohl denselben Unterschied – für Arius ist der Sohn ein vorzeitliches persönliches Wesen, für den Samosatener ist der irdische Christus der Sohn – der sich zwischen Arius und den „adoptianistischen“ Christologien ergeben hatte, wie auch dieselben Ähnlichkeiten: Gott ist nur einer. Der Sohn hat einen Anfang seiner Existenz und ist nicht aus der Usia Gottes. Gott bestimmt ihn auf Grund seines Vorauswissens zum Sohn. Die Erhöhung des Sohnes beruht auf den Fortschritten, welche er in seinem Erdenleben macht. Die Aussagen der Schrift über die Niedrigkeit und das Leiden des Sohnes prägen sein Bild.

Diese Parallelen sind nicht bloß „oberflächliche Entsprechungen“, die man nicht zu berücksichtigen braucht[192]. Sie bestätigen vielmehr, daß bei Arius eine adoptianistische Christologie noch durchscheint, welche mit Begriffen und Vorstellungen arbeitet, die auch bei Paulus v. S. anzutreffen sind. Insofern besteht kein Grund, die Nachricht Alexanders von Alexandrien zu verwerfen, Arius hänge über Lukian mit Paulus v. S. zusammen. Das schafft freilich den oben angedeuteten Unterschied beider Theologen nicht aus der Welt. Die Homousie des Logos mit Gott, die von Paul v. S. gelehrt[193], von Arius verworfen wurde, kann dabei außer Betracht bleiben. Denn Arius hätte, wäre der Begriff für ihn nicht „manichäisch“ belastet gewesen, die Homousie seines „oberen“ Logos, der eine göttliche Eigenschaft ist (wie bei Paul v. S.), mit Gott ohne weiteres zugeben können. Aber seine Lehre von den drei Hypostasen steht in schroffem Gegensatz zu dem antiochenischen Bischof.

Die Erklärung dieses Tatbestandes durch Harnack, daß Arius (im Gefolge Lukians) einen mittleren Weg zwischen Paulus v. S. und Origenes gesucht habe, reicht nicht aus, obwohl ein Teil Wahrheit in ihr steckt: Denn gerade das Hauptstück des Arianismus, der aus Nichts geschaffene Demiurg, widerspricht den Ansichten sowohl des Origenes, als auch des Paulus v. S., anstelle beide zu vermitteln. Wir müssen die Lösung dieser Frage vorerst noch aufschieben.

190 Paul v. S., Frg. 14 Loofs S. 77 (= Frg. 27 Bardy S. 57).
191 Paul v. S., Frg. 18 Loofs S. 79 (= Frg. 31 Bardy S. 59).
192 So Bardy, Paul de S., S. 383 f.
193 Quellenbelege und Erörterung bei Loofs, Paulus v. S., S. 148–58; Bardy S. 333–51.

7. KAPITEL

Der Sohn als Geschöpf in der Auslegung von Genesis 1,1

Ein weiterer Bereich, in dem „arianisierende“ Anschauungen vor Arius auftauchen, ist die Auslegung des ersten Verses des biblischen Schöpfungsberichtes.

1. Der Sohn als Archē

a) Arius nennt in seinem Glaubensbekenntnis an Alexander Gott die Archē des Sohnes[1]. Damit ist Gott als schöpferische Ursache des Sohnes, welcher ihr Sein, Herrlichkeit, Leben und alles verdankt, bezeichnet. Gott ist aber auch Archē des Sohnes als sein Herr: *ἄρχει γὰρ αὐτοῦ ὡς θεὸς αὐτοῦ καὶ πρὸ αὐτοῦ ὤν*[2]. Auch Origenes nennt den Vater „Archē“ des Sohnes[3]. Aber die bei Arius anklingende Bedeutung „Herrschaft“ fehlt nun gerade in der ausführlichen Erörterung, welche Origenes dem Begriff „Archē“ im ersten Buch des Johanneskommentars angedeihen läßt[4]. Sie findet sich, allerdings auf den Sohn bezogen, bei Theophilus von Antiochien: der Logos heißt „Archē“, weil er herrscht und gebietet über alles, was durch ihn geschaffen wurde[5].

b) Der Sohn ist Archē für Arius als von Gott gesetzter Anfang der Schöpfung, also als erstes Geschöpf[6], das wiederum die übrigen Geschöpfe hervorbringt. Die Betrachtung des Sohnes als Archē ist

1 Arius, Urk. 6 S. 13,15 f. Opitz.
2 Ebd. S. 13,15–17 Opitz.
3 Z.B. Origenes, In Joh. 1,17,102 S. 22,10 Preuschen.
4 Origenes, In Joh. 1,16,90–20,124 S. 20–25 Preuschen. Ebenso fehlte „Herrschaft“ in der Auslegung von Archē in Origenes' verlorenem Genesiskommentar, über die Calcidius in seinem Timäuskommentar berichtet (ed. J. Waszink, London u. Leiden 1962, S. 280 f.).
5 Theophilus, Ad Autol. 2,10.
6 Arius, Thalia bei Athan., De syn. 15 S. 242,14 Opitz: *ἀρχὴν τὸν υἱὸν ἔθηκε τῶν γενητῶν ὁ ἄναρχος.*

Gemeingut des Origenes[7] und seiner Gegner[8] und erklärt sich aus der Auslegungsgeschichte von Genesis 1,1[9]. Die Weisheit als „Arche" in Sprüche 8,22 wurde mit der Archē in Gen. 1,1 gleichgesetzt; dieser Vers besagt also, daß Gott „in (mittels) der Weisheit" die Welt erschuf[10]. Die Gleichsetzung der Weisheit mit der Thora im Judentum[11] führt nicht nur zum vorweltlichen Dasein des Gesetzes, sondern auch zu einer Verbindung des Gesetzes mit der Schöpfung. Rabbi Akiba (†135 n.Chr.) nennt die Thora das Werkzeug Gottes bei der Schöpfung[12]. Die Christen verbanden die Sophia nicht mit dem Gesetz, sondern mit dem Sohne Gottes, der dadurch zum Schöpfungsmittler wurde (Kol. 1,15)[13]. In diesem Sinne wird Genesis 1,1 von Ariston von Pella (um 140 n.Chr.) ausgelegt: In filio fecit deus caelum et terram[14] und diese Exegese begegnet auch bei Theophilus von Antiochien und Hilarius von Poitiers[15]. Hier entzündet sich jüdischer Widerspruch. Während etwa Origenes den „Anfang" in Gen. 1,1 als Sohn deutet[16], wobei er von „Hebräern" den Hinweis erhielt, daß Archē nicht zeitlich

7 Z.B. Origenes, In Joh. 1,19,111 S. 23,18 ff. Preuschen; hom. 1,1 in Gen. S. 1,2 f. Baehrens.
8 Z.B. Methodius, De creatis, Frg. 11 S. 498,32 ff. Bonwetsch.
9 A. Harnack, Die Auslegung von ἐν ἀρχῇ = ἐν λόγῳ (υἱῷ). Gen. 1,1 in der altchristlichen Literatur, TU 1,3 (Leipzig 1883), S. 130–34. – C.F. Burney, Christ as the APXH of Creation, JThS 27 (1925/6) 160–77 (zu Sprüche 8,22 und Kol. 1,15–18). – H.J. Weiß, Untersuchungen zur Kosmologie, S. 295 ff.; 314 f. – M. Simonetti, La sacra Scrittura in Teofilo d'Antiochia, Epektasis, Mél. patristiques offerts au card. J. Daniélou, Paris 1972, S. 197–207. – Zu den rabbinischen Wurzeln der christlichen Auslegung von Gen. 1,1 vgl.: L. Ginsberg, Die Haggada bei den Kirchenvätern und in der apokryphischen Literatur, Berlin 1900, S. 2 ff. – G. Foot-Moore, Judaism Bd. I, Cambridge (Mass.) 1927, S. 266 ff. – C.H. Dodd, The Bible and the Greeks, London 1935, S. 109 f.
10 Vgl. die Literatur in A. 9 und unter Kap. 8,2.
11 Siehe G. Foot-Moore, Bd. I S. 266 f. – Über die Verschmelzung der Begriffe Sophia und Thora vgl. auch U. Wilckens, Artikel *σοφία* im ThWNT 7 (1964) 503–8.
12 Ebenso Rabbi Hoschaja in Cäsarea (zur Zeit des Origenes). Vgl. M. Hengel, Judentum und Hellenismus, [2]Tübingen 1973, S. 310.
13 S. den A. 9 genannten Aufsatz von Burney.
14 Das von Hieronymus aufbewahrte Fragment ist abgedruckt bei A. Harnack, Gesch. der altchristl. Literatur I,1 S. 93 Nr. 5.
15 Theophilus, Ad Autol. 2,13 S. 46 Grant u. 2,10 S. 38 u. 40 zu Gen. 1,1: ἐν ἀρχῇ = διὰ τῆς ἀρχῆς = durch den Logos. – Hilarius, In ps. 2,6, CSEL 22 S. 39,13 ff. Zingerle: Breshit ... tres significantias in se habet, id est „in principio" et „in capite" et „in filio". Vgl. Neophyti 1, Targum Palestinense Bd. I Genesis, ed. A. Díez Macho, Madrid-Barcelona 1968, S. 3 Apparat u. S. 497 (Übersetzung) zu Gen. 1.1.
16 Origenes, Hom. in Gen. 1,1 S. 1,1 ff. Baehrens.

zu fassen sei[17], sagt sein ebenfalls in Cäsarea lebender Zeitgenosse Rabbi Hoscha'jā[18]: Es gibt keinen Anfang außer der Thora[19]. Zu der rabbinischen Verknüpfung von Sprüche 8,22 mit Gen. 1,1 fügen die Christen Joh. 1,1[20], Kol. 1,15[21] und andere Stellen hinzu[22].

c) Tatians Lehre über den Logos als Archē der Welt[23] ist des „Arianismus" bezichtigt worden[24], weil er den Logos das „erstgeborene Werk des Vaters" (*ἔργον πρωτότοκον τοῦ πατρός*) nennt, welches durch den Willen Gottes aus der Einfachheit (*ἁπλότης*) Gottes hervorspringt[25]. Doch bleibt der Zusammenhang mit Gottes Sein; der Logos entsteht nicht durch Abtrennung von Gott, sondern durch Selbstmitteilung Gottes (*μερισμός*)[26]. Er ist Geist vom Geiste (Gottes) und Logos aus der dynamis logikē[27], deren der Vater durch die Zeugung des Sohnes nicht beraubt wird[28]. Insofern kann von „Arianismus" bei Tatian keine Rede sein, ebensowenig wie bei Philo von Alexandrien, der auch vom Logos als *ἔργον* Gottes sprach[28a]. Tatian gebraucht zudem für den Hervorgang des Logos den von Arius verworfenen Vergleich mit der Entzündung einer Fackel an einer anderen[29]. Andererseits gerät die Besonderung des Logos doch in eine gewisse Parallele zur Schöpfung, indem – ebenso wie die Dynamis des Logos – in Gott die Dynamis alles Sichtbaren und Unsichtbaren ist, das geschaffen werden wird[30].

17 Origenes bei Calcidius, In Tim. 276, S. 280,9 ff. Waszink.
18 Zu diesem s. W. Bacher, Die Gelehrten von Cäsarea, Monatsschrift für Geschichte u. Wissenschaft des Judentums 9 (1901) 298–310 auf S. 301 f.
19 Weiß, Untersuchungen zur Kosmologie S. 303 A. 1.
20 Ein Beispiel dafür bietet Tertullian, Adv. Hermog. 20, CSEL 47 S. 148 f. Kroymann.
21 S. das Bibelstellenregister zu Origenes, In Joh., Preuschen.
22 Weiß aaO. S. 311.
23 Tatian, Or. 5 S. 5 f. Schwartz.
24 Von Arethas von Cäsarea, dessen Scholien der Ausgabe der Oratio von E. Schwartz beigegeben sind; s. besonders S. 44 (zu S. 5,16 ff.).
25 Tatian, Or. 5 S. 5,21–23 Schwartz. Zu *προπηδᾷ* siehe die Parallelen bei A. Adam, Lehrbuch der DG Bd. 1, S. 155. Dazu Corpus Hermet., Poimandres 10 S. 10,1 Nock-Festugière: *ἐπήδησεν . . . ὁ τοῦ θεοῦ λόγος*.
26 Vgl. die Parallelstellen im Index von Schwartz s.v. *μερισμός* und *οἰκονομία* (dort S. 87 Spalte 2). – M. Elze, Tatian und seine Theologie, Göttingen 1960, S. 77 (zu *μερισμός* = Selbstentfaltung Gottes).
27 Tatian, Or. 7 S. 7,6 f. mit der Konjektur Schwartzens: *πνεῦμα γεγονὼς ἀπὸ τοῦ* ⟨*πνεύματος*⟩ (statt *πατρός* der Handschriften).
28 Tatian, Or. 5 S. 5,26–6,4 Schwartz. – Arius gegen den Fackelvergleich: Urk. 6 S. 13,1 Opitz.
28a S.o. Kap. 5 Anm. 27.
29 Tatian, Or. 5 S. 6,1–3 Schwartz.
30 Tatian, Or. 5 S. 5,19–21 Schwartz.

2. Die Deutung von Genesis 1,1 auf die Erschaffung des Sohnes

Es finden sich nun Spuren, daß mit dem Verständnis von Gen. 1,1: „Im Sohn (durch den Sohn) schuf Gott Himmel und Erde" auch die Vorstellung einer Erschaffung des Sohnes verbunden wurde. Tertullian berichtet: aiunt quidam et Genesim in Hebraico ita incipere: in principio deus fecit sibi filium[31] – eine Meinung, welche er nicht billigt. Der Sohn hat zwar für ihn einen zeitlichen Anfang[32], aber seine Substanz ist als ratio (Logos) von Ewigkeit her schon in Gott vorhanden[33]. Klemens von Alexandrien stieß ebenfalls auf die Lehre von der Erschaffung des Sohnes zu Beginn der Schöpfung: quod ergo dicit „ab initio" (1 Joh. 1,1), hoc modo presbyter exponebat, quod principium generationis separatum ab opificis principio non est[34]. Der Werkmeister der Schöpfung, der Logos, hat seinen Anfang gleichzeitig mit der Schöpfung genommen. W. Bousset führt diese Anschauung auf den Lehrer des Klemens, Pantänus, zurück[35]. An einer Stelle der „Teppiche" zitiert Klemens das Kerygma des Petrus: „Denn ein einziger ist in der Tat Gott, der die Archē von allem geschaffen hat, schreibt Petrus, womit er auf den erstgeborenen Sohn hinweist, da er das Wort genau verstanden hatte: In der Archē schuf Gott den Himmel und die Erde"[36]. Mit diesem Zitat wird ein judenchristlicher Hintergrund sichtbar.

In ähnliche Richtung scheint die schwierige Stelle bei Irenäus, Erweis der apostolischen Verkündigung Kap. 43 zu weisen: „Im Anfang der Sohn, dann schuf Gott den Himmel und die Erde"[37]. J.P. Smith versuchte, den von Irenäus zitierten, verdorbenen hebräischen Text, welcher Genesis 1,1 umschreibt, wiederherzustellen und vermutete als Sinn: Am Anfang schuf Gott den Sohn, danach den Himmel und

31 Tertullian, Adv. Prax. 5 CSEL 47 S. 233,3 Kroymann.

32 Tertullian, Adv. Hermog. 3 S. 129,5 Kroymann: fuit autem tempus cum et delictum et filius non fuit, quod iudicem et qui patrem deum faceret.

33 Tertullian, Adv. Prax. 5 S. 233,12–19 Kroymann.

34 Klemens v. Alex., Adumbrationes, Frg. 3 S. 209,26–210,2 Stählin.

35 W. Bousset, Jüdisch-christlicher Schulbetrieb in Alexandria und Rom, Göttingen 1915, S. 193.

36 Klemens, Strom. 6,7,58 S. 461,8 Stählin = E. Preuschen, Antilegomena, Gießen 1901 S. 52,20–24. Ich halte die Auffassung der Stelle in der Übersetzung von O. Stählin, Bibliothek der Kirchenväter, 2. Reihe Bd. 19, München 1937, S. 276 f. für richtiger als die Übersetzung von Preuschen, Antilegomena S. 143.

37 Übersetzt von S. Weber, Bibliothek der Kirchenväter Bd. 4, Kempten u. München 1912, S. 31 f.

die Erde. Das gehe auf einen judenchristlichen Midrasch zurück[38]. Freilich ist Smith auf den Widerspruch von A. Rousseau gestoßen[39]. Dieser kommt nach einer philologischen Untersuchung des armenischen Textes zu der Übersetzung: Un Fils(était) au commencement; Dieu ensuite créa le ciel et la terre[40]. Er sieht darin die ewige Präexistenz des Sohnes ausgedrückt und die Rechtgläubigkeit des Irenäus bezeugt. Rousseau, der sich nicht näher mit dem hebräischen Text bei Irenäus befaßt, geht nicht darauf ein, daß Irenäus hier den „Sohn" nicht aus der Archē (reschith) gewinnt, sondern aus dem Verständnis von bārā („schaffen") als „Sohn" (vgl. syrisch b^{e}rā = Sohn), welches auf eine aus judenchristlicher Wurzel erwachsene Auslegung von Gen. 1,1 deutet. Insofern bringt auch Rousseaus Aufsatz noch keine abschließende Klärung.

3. Zusammenfassung

Arius betrachtet Gott als die Archē des Sohnes, als schöpferische Ursache des Sohnes und als Herrscher über ihn, und wiederum den Sohn als Archē der Schöpfung, das heißt als das erste Geschöpf und zugleich den Schöpfer aller übrigen Dinge. Die lange vor Arius aus der spätjüdischen Verbindung von Sprüche 8,22 mit Genesis 1,1 abgeleitete Auffassung des Gottessohnes als „Anfang" (Archē) der Schöpfung führt an sich nicht zu einer „arianischen" Lehre über den Sohn. Es findet sich jedoch ein Verständnis von Genesis 1,1, welches aus der Stelle die Erschaffung des Sohnes durch Gott herausliest. Die Spuren dieser Auslegung weisen auf den Bereich des Judenchristentums.

38 J.P. Smith, Hebrew Christian Midrash in Irenaeus, Epideixis 43. Biblica 38 (1957) 24–34.

39 A. Rousseau, La doctrine de s. Irénée sur la préexistence du Fils de Dieu. Le Muséon 84 (1971) 5–42.

40 AaO. S. 15 u. 39.

8. KAPITEL

Arianismus und Judaismus[1]

Bei der Besprechung „arianisierender" Formeln vor Arius tat sich zuweilen ein Ausblick auf jüdischen oder judenchristlichen Hintergrund auf. Das bedarf der Nachprüfung. Es ist zu untersuchen, ob die Hauptlehre des Arius, Gott habe ein zweites, von ihm verschiedenes Prinzip erschaffen, welches als Schöpfungsmittler dient, aus jüdischen Wurzeln abgeleitet werden kann.

1. Das zweite Prinzip der Juden nach Euseb von Cäsarea

Eusebius von Cäsarea stellt in der Praeparatio evangelica[1a] die Lehre der Juden vom zweiten Prinzip dar, welches von ihnen als Logos, Sophia und Kraft Gottes bezeichnet werde und der Anfang (Archē) des Gewordenen, die erste Wesenheit sei, welche aus der obersten Ursache entstand. Das belegt Euseb zunächst aus dem Alten Testament. Dabei spielen Psalmenstellen (natürlich fehlt Ps. 109 (110), 1 dabei nicht), vor allem die spätjüdische Weisheitsliteratur (Sprüche 8; Hiob 28; Weisheit Salomos 6 und 7)[2] und die Genesis[3] eine Rolle. Euseb stützt sich hier keineswegs primär auf jüdische Quellen, sondern trägt den von den Apologeten und von der christlichen alexandrinischen Religionsphilosophie gesammelten Schriftbeweis für die messianische Logoslehre vor. Die apologetische Absicht Eusebs (gegenüber den Juden) wird zum Überfluß noch durch Zitate aus Philo und Aristobul unterstrichen, welche seinen Schriftbeweis bestätigen sollen[4]. Die-

1 Der Begriff „Judaismus" wird hier im Sinne des altkirchlichen Vorwurfs an Arius gebraucht, er nähere sich in seiner Christologie jüdischen Vorstellungen. – Zum ganzen Kapitel vgl. auch M. Hengel, Der Sohn Gottes. Die Entstehung der Christologie und die jüdisch-hellenistische Religionsgeschichte. [2]Tübingen 1977.

1a Euseb, Praep. ev. 7,12–13 S. 386–91 Mras.

2 Siehe die Nachweise im Apparat von Mras.

3 Gen. 1,1 S. 388,6–7, in Verbindung mit Joh. 1,1 zitiert; Gen. 1,26; 19,24.

4 Euseb, Praep. ev. 7,13,1 S. 389,8 Mras: Philo (in den Quaest. et Sol. in Genes., siehe den Apparat) über den Logos als „zweiten Gott"; Philo, De

selben Ausführungen kehren Praep. ev. 11,14[5] mit einigen Abwandlungen wieder; hier wird Philo mit Stellen aus De confusione linguarum[6] zum Zeugen angerufen.
Das alttestamentliche und jüdische Material zum zweiten Prinzip bei den Hebräern dient Euseb zum Erweis seiner origenistischen Gottes-, Logos- und Geistlehre. Das wird besonders deutlich an Praep. ev. 7,15[7], wo er die „jüdische" Lehre vom heiligen Geist als Spitze der Welt der vernünftigen Geister beschreibt. Eusebs Darstellung gibt kein Bild jüdischer Theologie, sondern stellt lediglich alexandrinische Religionsphilosophie vor. Der Jude, welchen Kelsus (um 178 n.Chr.) zugeben läßt, daß der Logos der Sohn Gottes sei, kann nur ein hellenisierter Religionsphilosoph in der Art Philos gewesen sein. Die jüdischen Gelehrten, mit denen Origenes sprach, hatten eine solche Lehre nicht[8].
Da die Praeparatio evangelica Eusebs zwischen 315 und 329 verfaßt zu sein scheint[9], kann Arius sie natürlich gekannt haben. Doch waren seine Anschauungen zu dieser Zeit mit Sicherheit schon ausgebildet.

2. *Spätjüdische Mittelwesen*

Das orthodoxe Rabbinat wendet sich entschieden gegen die Annahme eines zweiten Prinzips neben Gott[10]. Zwar hat die gesteigerte Überweltlichkeit Gottes im Spätjudentum die Vorstellung von Zwischenwesen, die eine Art Vermittlung zwischen Gott und Welt bilden, hervorgerufen[11]. Für den Vergleich mit dem Mittelwesen des Arius

agric. 51: der Logos als πρωτόγονος υἱός; De plant. 8–10: der Logos als zusammenhaltendes Band der Welt. – Aristobul: die vorzeitliche Sophia (mit Anspielung auf Sprüche 8,22) als Licht.

5 S. 34 f. Mras.

6 N. 97; 146 f.; 62 f. Euseb verwechselt die Schrift mit Quod det. pot. insidiari solet.

7 S. 391 ff. Mras.

8 Origenes, C. Cels, 2,31 S. 159,1–5 Koetschau.

9 O. Bardenhewer, Gesch. der altkirchl. Literatur, Bd. 3 (1923) S. 245.

10 Stellen bei Weiß, Kosmologie S. 83 A. 1.

11 S.W. Bousset-H. Greßmann, Die Religion des Judentums im späthellenistischen Zeitalter ³1926 (Nachdruck 1966), S. 319–57 über spätjüdische Engellehre und Hypostasenvorstellungen. P. Billerbeck, Kommentar zum NT aus Talmud und Midrasch, Bd. II, 302–33 und G. Foot-Moore (Intermediaries in Jewish Theology, HThR 15 (1922) 41–85) bestreiten, daß der Memra (Wort) Gottes als Hypostase aufgefaßt worden sei. Ihre Meinung hat sich durchgesetzt.

kommen spätjüdische Hypostasen in Frage, soweit sie kosmologische Funktionen ausüben und soweit sie im Auftrag Gottes in der Welt tätig werden – also die Sophia als Gehilfin Gottes bei der Schöpfung, die Thora und die Engel. Das Christentum übertrug die spätjüdische Weisheitsspekulation auf Christus, das palästinensische Judentum auf die Thora[12]. Dadurch entsteht eine Parallelität: beide sind präexistent und Werkzeug Gottes bei der Schöpfung[13]. Die hypostasierte Chokma tritt im Rabbinat hinter der Thora zurück[14], ebenso der Messias[15].
Das tannaitische Judentum lehrt keine reale Präexistenz des Messias[16]. Während die Thora und der Thron der Herrlichkeit vor der Weltschöpfung erschaffen wurden, hat der Name des Messias nur eine ideelle Präexistenz: er steigt in Gottes Gedanken auf, um erschaffen zu werden[17]. Auch in den Bilderreden des Henoch ist der Name des Messias präexistent vor der Schöpfung[18]. Doch wird darüber hinaus die persönliche Präexistenz des „Auserwählten" vorausgesetzt[19].

Greßmann (bei Bousset-Greßmann S. 342 A. 1) gibt dies für die rabbinische Literatur zu, meint aber, daß in den Targumen Spuren der älteren Auffassung des Memra als „Hypostase", die man später in Gegnerschaft zur christlichen Logoslehre verpönte, erhalten seien. Vgl. M. Hengel, Judentum und Hellenismus S. 275–318 (jüdische Weisheitsspekulation).

12 Das ist seit dem Buche Sirach (c. 200 v.Chr.) nachweisbar. G. Foot-Moore, Judaism in the first Centuries of the Christian Era, Bd. I, Cambridge (Mass.) 1927, S. 261 ff.

13 Rabbinische Belege zur Präexistenz der Thora: Billerbeck Bd. II, S. 356 f. Zum Zusammenhang von Christologie und Thoraspekulation s. Chr. A. Bugge, Das Gesetz und Christus nach der Anschauung der ältesten Christengemeinde, ZNW 4 (1903) 89–110. – L. Baeck, Zwei Beispiele midraschischer Predigt. In: Aus drei Jahrtausenden, Tübingen 1958, S. 157–75, bes. S. 163 ff. – J. Lebreton. Histoire du dogme de la trinité Bd. I, S. 377; 457 ff.; 639–41. Das wichtigste rabbinische Material zur Thoraspekulation auch bei G. Kittel, Artikel λέγω ThWNT 4, S. 139. Vgl. Weiß, Kosmologie S. 288 ff. Zu Christus als kosmischem Prinzip ebd. S. 305–47.

14 M. Hengel, Judentum und Hellenismus S. 309.

15 L. Baeck (s. A. 13) S. 166.

16 Billerbeck II,334–52. Ebenso Foot-Moore, Judaism II,349: For demigods Jewish monotheism had no room. Anderer Meinung sind Bousset-Greßmann S. 262–8.

17 Genesis rabba zu Gen. 1,1. Siehe Billerbeck II,335.

18 Henoch 48,3. Übersetzt von G. Beer, bei E. Kautzsch, Die Apokryphen und Pseudepigraphen des AT. s, Tübingen 1900. Die Stelle spricht vom „Menschensohn". Dieser wird aber 48,10 und 52,4 „Gesalbter", Messias genannt.

19 Henoch 39,6 f.; 40,5; 46,1 f. (der Menschensohn); 48,6; 62,7. – Billerbeck II, 334 findet hier nur eine ideelle Präexistenz des Messias in den Gedanken Gottes, keine reale. Dagegen Bousset-Greßmann S. 262–68. – E. Sjöberg, Der Menschensohn im äthiopischen Henoch, Lund 1946, S. 83–101 entscheidet sich für reale Präexistenz. Ebenso C. Colpe, ThWNT 8 S. 427,18.

In ähnlicher Weise ist IV. Esra, Visio 6,26 der Menschensohn präexistent, verborgen in der himmlischen Welt[20]. Aber der Auserwählte und Menschensohn der Bilderreden des Henoch ist kein Schöpfungsmittler, sondern eine eschatologische Gestalt. Er ist ein himmlisches Wesen, ein himmlischer „Mensch"[21], den Gott in der Endzeit zum Gericht auf den Thron der Herrlichkeit setzen wird[22]. Alle Macht hat er von Gott, dem er untergeben ist[23].

Es ist zu vermuten, daß Gegnerschaft zum Christentum dazu führte, die wirkliche Präexistenz des Messias zu einer bloß gedanklichen herabzustufen[24]. Im Gespräch mit Justin weist der Jude Tryphon die Ansicht, daß der Messias (Christus) als Gott vorzeitlich sei und dann Mensch werde, entschieden zurück[25].

In jüdischen Apokalypsen tritt ein Engel Jahoel auf, der Macht besitzt, weil der unaussprechliche Gottesname in ihm wohnt– Jahoel enthält das abgekürzte Tetragramm JHWH. Er führt Aufträge Gottes aus, unterrichtet die Cherubim im Gesang und offenbart dem Patriarchen Abraham die Geheimnisse der himmlischen Thronwelt und der Endzeit – tritt also als Offenbarer und Lehrer auf[25a]. Der Engel Jahoel wird auch als „kleiner Jaho" bezeichnet und dieser Name dringt in nichtjüdische, gnostische Schriften (so in die Pistis Sophia) ein[25b].

Die Aufnahme der spätjüdischen Sophia- und Thoraspekulation in die Christologie vollzog sich schon seit der neutestamentlichen Zeit, also Jahrhunderte vor Arius. Dieser schöpfte hier zunächst aus christlicher Überlieferung. Aber er kannte zumindest die in der Septuaginta enthaltenen jüdischen Weisheitsschriften, und in der Auslegung der auf den Logos-Christus bezogenen Stellen, insbesondere von Sprüchen 8,22, weicht er von den Apologeten und von Origenes ab. So wie die spätjüdischen Mittelwesen Geschöpfe Gottes sind, von Gottes Sein streng geschieden, so ist bei Arius der Sohn als Geschöpf von Gottes Sein getrennt; es gibt keine Ähnlichkeit dieses Seins, keine Gleichheit

20 Vgl. Colpe, ThWNT 8 S. 430,7 u. 431,12.
21 S. Sjöberg (s. A. 19) S. 58 f.
22 Henoch 61,5, vgl. 45,4; 51,3; 62,2.
23 Sjöberg S. 80–83.
24 So L. Ginsberg, Die Haggada bei den Kirchenvätern und in der apokryphischen Literatur, Berlin 1900, S. 7.
25 Justin, Dial. 48,1 S. 146 Goodspeed.
25a Abrahamsapokalypse Kap. 10. Rießler, Altjüdisches Schrifttum außerhalb der Bibel, Augsburg 1928, S. 21. G.H. Box, The Apocalypse of Abraham, London 1919, S. XXV u. 46 ff.
25b G. Scholem, Die jüdische Mystik, S. 73 f. u. S. 399 A. 105.

seiner Substanz mit Gott, sondern nur Begnadung und Auszeichnung dieses geschöpflichen Seins durch Gott. Arius bewegt sich damit auf biblisch-altestamentlicher und jüdischer Linie.

3. *Engel als Schöpfermächte*

a) Die Engel sind nach spätjüdischer Vorstellung nicht präexistent, sondern im Verlauf der Weltschöpfung von Gott erschaffen[26]. Ihre Unterordnung unter Gott wird hervorgehoben, sie können nach Meinung Rabbi Akibas (†135 n.Chr.) und seiner Schüler Gott nicht sehen[27], während hinter Mt. 18,10 („Ihre Engel im Himmel sehen allezeit das Angesicht meines Vaters") die gegenteilige Ansicht steht. In dem jüdischen Credo, welches Hippolyt wiedergibt, werden unter dem einzigen Gott geschaffene Engel und ein mächtiger Geist, welcher Gott in der himmlischen Welt lobt, genannt. Mit diesem „Geist" dürfte die oberste Engelmacht gemeint sein[28].
Die Engel spielen im orthodoxen Rabbinat kaum eine Rolle bei der Schöpfung. Gott berät sich lediglich vor Erschaffung des Menschen mit ihnen[29]. Es scheint, als richte sich das gegen die Annahme einer tatsächlichen Beteiligung der Engel am Schöpfungswerk[30]. Philo von Alexandrien macht in der Tat für die Erschaffung des der Verderbnis zugänglichen (*φθαρτός*) Seelenteils im Menschen, wo die Fähigkeit

26 Am 1. Tage nach Jubil. 2,1 ff.; am 2. Tage nach rabbinischer Lehre (Stellen bei Billerbeck IV, 1085 u. 1128). Zur jüdischen Engellehre s. Bousset-Greßmann, Religion des Judentums S. 320–331. – G. Kittel, Artikel ἄγγελος ThWNT 1 (1933) 79–81 (auf S. 72, Anm., ältere Literatur). Einen guten Überblick verschafft das Register bei Billerbeck, Bd. IV unter „Engel".

27 Stellen bei Billerbeck I,783.

28 Hippolyt, Ref. 9,30,2 S. 263,7–13 Wendland: Sie sagen, daß Gott einer sei, Schöpfer des Alls und Herr, der alles gemacht hat, das zuvor nicht war und zwar nicht aus einer zugrunde liegenden (mit ihm) gleichzeitig vorhandenen Substanz, sondern indem er es wollte und erschuf; daß es Engel gebe und daß sie zum Dienst an der Schöpfung erschaffen seien, aber auch einen mächtigen Geist, der zum Ruhm und Lobe Gottes immer (bei Gott) verbleibt. Alles in der Schöpfung aber habe Empfinden und nichts sei unbeseelt.

29 Stellen bei Billerbeck III,681.249; I,203. Vgl. R. McL. Wilson, The Early History of the Exegesis of Gen. 1,26, StudPatr 1 (1957) 420–37. – Zur Auslegung von Gen. 1,26 im Spätjudentum und in der Gnosis s. auch J. Jervell, Imago Dei. Gen. 1,26 f. im Spätjudentum, in der Gnosis und in den paulinischen Briefen, Göttingen 1960.

30 J.B. Schaller, Genesis 1.2 im antiken Judentum. Diss. Göttingen 1961 (Masch.). Hier S. 87; 136 f.; 177 f über rabbinische Polemik gegen Beteiligung der Engel an der Schöpfung.

zum Bösen wohnt, Gott untergeordnete „Kräfte" verantwortlich (unter Berufung auf die Mehrzahl ποιήσωμεν in Gen. 1,26)[31]. Eine ähnliche Ansicht hat Justin[32] im Auge, wenn er die Lehre einer jüdischen Häresie erwähnt, nach welcher Gen. 1,26 „Laßt uns einen Menschen schaffen" zu Engeln gesprochen und der Leib des Menschen von Engeln geschaffen sei. In diese jüdischen Kreise haben zweifellos die Gedanken von Platos Timäus 41 a–d (der Demiurg selbst sät und bewirkt das Unsterbliche in den Lebewesen, die Götter das Sterbliche) hineingewirkt.

Noch weiter geht eine Andeutung des gnostischen, im Kodex Jung enthaltenen Tractatus Tripartitus[33]: Häretiker bei den Juden behaupteten, Gott habe die Welt durch seine Engel geschaffen[34].

b) Jedenfalls ist die Ansicht, die Welt sei von Engeln gemacht, unter den Gnostikern verbreitet. Irenäus, der sie selbst ablehnt[35], schreibt sie Karpokrates und seinen Schülern zu[36]. An der Spitze der weltschöpferischen Engel steht ein Archon (princeps)[37]. Bei den Simonianern erzeugt die Ennoia Engel und Mächte, von denen diese Welt hervorgebracht wurde und welche die Propheten inspirierten[38]; bei Satornil erschafft der unbekannte Vater Engel, Erzengel, Kräfte (δυνάμεις) und Mächte (ἐξουσίας). Von sieben dieser Engel, darunter dem Judengott, ist die Welt und der Mensch geschaffen worden, wobei der Mensch den Lebensfunkten von der höchsten Macht erhält[39]. Man wird hier mit Quispel Berührungen christlicher Gnosis mit jüdisch-häretischer Engellehre annehmen müssen[40].

31 Philo, De fuga 68–70; vgl. De opif. 75; De confus. 179. Hier sind 174 u. 181 die Engel genannt.

32 Justin, Dial. 62,3 Goodspeed.

33 Der Name stammt von den Herausgebern R. Kasser, M. Malinine, Puech, Quispel, Zandee. Bern, Bd. 1 (1973), Bd. 2 (1975). Die Stelle steht in Bd. 2 S. 112,36–113,1 (= F.LVIv–F.LVIIr: „Andere (scil. unter den jüdischen Sektierern) aber auch sagen: Durch seine Engel ist es, daß er wirksam geworden ist" (deutsche Übersetzung von R. Kasser u. W. Vycichl).

34 Vgl. G. Quispel, Christliche Gnosis und jüdische Heterodoxie, EvTheol.14 (1954) 474–84, und H.-Ch. Puech et G. Quispel, Le quatrième écrit gnostique du Codex Jung, VigChr 9 (1955) 65–102.

35 Irenäus, Adv. haer. 4,14. Bd. 2 S. 164 Harvey.; 4,34,1. Bd. 2 S. 213.

36 Irenäus, Adv. haer. 1,25,1. Bd. 1 S. 204 Harvey: Carpocrates autem et qui ab eo, mundum quidem et quae in eo sunt, ab Angelis multo inferioribus ingenito Patre factum esse dicunt.

37 Irenäus, Adv. haer. 1,25,4. Bd. 1 S. 208 f. Harvey.

38 Irenäus, Adv. haer. 1,23,2 f. Bd. 1 S. 191–93 Harvey. Dieselbe Ansicht bei Menander, Irenäus 1,23,5 S. 195 Harvey.

39 Irenäus, Adv. haer. 1,24,2. Bd. 1 S. 196 f.

40 Quispel in EvTheol. 14 (1954) 477.

Auf der Grenze zwischen Gnosis und Judenchristentum steht Kerinth[41]. G. Krüger und C. Schmidt bestritten, daß Kerinth einen judenchristlichen Chiliasmus vertreten habe[42]. Diese Ansicht sei aus der Meinung, die Kerinth als den Verfasser der Offenbarung des Johannes betrachtete (worüber Dionys von Alexandrien berichtet[43]), herausgesponnen worden[44]. Demgegenüber zeigte G. Bardy[45], gestützt auf das Hippolytfragment bei Dionysius bar Salibi[46], daß die Nachricht des Epiphanius[47] über Judaismus des Kerinth (wozu Kerinths „ebionitische" Christologie[48] paßt) doch Vertrauen verdient[49]. Auch Daniélou[50] und Magnin[51] sehen Kerinth als Judaisten.

Kerinth lehrt nun, daß die Welt nicht vom höchsten Gott geschaffen sei, sondern durch eine von ihm getrennte Engelmacht, welche diesen Gott nicht kennt[52]. Gnostisch wirkt bei Kerinth, daß er den obersten der weltschöpferischen Engel nicht mit Christus gleichsetzt – dieser

41 Wichtigste Quellen: Irenäus, Adv. haer. 1,26,1 Bd. 1 S. 211 Harvey. – Hippolyt, Ref. 7,33 S. 220 f. Wendland; Hippolyt bei dem syrischen Monophysiten Dionysius bar Salibi († 1171), In Apocalypsim, ed. J. Sedlacek, CSCO 53,1909 (Nachdruck Löwen 1954) S. 4,4–15 (Übersetzung in Bd. 60, S. 1,30–2,9). – Ps. Tertullian, Adv. omnes haer. 3, CSEL 47 S. 219,10–14 Kroymann. – Euseb v. Cäsarea, h.e. 7,25,2.3; 3,28,4 (Dionys v. Alex.); 3,28,2 (Gajus). – Epiphanius, haer. 28,1 ff. S. 313 Holl.

42 G. Krüger, Artikel Cerinth, RE 3 (1897) 777. – C. Schmidt, Gespräche Jesu mit seinen Jüngern nach seiner Auferstehung, Leipzig 1919, S. 403–52 („Der Gnostiker Kerinth. Die Aloger").

43 Bei Euseb, Kirchengesch. 7,25,2.3.

44 Schmidt aaO. S. 452 (s.o. A. 42).

45 G. Bardy, Cérinthe, Rev. Bibl. 30 (1921) 344–73, auf S. 353; 357; 371.

46 S. Anm. 41.

47 Epiphanius, haer. 28,1,3 S. 313,15 Holl.

48 Hippolyt, Ref. 10,21 f. (Jesus ist Mensch wie die übrigen Menschen, bei der Taufe kommt Christus auf ihn herab).

49 In dem Fragment (CSCO 53 S. 4,4–15) weist Hippolyt gegen Caius den Unterschied zwischen der Lehre des Apostels Johannes und Kerinth nach. Kerinth predigt die Beschneidung, ist Gegner des Apostels Paulus. Die Welt ist von Engeln geschaffen, unser Herr nicht aus einer Jungfrau geboren. Kerinth lehre körperliche Speise und Trank (Anspielung auf das Millennium).

50 J. Daniélou, Théologie du Judéo-Christianisme S. 80–81.

51 J.M. Magnin, Notes sur l'ébionisme, Proche Orient chrétien 24 (1974) 229. – Ps. Anthimus (= Markell), De eccl. § 15 Mercati, betrachtete Kerinth als Bindeglied zwischen Sadduzäern und Ebioniten.

52 Irenäus, Adv. haer. 1,26,1. Bd. 1 S. 211 f. Harvey (virtus, δύναμις). Hippolyt sagt, daß es sich um eine Engelmacht (ὑπὸ δυνάμεώς τινος ἀγγελικῆς Ref. 10,21 S. 281,4 ff. Wendland) oder um Engel (Fragment bei Dionys bar Salibi, s.o. A. 41) handelt. Von Engeln in der Mehrzahl spricht auch Ps. Tertullian, Adv. omnes haer. 3 S. 219,9–14 Kroymann.

(als πνεῦμα κυρίου aufgefaßt[53]) kommt vom unbekannten Gott bei der Taufe auf Jesus herab – sondern mit dem Judengott[54].

4. *Christus als Geschöpf, Erwählter und Engel im Judenchristentum*

a) Die Ebioniten erkennen die Weltschöpfung durch Gott an[55]. Sie fassen, wie Kerinth, Jesus als bloßen Menschen, aus Joseph und Maria geboren, der durch die Erfüllung des Gesetzes gerechtfertigt worden sei[56]. Ein Engel nahm in ihm Wohnung[57] – das ist der Gedanke, den auch die Simonianer und Satornil haben, daß die Propheten von Engeln inspiriert seien[58] und der schon im Spätjudentum anzutreffen ist[59]. Über diesen Engel weiß Epiphanius Näheres. Die Ebionäer lehrten, daß Jesus durch Erwählung Sohn Gottes genannt wurde, seitdem der Christus in Taubengestalt auf ihn herabgekommen sei. Dieser Christus ist nicht aus Gott gezeugt, sondern geschaffen wie einer der Engel und herrscht über die Engel und alles, was vom Allherrscher geschaffen worden ist[60]. Epiphanius behauptet, es gäbe verschiedene Christologien unter den Ebionäern, aber die eben genannte Richtung sieht Christus als vorzeitliches Geschöpf, Pneuma und Engelfürsten an[61]. Auch von den Sampsäern in Peräa am Toten Meer berichtet Epiphanius, daß ihnen Christus ein Geschöpf sei, das zuerst im Leib Adams erschien und dann immer wieder, wann es will[62].

53 Hippolyt, Ref. 10,21 S. 281,15 Wendland.
54 Das ist aus Ps. Tertullian (s. A. 52) zu entnehmen.
55 Irenäus, Adv. haer. 1,26,2. Bd. 1 S. 212 Harvey; Hippolyt, Ref. 7,34 S. 221,8 Wendland.
56 Hippolyt, Ref. 7,34 S. 221,11 Wendland. Vgl. auch Origenes, Matthäuserklärung 16,12. Werke Bd. 10 S. 511,31 Klostermann: die Judenchristen halten Jesus teils für einen Sohn Josephs und der Maria, teils glauben sie, er sei von Maria allein und dem hl. Geiste, wobei sie ihn jedoch nicht für einen Gott halten: οὐ μὴν καὶ μετὰ τῆς περὶ αὐτοῦ θεολογίας.
57 Tertullian, De carne Christi 14, CSEL 70 (Kroymann): qui (Ebion) nudum hominem et tantum ex semine David, id est non et dei filium, constituerit Jesum; plane prophetis aliquo gloriosiorem, ut ita in illo angelum fuisse edicat quemadmodum in Zacharia.
58 Simonianer: s. A. 38. Satornil: Irenäus, Adv. haer. 1,24,2. Bd. 1 S. 198 Harvey.
59 Susanna 44/5 LXX: Der Engel gibt Daniel den Geist der Einsicht; Sacharja 1,9 LXX u. öfter: ὁ ἄγγελος ὁ λαλῶν ἐν ἐμοί, wo natürlich gemäß dem Urtext ursprünglich gemeint ist: der Engel, der mit mir redet. Vgl. Hermas, mand. 11,9: Propheten reden, erfüllt vom Engel des prophetischen Geistes.
60 Epiphanius, haer. 30,16,3 f. S. 354,1–5 Holl.
61 Epiphanius, haer. 30,3,4 S. 336 f. Holl. Die Parallelen aus den Pseudoklementinen dort im Apparat.

In Syrien hat der Elkesait Alkibiades vor 200 n.Chr. den Sohn Gottes, der dem Elxai in riesenhafter Größe erschienen war, als Engel bezeichnet, ihn jedoch vom heiligen Geist (einem weiblichen Wesen) unterschieden[63].

b) Die ebionitische Lehre vom Engelfürsten erweist ihre jüdische Herkunft auch darin, daß sie im Rahmen des spätjüdischen Dualismus innerhalb der Engelwelt erscheint. Dem Engelherrscher, der mit Christus gleichgesetzt wird, und welcher den „dortigen", das heißt den himmlischen und zukünftigen Äon ererbt hat, steht der Diabolos als Herrscher dieses irdischen Äons gegenüber[64]. Dieselbe Lehre findet sich in den Pseudoklementinen[65], und sie läßt sich über Hermas und den Barnabasbrief ins Spätjudentum zurückverfolgen[66]. In der Gemeinderegel von Qumran ist der Fürst des Lichtes (sar 'orim), der über die Söhne der Gerechtigkeit herrscht, ebenso wie sein Widersacher, der Engel der Finsternis, ein Engel, nämlich der Engel der Wahrheit. Beide sind von Gott geschaffen[67]. Die Tätigkeit dieses Engels beschränkt sich auf die Leitung und Unterstützung der Söhne des Lichts und erstreckt sich, soweit ich sehe, nicht auf die Weltschöpfung[68]. Die kosmologische Funktion ist in der spätjüdischen Spekulation mit der Sophia verbunden.

62 Epiphanius, haer. 53,1,8 S. 315,25–316,3 Holl. – A.J. Klijn und G.J. Reininck, Patristic Evidence for Jewish Christian Sects, Leiden 1973 S. 65 meinen, Epiphanius habe diese christologische Bemerkung aus der „Grundschrift" der Pseudoklementinen genommen. Nach Epiph. haer. 30,15,1 S. 352,4 f. Holl, haben die Ebionäer die „Rundreisen des Petrus" (= Ps.klementinen) benutzt.

63 Hippolyt, Ref. 9,13 S. 251,14 u. 19 f. Wendland. Ähnliche Vorstellungen finden sich im Judentum. Weisheit Sal. 18,16: der Logos Gottes ist riesengroß, er schreitet auf der Erde und berührt den Himmel. – Über die Angabe ungeheurer Maße für die Größe Gottes im Judentum (Schi'ur Koma) handelt ausführlich G. Scholem, Jüdische Mystik, Frankfurt (Main) 1957 S. 68 ff. Weitere Beispiele aus christlicher Literatur (Hermas, V. Esra, Petrusev.) bei A. Grillmeier, Christ in Christian Tradition, London – Oxford 1975 S. 50 f.

64 Epiphanius, haer. 30,16,2 S. 353,12 ff. u. 30,3,4 S. 337,1 Holl.

65 Ps.klementinen, hom. 20,2,16 S. 268,13 ff. Rehm. Weitere Stellen bei Holl (Epiphanius) S. 353 im Apparat.

66 Hermas, mand. 6,2 S. 32,9 f. Whittaker. – Barnabas 18 (in Verbindung mit der Zwei-Wegelehre) S. 31 Funk-Bihlmeyer. Siehe die Parallelen im Kommentar von H. Windisch bei H. Lietzmann, Handbuch zum NT, Ergänzungsband, Tübingen 1923, zur Stelle.

67 Gemeinderegel 1 QS 3,20–24. In: Die Texte aus Qumran, hebräisch und deutsch, herausgeg. von E. Lohse, Darmstadt 1971, S. 10 f.

68 Bousset-Greßmann, Die Religion des Judentums S. 328, sehen in Henoch 69,14 ff. eine Beteiligung des Engels Michael an der Weltschöpfung angedeutet: Gott legte den Eid, durch welchen Himmel und Erde gegründet wur-

Wir haben also einerseits erschaffene Demiurgen-Engel im häretischen Judentum und in christlicher Gnosis, andererseits den von Gott erschaffenen Engelfürsten, der weithin im Judenchristentum mit dem Christus gleichgesetzt wird, und dazu in spätjüdischer Spekulation die von Gott erschaffene Sophia als Gehilfin der Schöpfung, die im frühen Christentum mit dem „Sohne" verschmilzt. Noch im 7. Buche der Apostolischen Konstitutionen, wo eine jüdische Gebetssammlung zugrunde liegt[69], wird die von Gott geschaffene Sophia von dem Bearbeiter als Christus bezeichnet[70], obwohl dies für den Verfasser der Apostolischen Konstitutionen eigentlich eine Ketzerei ist[71]. Das hellenistische Judentum, das sich in diesen Gebeten ausspricht (in der zweiten Hälfte des 2. nachchristlichen Jahrhunderts), legt zudem auf Gnosis (im weiteren Sinne religiöser Erkenntnis) Wert[72].
Es sind also im Judentum sowie in seinem Ausstrahlungsbereich in Gnosis und Judenchristentum Elemente „arianischer" Lehre anzutreffen.

5. *Judaismus und „Arianismus" in den Pseudoklementinen*

a) Bei dem „Simon" der pseudoklementinischen Homilien ist die Einwirkung jüdischer Engellehre festzustellen. Nach „Simons" Lehre sandte der unbekannte und höchste Gott zwei Götter aus, von denen der eine die Welt schuf, der andere das Gesetz gab[73]. Diese „Götter" sind Engel[74]. An einer anderen Stelle trägt „Simon" als Finte im

den, in die Hand Michaels. – Über die beiden „Kräfte" (die heilbringende und die verderbende) in der Anthropologie Philos (Quaest. in Exod. 1,23. Bd. 2 S. 32 Marcus) s. A. Wlosok, Laktanz und die philosophische Gnosis S. 107–11, wo auf die Beziehungen zu Qumran und pythagoreischen Spekulationen hingewiesen wird.

69 W. Bousset: Eine jüdische Gebetssammlung im 7. Buch der Apostolischen Konstitutionen, NGG Phil.-hist. Kl. 1915, S. 435–89.

70 Const. Apost. 7,36,1 S. 432,26–434,4 Funk.

71 Const. Apost. 7,41,5 S. 446,4 ff. Funk: *τὸν (χριστὸν) πρὸ αἰώνων εὐδοκίᾳ τοῦ πατρὸς γεννηθέντα οὐ κτισθέντα* . . .

72 Belege bei Bousset (s.o. A. 69) S. 466 ff., z.B. Apost. Konst. 7,33,3 S. 424, 14–24 Funk.

73 Ps.klementinen, Hom. 3,2,2 S. 57,10 ff. Rehm. Vgl. Recogn. 2,57,3 S. 85, 29 Rehm. Et Simon: Ipse (der unbekannte, gute Gott) misit creatorem deum, ut conderet mundum, sed ille, mundo condito, semetipsum pronuntiavit deum.

74 Ps.klem., Hom. 17,12,1 S. 246,22 ff. Rehm. Hier wird diese Fassung der Zwei-Engellehre vom Homilisten abgelehnt.

Gespräch mit Petrus über die Auslegung von Mt. 11,27 (Lk. 10,22) eine Spekulation vor, die er dem Homilisten entwendet („Ich habe das von einem deiner (des Petrus) Jünger gehört". „Nimm an, daß ich dies erfunden oder von einem anderen gehört habe"[75]: der Sohn des höchsten, unbekannten Gottes hat die Juden als seinen Anteil. Er hat Himmel und Erde geordnet (*διακοσμήσας*) und gibt den Juden das Gesetz. Er gehört zu den 70 Göttern, welche jeweils einem der 70 Völker zugeteilt sind und ihm ein Gesetz geben, steht aber als „Gott der Götter" (Ps. 135 (136), 2) über ihnen[76]. Hier ist die jüdische Vorstellung der 70 Völkerengel (Deuter. 32,8 LXX) verarbeitet[77]. Der „Sohn" trägt die Züge sowohl des alttestamentlichen Schöpfergottes (als *κύριος*, „Simon" bezieht sich auf Dt. 32,8 f.), dessen Teil Israel ist, als auch, da er in Gegensatz zu Dt. 32,8 f. LXX vom *ὕψιστος* unterschieden wird, des Erzengels Michael, des Schutzengels des jüdischen Volkes[78]. Dieser „Sohn" ist der Vater Jesu, den „Simons" Gegner Petrus den Christus nennt.

In der Auffassung des Sohnes als Engel besteht eine (ziemlich unbestimmte) Gemeinsamkeit zwischen diesen Spekulationen und dem Arianismus.

b) Die zwei Engel der Ebioniten und Qumrans erscheinen in den Pseudoklementinen – wo sie Archontes, Hēgemones, Könige genannt werden[79] – innerhalb der Zwei-Wegelehre[80] und zwar (wie in Qumran und bei den Ebioniten) ohne kosmologische Aufgabe. Auch der „böse" König kann schließlich gut werden[81], denn beide sind Diener, „Hände" Gottes[82]. Da es auch vom „wahren Propheten"[83], der den heiligen

75 Ps.klem., Hom. 18,5,3–5 S. 243,25.28 Rehm.

76 Ps.klem., Hom 18,4,1–5 S. 242,26–243,16 Rehm. Vgl. Recogn. 2,42,3 f. S. 76 Rehm: est enim uniuscuiusque gentis angelus, cui credita est gentis ipsius dispensatio a deo, qui tamen cum apparuerit, quamvis putetur et dicatur ab his quibus praeest, deus, tamen interrogatus non sibi dabit ipse tale testimonium. deus enim excelsus, qui solus potestatem omnium tenet, in septuaginta et duas partes divisit totius terrae nationes eisque principes angelos statuit. uni vero qui in archangelis erat maximus, sorte data est dispensatio corum, qui prae caeteris omnibus excelsi dei cultum atque scientiam receperunt (das sind die Juden).

77 Siehe auch Bousset-Greßmann, Die Religion des Judentums S. 326.

78 Bousset-Greßmann S. 327. Michael als Fürst Israels auch bei Afrahat, Dem. 3,14 Patrol. syr. 1 S. 132,4 f. Parisot (= Hom. 3,10 S. 51 der Übersetzung von Bert).

79 Archontes: Hom. 7,3,1–3 S. 117,20–25 Rehm; *ἡγεμόνες*: Hom. 20,3,4 S. 269,18; Könige: Hom. 20,2,5 S. 268,26.

80 Ps.klem., Hom. 7,3; 15,7,4; 20,2–3; Recogn. 8,52,1 f.; 9,4,1 ff.

81 Hom. 20,3,9 S. 270,6 Rehm.

82 Hom. 20,3,4 S. 269,18 Rehm.

83 Hom. 3,21,1 S. 64,10 Rehm.

Geist Gottes hat[84] und der von Anfang der Welt bis zu Christus in wechselnden Gestalten erscheint[85] heißt, daß er zum König der zukünftigen Welt bestimmt ist[86], wird die Gestalt des guten Archonten mit der des Sohnes zusammengesehen: *ὁ δὲ ἀγαθὸς ἐκ τῆς τοῦ θεοῦ καλλίστης τροπῆς γεννηθεὶς* (hier steht die Weltwerdung durch „Wandlung" Gottes im Hintergrund) *καὶ οὐκ ἔξω κράσει συμβεβηκὼς*[87] *τῷ ὄντι υἱός ἐστι*[88]. Der „Sohn" wird also als Archon und Engel in einem spätjüdisch-dualistischen Rahmen vorgestellt.

c) Der jüdische Monotheismus der Pseudoklementinen, für die es nur einen Gott gibt, den Schöpfer aller Dinge[89], dessen Sohn, der Christus, sich nie Gott nannte und von der Schrift stets nur in uneigentlichem Sinne als Gott bezeichnet wird[90], diente den Arianern als Anknüpfungspunkt. Daß „Kreise der arianischen Religionspartei das ebionitische Erbe für sich selber verwenden konnten, zeigt das literarische Schicksal der Pseudoklementinen, die allen Anzeichen nach Arianern (und Eunomianern) in die Hände gefallen und von diesen interpoliert worden sind"[91]. G. Strecker hält den Homilisten sogar für einen Arianer, der vor dem nicänischen Konzil lebte[92]. Im 5. Jahrhundert macht das arianische Opus imperfectum in Matthaeum reichlich Gebrauch von den Pseudoklementinen[92a].

Es kann jedoch nicht verschwiegen werden, daß die Kosmologie des Homilisten schlecht zu den Ansichten des Arius paßt. Das wird durch eine Stelle enthüllt, die zunächst „arianisch" aussieht. In hom. 16, 12, 1 (wo Gen. 1,26 ausgelegt wird) erschafft die Sophia als „Hand" Gottes das All und den Menschen. Das erinnert an die schon

84 Hom. 2,10,3 S. 39,16–20; Hom. 3,12,3 S. 61,10; 3,20,1 S. 64,2.

85 Hom. 3,20,2 S. 64,5 f.; vgl. Recogn. 2,22,4 S. 65,22 f. Rehm.

86 Hom. 3,19,2 S. 63,16 Rehm.

87 Der „Böse" entspringt aus der Mischung der von Gott ausgeströmten (*προβέβληνται*) vier Elemente (Hom. 20,3,8 S. 269,24 ff.; 19,12,3 f. S. 259, 7–11) und bestimmt sich selbst zum Bösen.

88 Hom 20.8,3 S. 273,12–14 Rehm.

89 Hom. 16,14,3 S. 224,28 f. Rehm. Zur monarchia Gottes z.B. Hom. 3,9–10,2 S. 60,6–17.

90 Hom. 16,14–15 S. 224,23–225,18 Rehm.

91 H.J. Schoeps, Theologie und Geschichte des Judenchristentums, Tübingen 1949, S. 324 f.; vgl. S. 74. Schon H. Waitz, Die Pseudoklementinen, Leipzig 1904, S. 369 f. hatte festgestellt, daß der Redaktor der Homilien sich mit den judenchristlich-gnostischen Anschauungen der Kerygmata Petru und der „Grundschrift" verwandt fühle.

92 G. Strecker, Das Judenchristentum in den Pseudoklementinen, Berlin 1958, S. 268. – Von den früharianischen Stellen in Hom 16,15 f. (S. 225 Rehm) unterscheiden sich die eunomianischen Einschaltungen in den Rekognitionen.

92a S.M. Meslin, Les Ariens d'Occident, Paris 1967 S. 244 f.

besprochene Lehre des Asterius und Arius, daß Gott, da die gewordene Natur seine Hand nicht ertragen hätte, den Menschen und die Welt durch den Logos-Sophia erschaffen ließ. Aber in der pseudoklementinischen Homilie ist die Sophia nicht ein Geschöpf Gottes, wie bei Arius, sondern Gottes Sophia selbst, eins mit ihm, sein Pneuma, seine Seele. Sie dehnt sich aus von Gott und zieht sich wieder zurück, so daß durch ἔκτασις und συστολή die Monas als Dyas erscheint[93]. Man denkt hier an Markell von Ankyra, aber nicht an Arius. Hinter der Homilienstelle steht die materialistisch-pantheistische Schöpfungslehre der Pseudoklementinen, die starke Anleihen bei der Stoa gemacht hat[94]. Aber auch jüdische Spekulationen scheinen im Spiel zu sein. Philo spricht von der „Ausdehnung" der Kraft Gottes durch das Pneuma bis zu Adam bei dessen Erschaffung[95]. Und Justin erwähnt Juden[96], welche die Theophanien des Alten Testaments damit erklären, daß eine Dynamis Gottes, die von ihm ungetrennt und ungesondert ist, wie das Sonnenlicht von der Sonne, von Gott ausgeht, wann er will und wieder zu ihm zurückkehrt. Sie wird Engel, Herrlichkeit, Mensch, Logos, genannt. Auf dieselbe Weise verleiht Gott den Engeln ein vorübergehendes Sein[97].

Der Homilist wendet seine eigentümliche Kosmologie – die Welt wird durch Wandlung (τροπή) der Substanz Gottes, eine Wandlung, die durch seinen Willen erfolgt, geschaffen[98] – auch auf den „Sohn" an. Dieser wird gezeugt durch die „Wandlung" Gottes[99] und ist infolgedessen homousios mit Gott, wenn auch nicht von gleicher Macht[100]. So redet kein Arianer; er würde auch den Begriff προβάλλειν[101] nicht von der Hervorbringung des Sohnes gebrauchen.

So beschränkt sich die Ähnlichkeit der Pseudoklementinen mit Arius auf den strengen Monotheismus, die Engelchristologie und die Be-

93 Ps.klem., Hom. 16,12,1 S. 223,28–224,4 Rehm.

94 S. E.W. Möller, Geschichte der Kosmologie in der griechischen Kirche bis auf Origenes, Halle 1860, S. 460. Zu Ausdehnung und Zusammenziehung des Pneumas in der Stoa s. SVF II,442 (S. 145 f.); 597 (S. 184,24). Vgl. E. Zeller, Philosophie III,1 (1923) S. 145–152.

95 Philo, Leg. alleg. 1,37. Vgl. oben Kap. 5,2 (zu A. 31 u. 32).

96 Justin, Dial 128,2 f. S. 249 f. Goodspeed. Der Nachweis, daß es sich um Juden handelt, bei Lebreton, Trinité 2,675.

97 Hierzu s. Billerbeck I,997; II,91; III,601.

98 Davon handelt Möller, Kosmologie (s.o. A. 94). Die „Wandlung" wird auch als Emanation bezeichnet: Hom. 17,12,3 S. 259,7 f. Rehm; Hom 20,7,6 S. 272,21–23.

99 Die Stelle ist oben zu A. 88 zitiert.

100 Ps.klem., Hom 20,7,6 S. 272,23 Rehm.

101 Hom. 20,7,6 f. S. 272,23.25 Rehm.

streitung der Gottheit des Sohnes – also auf judenchristliches Gut. Die Philosophie und Kosmologie des vielschichtigen Gebildes der „Homilien“ ist völlig verschieden vom Arianismus.

6. Afrahat und der Arianismus

Im syrischen Raum bietet Afrahat[102], bei dem Kenntnis jüdischer Gelehrsamkeit nachweisbar ist[103], streng monotheistische Überlieferungen, von denen her er, ebenso wie die Pseudoklementinen, die uneigentliche Anwendung des Namens „Gott“ auf Jesus Christus annimmt[104] und zwar mit demselben Beispiel aus Ex. 7,1 (Mose als „Gott“ Pharaos)[105]: „Der ehrwürdige Name der Gottheit wird auch gerechten Menschen beigelegt und sie sind würdig mit demselben genannt zu werden“[106]. Afrahat will den jüdischen Vorwurf abwehren, daß die Christen einen Menschen Gott nennen. Doch ist für ihn die Gottheit Christi insofern eine Wirklichkeit, als Gott in Christus wohnt – wie auch in den Propheten und den gerechten Vätern, freilich in besonderem Maße[107].

Loofs hat gezeigt, daß für Afrahat das Göttliche in Christus der Geist Gottes ist. „Vor seinem (Afrahats) geistigen Auge steht die einheitliche Person des geschichtlichen und erhöhten Herrn, aber Aphraates sieht in ihr, abwechselnd, hier das *πνεῦμα*, dort den Menschen“[108]. Christus hat den Geist und er verleiht den Geist. Der Geist,

102 Aphraatis Demonstrationes ed. J. Parisot, Patrologia syriaca Bd. 1, Paris 1894; Bd. 2, 1907, S. 1–489. – G. Bert, Aphrahat's des Persischen Weisen Homilien. Aus dem Syrischen übersetzt und erläutert (TU 3), Leipzig 1888. – F. Loofs, Theophilus von Antiochien und die anderen theologischen Quellen bei Irenäus (TU 46,2), Leipzig 1930, S. 257–80: Die trinitarischen und christologischen Anschauungen des Aphraates. – J.O. Ortiz de Urbina, Die Gottheit Christi bei Afrahat (Orientalia christiana 31,1), Rom 1933. – A. Vööbus, Aphrahat. Nachträge zum RAC, Jahrbuch f. Antike u. Christentum 3 (1960) 152–55. – J. Neusner, Aphrahat and Judaism, Leiden 1971 (skeptisch gegen jüdischen Einfluß auf Afrahat).

103 Bert S. XIII.

104 In der 17. Abhandlung: Über den Messias, daß er Gott ist. Dazu Neusner S. 68 ff.

105 Afrahat, Dem 17,3 S. 788,18 f. Parisot – Ps.klem., Hom 16,14,2 S. 224,27 Rehm. Judenchristliches im dogmengeschichtlichen Sinne ist bei Afrahat nach Loofs' Ansicht nicht vorhanden (Loofs, Theophilus S. 291).

106 Afrahat, Dem 17,3 in der Übersetzung Berts, S. 280.

107 Afrahat, Dem. 4,11 S. 161,15–17 Parisot (= 4,6 S. 62 Bert); 6, 12 S. 285, 25–27 Parisot (= 6,11 S. 105 Bert).

108 Loofs, Theophilus S. 275.

welchen der erhöhte Herr sendet, ist er selbst[109]. Aber dieser auf viele verteilte Geist ist wiederum als Teil des Geistes Christi vom Gottessohn unterschieden und kann sogar als fürsprechender und anklagender Engel aufgefaßt werden[110]. Der irdische Christus steht in einer doppelten Beziehung zum Geist. Er ist vom Geist (durch die Kraft des göttlichen Geistes) geboren und er empfing den Geist bei der Taufe[111]. Den Geist Christi erhielten schon die Propheten[112], so daß Jesus der „große Prophet" genannt werden kann[113]. Aber Christus erhielt den Geist ohne Maß[114]. Offenbar ist dasselbe gemeint, wenn es heißt, daß er die Weisheit seines Vaters besitzt, ja diese Weisheit selber ist[115].

Afrahat kennt trinitarische Formeln[116]. Doch ist sein Glaubensbekenntnis nicht trinitarisch aufgebaut, sondern siebenteilig und betont die heilsgeschichtliche Rolle des Geistes[117].

Hat nun das Göttliche in Christus, der Geist, der in ihm wohnt, eine persönliche Präexistenz im Verständnis Afrahats? Loofs stellt bei Afrahat eine vorzeitliche hypostatische Selbständigkeit des Geistes Christi neben Gott in Abrede und möchte erst seit der Sendung Christi eine gewisse Trennung des πνεῦμα χριστοῦ von Gottes Wesen annehmen[118]. Entgegengesetzter Meinung sind Parisot und Ortiz de Urbina[119]. Gegen Loofs macht man Stellen geltend, wo Afrahat unter Verwendung von Phil. 2,5 ff. davon spricht, daß der Sohn Gottes reich war und arm wurde, daß er Gott war und Knechtsgestalt annahm, daß er bedient wurde in der Wohnung seines Vaters in der Höhe. „Unser Herr kam aus seiner Natur und ging in unsere Natur"[120]. Er ist Gott, der von Gott gekommen ist[121]. Eine wichtige Stelle

109 Afrahat, Dem 6,10 S. 281,9–11 Parisot = 6,10 S. 103 Bert.
110 Afrahat, Dem. 6,14 S. 296,8–14 = 6,13 S. 108 Bert.
111 Dem. 6,13 S. 289,14 f. Parisot = 6,12 S. 106 Bert; 6,17 S. 301,8 f. Parisot = 6,14 S. 110 Bert.
112 Dem. 6,12 S. 285,14 f. Parisot = 6,11 S. 105 Bert.
113 Dem. 4,6 S. 149,1 Parisot = 4,5 S. 56 Bert.
114 Dem. 6,13 S. 289,14 f. Parisot = 6,12 S. 106 Bert.
115 Dem. 6,10 S. 281,13 f. Parisot = 6,10 S. 103 Bert; 10,8 S. 463,8–11 Parisot = 10,6 S. 164 Bert.
116 Z.B. Mt. 28,19 als Taufformel: Dem. 23,26 Bd. 2 S. 134 Parisot = S. 412, 32 ff. Bert. S. Loofs, Theophilus S. 260.
117 Afrahat, Dem. 1,19 S. 43 f. Parisot = 1,15 S. 16–18 Bert.
118 Loofs, Theophilus S. 278.
119 Parisot in der Vorrede seiner Ausgabe S. LII; Ortiz de Urbina (s.o. A. 102) S. 80 ff.
120 Afrahat, Dem 6,10 S. 277,21 Parisot = 6,9 S. 101 f. Bert.
121 Dem. 17,2 S. 788,10 f. Parisot = 17,2 S. 280 Bert.

findet sich Dem. 23,52: „Wir preisen Dich durch den, der das Wesen hat von ihm selbst ('itja d^{e} nafšeh), der dich von seinem Wesen ('ituteh) getrennt und dich zu uns gesandt hat"[122]. Das erinnert an die oben besprochene Äußerung Tatians[123]: der Logos „springt" aus Gott hervor, *γέγονεν δὲ κατὰ μερισμόν, οὐ κατὰ ἀποκοπήν*. Die Parallele wird dadurch unterstrichen, daß bei Tatian der Logos Geist vom Geiste Gottes ist[124]. Tatian meint den Hervorgang des Logos anläßlich der Weltschöpfung. Afrahat, welcher zudem den philosophischen Logosbegriff nicht verwendet, spricht von der Menschwerdung, in welcher der von Gott abgetrennte Geist (so ist sinngemäß zu deuten) aus seiner Seinsweise hervorkam und dem Menschen Jesus innewohnend, in unserer Seinsweise wandelte[125]. Mit dem Gedanken der „Abtrennung" ist, loser als bei Tatian[126], der Fackelvergleich verbunden. Die Austeilung der Kraft Gottes und der Weisheit Gottes (das ist Christus) vermindert den Schatz Gottes nicht, so wie ein Brand nicht abnimmt, an dem man viele Lichter entzündet[127]. Es ist also, im Unterschied zu Tatian, mit diesem Vergleich kein persönliches Hervorgehen des Sohnes gemeint. Geist als Person (Gottessohn) und als Gabe Gottes („Gott verteilte von dem Geiste seines Christus und sandte ihn in die Propheten"[128]) verfließen bei Afrahat ineinander.

Das vorzeitliche „Wohnen" des Gottessohnes beim Vater könnte ähnlich verstanden werden, wie das „Wohnen" des Menschen bei Gott von Anfang an: als ideelle Präexistenz. „Denn da Gott gedachte die Welt zu schaffen mit allem ihrem Schmuck, empfing und bildete er in seinem Geiste zuerst den Menschen . . . Adam wurde empfangen und wohnte zuerst in den Gedanken Gottes. Und nach der Empfängnis Adams erzeugte er ihn und setzte ihn zum Herrn über die ganze Schöpfung"[129]. Gott ist die Wohnung der Menschen von Anfang an, ehe die Berge und die Welt geschaffen wurden[130]. Von „Geist Christi" vor der Menschwerdung kann insofern geredet werden, als der Geist

122 Dem. 23,52 Bd. 2 S. 100,10–19 Parisot = S. 402 Bert.
123 Tatian, Or. 5 S. 5,22–25 (vgl. S. 76–79) Schwartz. Siehe oben Kap. 7,1c.
124 Tatian, Or. 7 S. 7,6 Schwartz.
125 Afrahat, Dem. 6,9 S. 277,19–281,8: als unser Herr aus seiner Seinsweise (k^{e}janeh) hervorkam, wandelte er in unserer Seinsweise. Phil. 2,5 ff. klingt an = Bert S. 102.
126 Tatian, Or. 5 S. 6,1–3 Schwartz.
127 Afrahat, Dem. 10,6 S. 461,5–8 Parisot = 10,6 S. 163 f. Bert.
128 Dem. 6,12 S. 285,24 f. Parisot = 6,11 S. 105 Bert.
129 Afrahat, Dem. 17,7 S. 796,20; 797,3 f. 17–19 Parisot = 17,5 S. 283 Bert.
130 Dem. 17,6 S. 793,24; 796,3–6 Parisot = 17,4 S. 282 f. Bert.

Gottes sich selbst zur Einwohnung in den (ideell präexistierenden) Christus[131] bestimmt und demgemäß „Geist Christi" ist.
Auch bei der Schöpfung erscheint der Geist nicht als selbständige Wesenheit, sondern durchaus als „Teil" und Tätigkeit Gottes: „Der Himmel ist durch das Wort des Herrn gemacht und all sein Heer durch den Geist seines Mundes (Ps. 33,6), Adam allein schuf er mit seinen Händen"[132]. Es ist zweifelhaft, ob Afrahat Jesus auch „Schöpfer" genannt hat[133].
Loofs dürfte die Meinung Afrahats im Wesentlichen richtig getroffen haben. Die Christologie des Syrers ist weder „arianisch" noch „nicänisch". Es ist festzuhalten, daß sie von der Geistlehre her zu verstehen ist.

7. „Arianisches" und „Jüdisches" bei Laktanz und Pseudo-Cyprian, De centesima

a) Bei dem Zeitgenossen des Arius, Laktanz, bildet die Lehre von den beiden Geistern (spiritus), die Gott vor der Weltschöpfung hervorbrachte, den Rahmen der Christologie[134]. Das wird vor allem in dem dualistischen „Zusatz" zu Inst. 2, 8, 6 näher ausgeführt[135]. Die beiden Geister, der gute und der böse, sind Engelfürsten und haben ihren Ur-

131 Das ist nicht belegt, doch aus der ideellen Präexistenz Adams zu erschließen.

132 Afrahat, Dem. 13,11 S. 565,1 Parisot = 13,6 S. 203 Bert. Vgl. Theophilus v. Antiochien, Ad Autol. 2,18 S. 56 Grant, zur alleinigen Erschaffung Adams durch Gottes Hand.

133 Bei der Aufzählung der Ehrennamen Jesu, Dem. 17,2 vokalisiert Parisot S. 788,6: bārē (= Schöpfer); dagegen setzt Bert (S. 280) die Vokalisation b^{e}rā (= Sohn) voraus. In dem vergleichbaren Verzeichnis der Namen Jesu, Dem. 17,11 S. 813,21–24 Parisot (= 17,8 S. 289 Bert) fehlt der Titel „Schöpfer".

134 Laktanz, Inst. 2,8,3–7, CSEL 19 S. 129–32 Brandt; vgl. ebd. 4,6 S. 286–291.

135 Laktanz, Inst. 2,8,6 S. 130,5 Apparat. Die beiden anderen großen dualistischen „Zusätze" (Inst. 7,5,27 S. 602,2 Apparat und De opif. Dei 19,8, CSEL 27 S. 61,16 Apparat (Brandt) behandeln die ethische und anthropologische, weniger die metaphysische Seite des Dualismus. Daß diese Texte von Laktanz selber herrühren, wird seit R. Pichon (Lactance, Paris 1901, gegen S. Brandt: Über die dualistischen Zusätze und die Kaiseranreden bei Lactantius, SB der Philos.-hist. Klasse der Kaiserlichen Akad. d. Wiss., Wien Bd. 118,8 – hier sind S. 9–21 die dualistischen Zusätze bequem abgedruckt – und 119,1, Wien 1889) kaum mehr bezweifelt. E. Heck, Die dualistischen Zusätze und die Kaiseranreden bei Lactantius, AAH 1972,2, Heidelberg 1972, betrachtet diese dualistischen Stellen nicht als nachträglich von Laktanz getilgt, sondern als später von ihm hinzugefügte Texte.

sprung von Gott[136]. Daß Gott den später[137] abfallenden Engel durch den ersterzeugten Geist geschaffen habe, findet, soweit ich sehe, keine weitere Stütze in Laktanztexten und ist schwerlich ursprünglich[138]. Laktanz hat offensichtlich die Pseudoklementinen benutzt[139]: die Zwei-Engellehre tritt in Verbindung mit der Zwei-Wegelehre auf[140] und die beiden Geister werden als rechte und linke Hand Gottes bezeichnet[141]. Im Zusammenhang der Zwei-Engellehre wird die kosmologische Rolle der Mischung (von „Gegensätzen", von „Elementen") erwähnt[142].

Der gute Geist ist der Sohn Gottes[143], vor der Schöpfung gezeugt[144],

136 Laktanz, Inst, CSEL 19 S. 131 Zeile 11 von unten, Brandt. Der Sohn als princeps angelorum: Inst. 4,14,17 S. 328,18.

137 Inst. S. 131 Z. 16 v. unten.

138 Zusatz zu Inst. 2,8,4 in den Handschriften R und S,S. 129 Z.5 v.u. Brandt bemerkt in den Prolegomena (S. LXX), und zwar allgemein, nicht bloß hinsichtlich der dualistischen „Zusätze": Quae in R et S solis inveniuntur, paene omnia spuria sunt. Heck (s.o. A. 135) S. 45 sieht die Stelle als Zusatz von Laktanz selbst an.

139 Das wurde zuerst von Martens (Das dualistische System des Laktanz. In: Der Beweis des Glaubens, NF 9, Gütersloh 1888, S. 14–25; 48–70; 114–19; 138–53; 181–93) festgestellt. – F.W. Bussel: The purpose of the world-process and the problem of evil in the Clementine and Lactantian writings in a system of subordinate dualism (In: Studia biblica et ecclesiastica 4, Oxford 1896, S. 132–88), entwickelt vor allem philosophischen Ehrgeiz und ist wenig ergiebig. Mehr Nutzen zieht man aus V. Loi, Lattanzio nella storia del linguaggio e del pensiero preniceno, Zürich 1970, S. 150 A. 227/8 u. S. 191 f.

140 Laktanz, Inst. 6,3,1.14 S. 485,6 ff. 488,7 ff. Brandt. – Ps.klement. Hom 20, 2,4 S. 268,24–26 Rehm.

141 Laktanz, Inst. S. 130 Z. 15 v.u. Brandt. – Ps.klem., Hom. 20,4 ff. S. 269,18 Rehm.

142 Laktanz, Inst. 130,14 f. v.u. Brandt. – Ps.klem., Hom. 20,3,9 S. 270,3; 19, 12,3–5 S. 259,7–16 Rehm. Weitere Parallelen bei Loi (s.o. A. 139) S. 191 A. 129. – Die Erzählung, daß die Hebräer während Moses' Aufenthalt auf dem Sinai ein aureum caput bovis, quem vocant Apim verfertigten (Laktanz, Inst. 4,10,32 S. 303,10 Brandt) hat eine Parallele in Recogn. 1,35,5 S. 29,7 Rehm: cum, inquam, moraretur Moyses, ipsi secundum speciem Apidis, quem coli in Aegypto viderant, aureum caput vituli facientes. Vgl. G. Strecker, Das Judenchristentum in den Pseudoklementinen, Berlin 1958, S. 225; Const. Apost. 6,20,1 S. 349,12 Funk: *πρὸ τοῦ τὸν λαὸν μοσχοποιῆσαι τὸν παρ' Αἰγυπτίοις Ἆπιν* entspricht nicht so genau.

143 Laktanz, Inst. S. 131 Z. 16 v.o., Brand: sed eorum alterum dilexit ut bonum filium, alterum abdicavit ut malum. Vgl. Qumran, Gemeinderegel 3,25–4,1 S. 10–12 Lohse.

144 Laktanz, Inst. 4,6,1 S. 286,5 ff. Brandt: Deus igitur machinator constitutorque rerum ... antequam praeclarum hoc opus mundi adoriretur, sanctum et incorruptibilem spiritum genuit, quem filium nuncuparet.

mit den Kräften des Vaters begabt[145]. Er ist Kraft, Logos, Weisheit und dient, von Gott dazu ausgerüstet, als Schöpfungsmittler und Ratgeber bei der Schöpfung[146]. Laktanz sagt, genau wie die Pseudoklementinen, daß der Sohn sich nie Gott nannte[147]. Da der Sohn sich bewährte und seinen Auftrag treu erfüllte, erhielt er den Namen „Gott"[148]. Von allen Engeln, die Gott gebildet hat, wurde er allein Gott genannt und zur Teilhabe an der höchsten Macht erkoren[149]. Schon vorzeitlich galt der Sohn durch sein Beharren als bewährt und war dem Vater lieb[150]. Diese Aussagen klingen so „arianisch", daß die Frage aufgeworfen werden muß, ob Laktanz in Nikomedien, wo Lukian im Jahre 303, als Bischof Anthimus das Martyrium erlitt, weilte[151] (also zur gleichen Zeit wie Laktanz) und wo Lukian am 7. Januar 312 selbst Märtyrer wurde[152], mit lukianistischen Kreisen in Berührung gekommen ist, die ihm möglicherweise auch die Kenntnis der Pseudoklementinen vermittelten. In diesem Zusammenhang verdienen die Parallelen Beachtung, welche Bardy zwischen der Verteidigungsrede Lukians vor seinem Richter und Laktanz festgestellt hat[152a].

145 Laktanz, Inst. 2,8,3 S. 129,12 Brandt.

146 Laktanz, Epit. 37,1–3. CSEL 19 S. 712,20–23 Brandt: hic est virtus, hic ratio, hic sermo dei, hic sapientia. hoc opifice ut Hermes ait, et consiliatore ut Sibylla, [et] praeclaram et mirabilem huius mundi fabricam machinatus est. Vgl. Inst. 4,6,9 S. 291,9 Brandt: quod tanta sapientia et virtute sit instructus a deo patre, ut et consilio et manibus eius uteretur in fabricatione.

147 Laktanz, Inst. 4,14,18 S. 329,2 Brandt: nec unquam se ipse deum dixit – Ps.klem., Hom. 16,15,2 S. 225,14 Rehm: *οὔτε ἑαυτὸν θεὸν εἶναι ἀνηγόρευσεν.*

148 Propterea quia tam fidelis exstitit, quia sibi nihil prorsus adsumpsit, ut mandata mittentis inpleret, et sacerdotis perpetui dignitatem et regis summi honorem et iudicis potestatem et *dei nomen accepit*. Laktanz, Inst. 4,14,20 S. 329,7–10 Brandt.

149 Laktanz, Epit. 37,3, CSEL 19 S. 712,23–25 Brandt. Die Epitome, welche später abgefaßt ist, als die Institutiones, verdeutlicht die Stelle Inst. 4,6,2 S. 286,8–11 Brandt.

150 Laktanz, Inst. 2,8,5 S. 130,1–3. Das ist Anlaß für Neid und Fall des zweiten Geistes (ebd.).

151 Chronicon paschale 2 ad ann. 303, Bd. 1 S. 516,2–5 Dindorf (auch abgedruckt in Bidez' Ausgabe der Kirchengeschichte des Philostorgius S. 203,21).

152 G. Bardy, Lucien S. 71. – Aus Euseb, h.e. 9,6,3 S. 812,10–12 Schwartz, ergibt sich, daß Lukian vor seinem Zeugentod nicht in Nikomedien ansässig war, sondern dorthin verbracht wurde.

152a Die Apologie Lukians, über deren Echtheit sich Bardy, Lucien S. 162 des Urteils enthält, steht bei Rufin, Kirchengeschichte 9,6 S. 813 bis 815 Mommsen (GCS 9,2). Zu den Parallelen mit Laktanz s. Bardy, Lucien S. 156 und die Einzelnachweise im Kommentar zur Rede, ebd. S. 134–49.

Auf jeden Fall sind Einflüsse aus dem Bereich des Judenchristentums und des Judentums auf Laktanz zu bemerken[153]. Er benutzt nicht nur die Pseudoklementinen, sondern schätzt auch die sibyllinischen Orakel, die jüdisch-christlichen Ursprungs sind. Er teilt den Millenarismus mit dem Judenchristentum[154].

b) Es gibt aber noch eine Reihe von Äußerungen des Laktanz über den Sohn, welche dem Arianismus zuwider laufen. So faßt er den Ursprung des Sohnes nicht als Erschaffung aus Nichts, sondern als Zeugung auf[155]. Er erläutert die Zeugung durch die aus Tertullian bekannten Bilder von Sonne und Strahl, Quelle und Fluß[156] und durch den Vorgang des Aushauchens und Sprechens. Der Sohn ist Wort Gottes, weil Gott den mit Stimme versehenen Hauch (vocalem spiritum), der aus seinem Munde ausgeht und den er zuvor als Begriff in seinem Geiste gedacht hatte (mente conceperat) in eine Gestalt einschloß (in effigiem conprehendit), die selbständige Empfindung und Weisheit besitzt. Die Engel entstehen auf dieselbe Weise aus den spiritus dei, die jedoch nicht aus Gottes Mund, wie beim Sohne, sondern ohne Stimme (taciti spiritus) aus Gottes „Nase“ hervorgehen[157]. Die Vorstellung wirkt jüdisch (vgl. auch das Zitat in Anmerkung 157). Sirach 24,3 geht die Weisheit vom Munde des Höchsten aus und bedeckt wie ein Nebel die Erde.

153 Dazu Loi (s.o. A. 139) S. 191–94.

154 Vgl. Loi S. 192; 247 ff., besonders S. 250 f.

155 Laktanz gebraucht dafür die Begriffe: (Gott) produxit similem sui spiritum (Inst. 2,8,3 S. 129,11); genuit (Inst. 4,6,1 S. 286,7); progenuit (Epit. 37,1 S. 712,19); constituit fecitque (dual. Zusatz zu 2,8,6 S. 130 Z. 20 v.u. Brandt). Creare (in prima nativitate creatus [est] ex solo deo. Epit. 38,9 S. 715,2) verwendet Laktanz, wie Loi in seiner Untersuchung der Schöpfungsterminologie des Afrikaners nachgewiesen hat (Loi, aaO. S. 102–28, bes. S. 102 f.) nicht im Sinne der Schöpfung aus Nichts, sondern in der klassischen Bedeutung „generare“. Creare, gignere, generare sind bei ihm synonym.

156 Tertullian, Adv. Prax. 8, CSEL 47 S. 238,19–239,5 Kroymann. – Laktanz, Inst. 4,29,4 S. 392,11; 2,8,3 S. 129,9–11; 4,8,11 S. 297,16 Brandt.

157 Laktanz, Inst. 4,8,6–12 S. 296,8–297,19. Dazu nenne ich eine Parallele aus Rossis Gnostischem Traktat (14,14–18): „Ich rufe dich an, Gabriel, bei dem ersten Laut (φωνή), der aus dem Munde des Vaters gekommen ist und bei dem Hauche, der aus seinen Naslöchern gekommen ist“. Ich entnehme das Zitat aus A. Krupp, Der Lobpreis des Erzengels Michael (vormals P. Heidelberg Inv.Nr. 1686), Brüssel 1966 S. 68. – Die Arbeit von F. Rossi, Di alcuni manoscritti copti che si conservano nella Biblioteca Nazionale di Torino. Reale Accademia delle scienze di Torino, Memorie ser. 2,43 (1893) 223–340; 44 (1894) 21–70 konnte ich mir nicht verschaffen. Bei dem dort abgedruckten gnostischen Traktat (s. W. Kammerer, A Coptic Bibliography, Ann Arbor 1950, S. 35 Nr. 742) dürfte es sich um die von A. Krupp zitierte Schrift handeln (Freundliche Auskunft von Prof. Th. Baumeister, Mainz).

Die Zeugung des Sohnes als prolatio vocis ac spiritus knüpft an Tertullians Lehre vom inneren und äußeren Wort an[158] und sie besagt ebenso wie bei Tertullian, daß Vater und Sohn derselben Substanz sind, nämlich spiritus[159]. Während Verbeke hier die stoische Pneumalehre wiederfindet und deshalb die Zeugung des Sohnes bei Laktanz als stoffliche Ausströmung auffaßt[160], meint Loi[161], dies sei mit dem platonischen Gottesbegriff des Laktanz unvereinbar. Gott ist unkörperlich und geistig[162], daher müsse der spiritus, der von Gott ausgeht und zum Sohn wird, nicht als „Hauch", sondern als „geistiges Wesen" aufgefaßt werden. Die Redeweise des Laktanz läßt jedoch deutlich erkennen, daß materialistische Vorstellungen mitschwingen: Gott bildet den spiritus, der von ihm ausging, in effigiem (das ist der Sohn), et alios item spiritus in angelos figuravit[163]. So haben die Engel alle dieselbe substantia caelestis[164]. Die Einheit von Vater und Sohn ist nicht bloß eine Einheit der Willen, sondern auch der Substanz.

c) In anderer Weise als bei Laktanz treten „arianische" Gedanken in Verbindung mit Überlieferungen, die vom Judentum kommen, bei dem nordafrikanischen Verfasser der pseudocyprianischen Schrift „Von den dreierlei Früchten des christlichen Lebens" auf[165]. Gott

158 Tertullian, Adv. Praxean 5–7, CSEL 47 S. 233–37 Kroymann.

159 Una utrique mens, unus spiritus, una substantia est. Laktanz, Inst. 4,29,4 S. 392,9.

160 G. Verbeke, L'évolution de la doctrine du Pneuma du stoicisme à S. Augustin, Paris-Löwen 1945, S. 469–85, bes. S. 473 f.

161 Loi, aaO. S. 171 (s.o. A. 139).

162 Laktanz, Inst. 7,9,7 S. 611,22: deus et incorporalis et invisibilis et aeternus; Inst. 7,3,4 S. 588,12: deus est divina et aeterna mens a corpore soluta et libera.

163 Inst. 4,8,9 S. 297,8–10.

164 Inst. 2,14,1 S. 162,22; vgl. den dualistischen „Zusatz" zu Inst. 2,8,6 S. 131 Z. 14 v.u. Durchaus „materiell" ist auch die Auffassung des „Geistes" bei der Empfängnis der Maria: at illa divino spiritu hausto repleta concepit. Inst. 4,12,1 S. 309,17.

165 De centesima, sexagesima, tricesima. Herausgegeben von R. Reitzenstein, ZNW 15 (1914) 60–90. Wieder abgedruckt in MPL, Suppl. I (1958) col. 53–67. Reitzenstein setzte die Schrift ins 2. Jahrhundert (S. 71). M. Heer, Pseudo-Cyprian vom Lohn der Frommen und das Evangelium Justins, Röm. Quartalsschrift 28 (1914) 97–186 entschied sich für die Mitte des 4. Jahrhunderts (S. 134 ff.) und für Herkunft aus arianischen Kreisen. Durch H. Koch, Die pseudo-cyprianische Schrift „De centesima" in ihrer Abhängigkeit von Cyprian, ZNW 31 (1932) 248–72, setzte sich die Datierung ins 4. Jahrhundert durch. – J. Daniélou, Le traité De centesima, sexagesima, tricesima et le Judéo-Christianisme latin avant Tertullien, VC 25 (1971) 171–81, trat wieder, ohne durchschlagende Gründe, für vorcyprianische Entstehung ein. Ebenso P. Beatrice, Augustinianum 19 (1979) 215 ff.

erschafft aus Feuer sieben Engelfürsten und setzt einen davon zu seinem Sohn ein, welchen Jesaja (Jes. 6,3.5) dann als den Herrn Sabaot verkündet[166]. Dahinter steht eine allegorische Auslegung des biblischen Schöpfungsberichtes (der bekanntlich auch bei den Gnostikern eine große Rolle spielt). Die sechs Engel entsprechen den sechs Schöpfungstagen (Zeile 230), der Sohn offenbar dem siebenten, dem Ruhetag[167]. Erschaffung der Engel aus Feuer wird im Judentum gelehrt[168], auch die Siebenzahl der Erzengel[169]. Neben der Siebenzahl steht im Judentum die Vorstellung von vier höchsten Engeln, die mit den vier Cheruben Hesekiels verknüpft wird[170]. Bei unserem Autor tauchen die vier Cheruben (nach Off. Joh. 4,7) ebenfalls im Zusammenhang mit den sieben (sechs) Engeln auf (Zeile 234–39) – ein Zeichen, wie stark er in jüdischen (oder judenchristlichen) Überlieferungen lebt[171]. Die jüdische und judenchristliche Engellehre wurde in der christlichen Gnosis weiter ausgesponnen[172]. Indem der Verfasser von De centesima den Namen Kyrios Sabaot von Jes. 6,3 auf den Sohn bezieht, läßt er auch das dort gerufene Trishagion an Christus gerichtet sein[173]. Klemens von Alexandrien kennt ebenfalls sieben Erzengel, Protoktisten. Aber der Sohn gehört nicht zu ihnen – sie sind von Gott durch den Sohn geschaffen[174].

166 S. 82 Zeile 216 Reitzenstein: angelos enim dominus cum ex igne principum numero VII [creaturam filium dei dicit contra catholicam fidem] crearet, ex his unum in filium sibi constituere, quem Isaias dominum Sabaot [ut] praeconaret, disposuit. remansisse ergo repperimus sex quidem angelos cum filio creatos, quos agonista (der asketisch lebende Christ – vgl. die donatistischen Circumcellionen, die ebenfalls agonistae genannt wurden) imitatur.

167 Reitzenstein S. 67; Heer S. 124.

168 Billerbeck I,977; III,601. Freilich handelt es sich um tägliche Neuschöpfung. Besser entspricht Kap. 29 im Slavischen Henoch: „Und von dem Gestein (dem Himmelskristall) schnitt ich (Gott) ab ein großes Feuer, und von dem Feuer machte ich die Ordnungen der leiblosen Heerscharen". Zitiert bei Bousset-Greßmann, Religion des Judentums S. 322.

169 Belege bei Bousset-Greßmann, Religion S. 325.

170 S. Bousset-Greßmann S. 326.

171 Vgl. Hermas, Simil. 4,12,7 f.: der Sohn und die ihm untergeordneten 6 Engel. Weitere Parallelen bei J. Daniélou, Théol. du Judéo-Christianisme S. 173.

172 Sabaot (Ps. Cyprian, Zeile 219 Reitzenstein) kommt als Engelname bei Gnostikern vor, s. D. de Bruyne, Un traité gnostique sur les trois récompenses (= De centesima), ZNW 15 (1914) 280–84 auf S. 281. Vgl. Barbel, Christos Angelos S. 193 (Sabaot als Engelname in Zauberpapyri).

173 S. A. 166. Über die frühchristliche Deutung der Jahvevision (Jes. 6,1 ff.) auf Christus handelt G. Kretschmar, Studien zur frühchristlichen Trinitätstheologie S. 174 mit Anm. 6.

174 Klemens, Exc. ex Theod. 10,4 S. 109,28–31 Stählin. Vgl. zu den Protoktisten die Anm. 2 auf S. 77 der Ausgabe von Sagnard (SC 23).

Eine andere christologische Aussage findet sich in Zeile 50 unserer Schrift: der Sohn ist divino ore creatus – was sich mit Laktanz berührt – er ist Wort und Wille Gottes. Das steht in Widerspruch zur Erschaffung des Sohnes aus Feuer und ist offenbar eine Erinnerung an tertullianische Christologie. Für unsere Untersuchung genügt es, festzuhalten, daß mit De centesima ein weiterer Fall vorliegt, wo in jüdisch gefärbter Überlieferung der Sohn als Engel und Geschöpf verstanden wird[175].

8. Engelchristologie und himmlische Thronwelt in der Thalia des Arius

a) Unter den wenigen christologischen Aussagen, die abgesehen von den Schlagwörtern des arianischen Streites, von Arius selbst auf uns gekommen sind, verdient eine Stelle aus den Bruchstücken der Thalia Aufmerksamkeit: (der Sohn) *ἰσχυρὸς ϑεὸς ὢν τὸν κρείττονα ἐκ μέρους ὑμνεῖ*[176]. Der Vers hat „liturgischen" Klang. Bei der Bezeichnung des Sohnes als *ἰσχυρὸς ϑεός* denkt man an das Trishagion *ἅγιος ὁ ϑεός, ἅγιος ἰσχυρός, ἅγιος ἀϑάνατος*[177], das in Syrien zunächst auf Christus bezogen war[178]. Aber das Trishagion taucht erst ein Jahrhundert nach Arius auf[179]. Zwar wird schon bei Justin der Sohn öfter *ἰσχυρός* genannt[180], jedoch nicht *ϑεὸς ἰσχυρός*. Arius entnimmt den Christustitel *ϑεὸς ἰσχυρός* nicht aus Psalm 41,3, wo Gott gemeint ist, sondern aus Jes. 9,5 nach dem Text Lukians von Antiochien. Nach den Worten: *ὅτι παιδίον ἐγεννήϑη ἡμῖν, υἱὸς καὶ ἐδόϑη ἡμῖν ... καὶ καλεῖται τὸ ὄνομα αὐτοῦ Μεγάλης βουλῆς ἄγγελος*, folgt in dieser Rezension: *ϑαυμαστὸς σύμβουλος, ϑεὸς ἰσχυρός, ἐξουσιαστής, ἄρχων εἰρήνης, πατὴρ τοῦ μέλλοντος αἰῶνος*[181].

175 Heer (s.o. A. 165) S. 127 f. weist nach, daß in arianischen Kreisen Oberitaliens noch im 5. u. 6. Jahrhundert Spuren der Tradition von den 7 Engeln vorhanden sind.

176 Arius bei Athan., De syn. 15 S. 243,13 Opitz.

177 Z.B. in der Markusliturgie. F.E. Brightman, Liturgies Eastern and Western, Bd. I Oxford 1896, S. 118,9. Siehe dort das Register s.v. Trishagion.

178 E. Schwartz, Publizistische Sammlungen zum Acacianischen Schisma. Abhandl. d. Bayerischen Akad. d. Wiss., Philos.-hist. Abteilung, NF 10, München 1934, S. 241–43. – G. Kretschmar, Studien zur frühchristl. Trinitätstheologie, Tübingen 1956, S. 175 mit A. 6.

179 S. E. Schwartz, S. 242.

180 Z.B. Justin, Apol. 54,9 (bezieht sich auf die christologische Deutung von Ps. 18 (19), 3–6 in Apol. 40,1–4; vgl. Dial. 69,3; 102,7; 125,2.

181 S. den Apparat bei Rahlfs.

Die dem angeführten Thaliavers benachbarten Fragmente betonen den großen Abstand zwischen Gott und dem Sohn, entsprechend der Lehre des Arius, daß der Sohn nicht ἀληθινὸς θεός ist, sondern diese Bezeichnung als eine Art von Ehrennamen durch Gnade erhielt[182].
Es findet sich nun in der 16. Homilie der Pseudoklementinen ein Abschnitt, wo die Einzigkeit Gottes gegen „Simon" verteidigt wird. Die Schrift gebrauche das Wort „Gott" zuweilen nicht im strengen Sinne: etwa wenn sie „Gott" von dem Engel im Dornbusch (Ex. 3,2) oder von dem Engel, der mit Jakob rang (Gen. 32,24) sagt und den Emmanuel, der geboren wird (Jes. 7,14) „starken Gott" (θεὸν ἰσχυρόν) (Jes. 9,5) nennt, und Mose den „Gott" Pharaos (Ex. 7,1). Der Christus ist nicht Gott, sondern Sohn Gottes[183].
Wir hatten gesehen, wie Afrahat in seiner 17. Homilie in ähnlicher Weise zeigt, daß der Name „Gott" als Ehrenname auch Gerechten beigelegt wird. So wird Mose zum „Gott" für Pharao[184]. Und Jesaja bezeichnet den Messias als „Gott". Das wird belegt mit Jesaja 9,5: 'alahā' ga(n)bārā' d^{e} 'almē', „starker Gott der Äonen"[185]. Die Emanuelstelle steht, wie in den Pseudoklementinen, in unmittelbarer Nachbarschaft[186].
Mit der Bezeichnung des Sohnes als ἰσχυρὸς θεός und der gleichzeitigen Einschränkung dieses Gottestitels werden wir also nach Syrien gewiesen[187].
Nach dem Thaliafragment lobpreist der Sohn den Vater. Daß er es „stückweise" tut (ἐκ μέρους dürfte aus 1 Kor. 13, 9–13 stammen), unterstreicht seinen Abstand vom Vater, seine unvollkommene Gotteserkenntnis. Er wird hier als Engel aufgefaßt, denn die Namenreihe in Jesaja 9,5, in welcher θεὸς ἰσχυρός enthalten ist, beginnt mit „Engel des großen Rates". In dem Thaliabruchstück kommt die Vorstellung zum Ausdruck, daß der oberste der Engel an der Spitze des Himmelsheeres Gott preist. Sie wurzelt in der spätjüdischen und christlichen

182 S. Tabelle I Nr. V.
183 Ps.klement., Hom. 16,14,1–4 S. 224,24–225,1 Rehm.
184 Afrahat, Dem. 17,3 S. 799,16–19 Parisot.
185 Afrahat, Dem. 17,9 S. 804,16 Parisot = 17,5 S. 285 Z. 23 Bert. Der Jesajatext bei Afrahat weicht in den Prädikaten nicht von der Peschitta ab.
186 Afrahat, S. 805,4 Parisot. – Ps.klement. s.o. A. 183. Auch Euseb v. Cäsarea (C. Marcell. 2,1 S. 32,33 f. Klostermann) zitiert Jes. 9,5 in der langen Form.
187 Die arianische Benutzung von Jes. 9,5 in der lukianischen Textform wird von dem (Athanasius zugeschriebenen) Traktat über Mt. 11,27 aufgegriffen und gegen die Arianer gekehrt: MPG 25,217a. Der längere Text von Jes. 9,5 erscheint auch in der Schrift De incarn. et c. Arianos 22, MPG 26,1025a, deren Herkunft von Athanasius angezweifelt wird.

Apokalyptik. In den Bilderreden des Henoch stehen die Engel vor Gott und singen das Dreimalheilig von Jesaja 6,3[188], ihnen übergeordnet sind die vier Engel des Angesichts (deren erster Michael ist), die ebenfalls Gott lobsingen[189]. Der gleichen Vorstellungswelt gehört der Lobpreis des himmlischen Hofstaates in der Offenbarung des Johannes an[190]. Während hier jedoch der Christus nicht zu den Lobpreisenden gehört, sondern ihm selbst ein neues Lied gesungen wird (Off. 5, 9–12), schildert die „Himmelfahrt des Jesaja", wie im siebenten Himmel der Gott-Christus und der Engel des heiligen Geistes Gott anbeten und preisen[191]. Die viergliedrige Zusammenfassung des jüdischen Glaubens, welche Hippolyt bringt, erwähnt neben den Engeln ein *πνεῦμα ἐξουσιαστικόν* welches zu Verherrlichung und Lobpreis immer bei Gott bleibt[192].

Irenäus kennt ähnliche Überlieferungen. Im siebenten Himmel wohnen die Mächte, Engel und Erzengel und versehen den Dienst vor Gott[193]. Gott wird verherrlicht vom Logos, der sein ewiger Sohn ist, und vom heiligen Geiste. Mit ihnen lobsingen die Cherubim und Seraphim[194].

b) Wichtiger ist in unserem Zusammenhang, daß die alexandrinische Theologie immer wieder aus diesem Vorstellungskreis geschöpft hat. Unter den Lehrern des Klemens von Alexandrien war ein Jude[195], den Klemens in Palästina kennen lernte[196], und auch das alexandrinische Judentum hat auf Klemens eingewirkt[197]. Er zitiert aus der (als Ganzes verlorenen) Zephanjaapokalypse ein Stück, in dem der Prophet in den fünften Himmel entrückt wird, wo er Engel schaut, die „Herren"

188 Henoch 39,12.

189 Henoch 40,1–10. Auch der „Auserwählte" steht vor dem Herrn der Geister, doch geschieht seines Lobpreises keine Erwähnung, Henoch 49,2.

190 Z.B. Off. 4,1–8 mit dem dreifachen Sanctus. Vgl. auch 1 Klemensbrief 34,6 (die Engelmyriaden rufen das Dreimalheilig) innerhalb eines Abschnitts, der apokalyptische Färbung trägt (Kretschmar, Studien zur frühchristl. Trinitätstheologie S. 144 f.).

191 Himmelfahrt des Jesaja 9,40, dazu 9,5. Übersetzt von J. Flemming – H. Duensing, bei Hennecke-Schneemelcher Bd. II S. 465.464.

192 Hippolyt, Ref. 9,30,2–4 S. 263,7–23 Wendland. Vgl. *ἐξουσιαστής* in Jes. 9,5 längere Form.

193 Irenäus, Erweis der apost. Verkündigung 1,9. Übersetzt von S. Weber, BKV Irenäus Bd. 2 (1912) S. 8.

194 Irenäus aaO. 1,10 S. 9.

195 Th. Zahn hält ihn für einen Judenchristen (Forschungen zur Geschichte des neutest. Kanons, 3. Teil, Supplementum Clementinum, Erlangen 1884, S. 163).

196 Klemens v. Alex., Strom. 1,11,2 S. 8,23 Stählin.

197 A. Wlosok, Laktanz, S. 171 u. 175, belegt das mit Beispielen. Siehe auch das Register Stählins zu Klemens s.v. Aristobul, Philo v. Alexandrien.

genannt wurden und die auf ihren Thronen dem *unaussagbaren*, höchsten Gott lobsingen[198]. Klemens selbst läßt den göttlichen Logos am himmlischen Lobpreis teilnehmen[199]. Origenes hat noch in seiner alexandrinischen Zeit von einem „Hebräer" (wohl einem Judenchristen) gehört, die beiden Seraphen in Jes. 6,3, welche das Dreimalheilig rufen, seien der eingeborene Sohn und der heilige Geist[200].
Der besprochene Thaliavers unterscheidet sich von der origenistischen Auslegung der Seraphenvision dadurch, daß nur vom Lobgesang des Sohnes und nicht auch des heiligen Geistes die Rede ist. Das mag daran liegen, daß wir nur kümmerliche Reste der Thalia besitzen. Aber Arius ordnet den heiligen Geist noch stärker als Origenes dem Sohne unter, so daß es von daher unwahrscheinlich ist, daß er beide wie die Seraphen nebeneinander gestellt hätte. Vermutlich hatte der heilige Geist einen besonderen Platz in den himmlischen Heerscharen, die vom Sohne geschaffen wurden[201]. Dafür könnte eine arianische Stelle in dem Manuskript Vat. gr. 1506 der Apostolischen Konstitutionen angeführt werden: *σὲ προσκυνεῖ πᾶν ἀσώματον καὶ ἅγιον τάγμα* [*σὲ προσκυνεῖ ὁ παράκλητος*] *πρὸ δὲ πάντων ὁ ἅγιος σοῦ παῖς Ἰησοῦς ὁ χριστὸς ὁ κύριος καὶ θεὸς ἡμῶν· σοῦ δὲ ἄγγελος καὶ τῆς δυνάμεως ἀρχιστρατηγός· καὶ ἀρχιερεὺς αἰώνιος καὶ ἀτελεύτητος· σὲ προσκυνοῦσιν εὔρυθμοι στρατιαὶ ἀγγελων κτλ.*[202]. Die Worte „dich betet der Paraklet an" sind über einer Rasur von zweiter Hand geschrieben. Es war also wohl ursprünglich der Geist nicht dem Sohn (obwohl dieser „Engel" genannt wird) gleichgestellt, sondern den übrigen Geistern zugeordnet[203].

198 Klemens, Strom. 5,77,2 S. 377,19–24 Stählin. Auch Himmelfahrt Jesajas 8,7 ist der Name Gottes unergründbar.
199 Klemens, Protr. 120,2 S. 84,29 Stählin.
200 Origenes, princ. 1,3,4 S. 52,17–53,4 Koetschau; 4,3,14 S. 346,11–17. Die Parallelstellen im Testimonienapparat S. 52 f. Origenes verfaßte De principiis noch in Alexandria, wie Euseb (h.e. 6,24,3 Bd. 2 S. 572,6 Schwartz) berichtet. Vgl. Koetschau S. IX ff. der Einleitung zu seiner Ausgabe. – Ausführlich handeln über die Seraphenvision Kretschmar, Studien S. 64 ff. und Daniélou, Théol, S. 185 ff.
201 Erschaffung der Engel durch den Sohn bei Eunomius, Apol. 17. MPG 30,852e. Erschaffung des Geistes durch den Sohn, ebd. 20 col. 856c.
202 Const. Apost. 8,12,27 Funk, Apparat auf S. 505 (zu S. 504,26).
203 Siehe C.H. Turner, Notes on the Apostolic Constitutions I. The Compiler an Arian, JThS 16 (1914/5) 54–61, auf S. 59. – Const. Apost. 6,11,2 S. 325,14 f (Funk) ist Christus der Schöpfer des Parakleten *καὶ τῶν ἄλλων ταγμάτων*. So ist mit Turner S. 57 gegen Funk (S. 324 Kommentar) der Text zu verstehen, – Den „Tropikern" (die über den Sohn orthodox lehren, aber mit den Arianern den hl. Geist für ein Geschöpf des Sohnes halten) wirft Athanasius im 1. Brief an Serapion vor, daß sie den hl. Geist als höchsten

c) Der himmlische Lobpreis vollzieht sich nach jüdischer Anschauung vor dem Throne Gottes[204]. Das palästinensische Spätjudentum, insbesondere die Apokalyptik[205] zeigt ein lebhaftes Interesse am Throne Gottes[206]. Im äthiopischen Henoch Kap. 14 findet sich eine Beschreibung des göttlichen Thrones. Dieser Stoff gehört zu den theosophischen Geheimlehren des „Wagenwerkes" (ma'aseh merkabah), die an die Vision des göttlichen Thronwagens, Hesekiel 1 und 10, anknüpften[207]. Arius erregte durch sein Reden vom Throne Gottes das Mißfallen Konstantins. Der Kaiser ruft in seiner Auseinandersetzung mit einem Briefe des Arius Gott an: „Arius schreibt Dir jetzt einen Ort zu und gewiß in passender Weise; und der darauf sitzt, glaube ich, erwirbt und hat für sich als Weggefährten (*σύνοδον*) oder Sohn (*παῖδα*) durch Einsetzung Deinen Christus, der aus Dir ist, den Urheber der Hilfe für uns. Höre, ich flehe Dich an, den seltsamen Glauben. Er glaubt, daß Du Dich mit örtlicher Bewegung bewegst. Er wagt es , Dich mit dem Umkreis eines begrenzten Sitzes zu umschreiben. Denn wo bist Du nicht gegenwärtig? Oder nehmen nicht alle Dein Wirken (*ἐνέργειαν*) aus den Gesetzen wahr, die alles durchwalten, was Dir gehört? Denn Du umfaßt alles und es ist unrecht, außerhalb Deiner entweder einen Ort oder irgendetwas anderes zu denken"[208].

Die Stelle ist schwierig. Arius sprach in seinem verlorenen Brief von der Erhöhung des Christus zum Weggenossen Gottes und Sohn durch einen Beschluß des auf seinem Thron (*καθέδρα*) sitzenden Gottes[209].

in die Schar der Engel einreihen (ep. I ad Serap. 2 u. 10. MPG 26,552b–553a; 556c–557a). Sie berufen sich dabei auf 1 Tim. 5,21, wo die Dreiheit Gott, Christus, auserwählte Engel genannt ist. – Der oben erwähnte (Anm. 187) Traktat über Mt. 11,27 (MPG 25,207–220) schreibt den „Eusebianern" eine Spekulation über das Trishagion von Jes. 6,3 zu (n. 6 col. 217c–220a): Die Cheruben singen das erste „Heilig" für den Vater mit voller Stimme, das zweite für den Sohn leiser, das dritte für den hl. Geist gedämpft.

204 Jesaja sieht den Herrn Sabaot auf einem hohen und erhabenen Thron sitzen, um den die Seraphen im Kreise stehen, Jes. 6,1 ff. LXX. – Nach Afrahat, Dem. 18,4 S. 828,6–18 Parisot = S. 293 Bert, sah Mose auf dem Sinai die Schechina des Höchsten, die auf dem Berg lagerte und die große Kraft des Thrones Gottes, vor dem Myriaden und Tausende dienten und priesen.

205 Siehe G. Scholem, Die jüdische Mystik, Frankfurt/Main 1957, S. 78. Auch auf das Throngesicht der Off. Joh. (Kap. 4) ist hinzuweisen.

206 O. Schmitz, Artikel *θρόνος* ThWNT 1 (1933) 163 f. Das Material bei Billerbeck I,974–79.

207 Billerbeck I,975. – K. Schubert, Die Religion des nachbiblischen Judentums, Freiburg-Wien 1955, S. 88 ff. – G. Scholem (s.o. A. 205) Kap. 2: Merkabamystik und jüdische Gnosis.

208 Brief Konstantins an Arius, Urk. 34 S. 72,26–73,3 Opitz.

209 Vgl.: *τοῦτο τὸ ὄρος τὸ ὑψηλόν, οὗ ἡ κορυφὴ ὁμοία θρόνου, θεοῦ καθέδρα*

Mit der Erhöhung ist wohl das vorzeitliche Sitzen des Sohnes zur Rechten Gottes gemeint, so wie die Sophia „Beisitzerin" (*πάρεδρος*) des Thrones Gottes ist (Weisheit Sal. 9,4)[210]. Das wird dadurch wahrscheinlich, daß Konstantin im Folgenden (S. 73,7) davon spricht, daß die neugeschaffene Usia des Christus von Gott als „Hilfe" (*βοήθεια*) für sich bereitet wurde – was eine Erläuterung zu *σύνοδος* und *παῖς* (S. 72,27) ist.

Die Entrüstung Konstantins ist (auch wenn man sie als berechnete Schauspielerei auffaßt) schwer begreiflich. Das Neue Testament und die Kirche sprechen vom Throne Gottes und vom Sitzen zur Rechten Gottes. Letzteres kommt sowohl im römischen Symbol als auch in Glaubensbekenntnissen des Ostens vor[211]. Es ist unwahrscheinlich, daß Konstantin dies nicht wußte, auch wenn ihm als Ungetauften die traditio symboli nicht zuteil geworden war. Der Hofbischof Euseb von Cäsarea erwähnt öfter den Thron Gottes, vor dem, wie Daniel sagt (Dan. 7,10) Zehntausend mal Zehntausend stehen[212], er nennt bei der Auslegung von Psalm 109 (110), 1 Christus den *σύνθρονος* Gottes[213] und er gedenkt dieses Thrones und des Hofstaates der Engel sogar in einer Rede vor Konstantin[214]. Wo sich Euseb genauer äußert, entrückt er freilich Gott in unsichtbare und unfaßbare Transzendenz. Deshalb ist der Herr Zebaoth, den der Prophet Jesaja auf dem Thron sitzen sah (Jes. 6,1), nicht Gott selbst, sondern der Sohn[215]. Der Höchste, Seiende ist nicht an einem Ort zu fassen[216].

Origenes dachte genau so: die Gottheit des Sohnes war nicht von einem Ort eingeschlossen[217]. In seinem Matthäuskommentar[218] führt Origenes zur Erklärung der Bitte der Zebedaidenmutter (Mt. 20, 20–23): „Laß diese meine zween Söhne sitzen in deinem Reich, einen zu deiner Rechten und den andern zu deiner Linken" eine

ἐστίν, οὗ καθίζει . . . Henochapokalypse 25,3, GCS 5 (1901) S. 56,9 Flemming-Radermacher.

210 Vgl. Äthiop. Henoch 61,8: der Herr der Geister setzte den Auserwählten auf den Thron seiner Herrlichkeit. G. Beer (bei Kautzsch zur Stelle) verweist auf Ps. 109 (110), 1.

211 S. A. Hahn, Bibliothek der Symbole, Breslau 1897, S. 130 zu Anm. 355.

212 Euseb, De eccl. theol. 3,4,7 S. 159,16 Klostermann.

213 Euseb, Dem. ev. 4,15 S. 178,17–179,19 Heikel. Vgl. das Register daselbst zu Ps. 109,1.

214 Euseb, Laus Const. 1 S. 196,19–27 Heikel.

215 Euseb, Jesajakommentar S. 35,36–36,12; 37,9 f. Ziegler; Dem. ev. 7,1,5–8 S. 298,19–299,3 Heikel.

216 Euseb, Laus Const. 12,1 S. 229.19–25 Heikel.

217 Origenes, princ. 4,4,2 (29) S. 351,19 Koetschau.

218 Origenes, Matthäuskommentar 16,4–5. Werke Bd. 10 S. 471–81 Klostermann.

Reihe von Bibelstellen an, wo vom Throne Gottes oder Christi die Rede ist[219], darunter Jesaja 6,1; Daniel 7,9; Hesekiel 1,25 f.; Psalm 109 (110), 1 und die Jesusworte Mt. 19,28; 26,64; 25,31. Der Pneumatiker dringt hier über den Wortsinn zu eigentlichen (*μυστικωτέρα*) Bedeutung vor (S. 476,23). Es handelt sich um ein geistiges Sitzen auf einem geistigen Thron (S. 477,16). Es ist lächerlich, an einen körperlichen, stofflichen Thron zu denken (S. 477,30). Das Sitzen Christi auf dem Thron seiner Herrlichkeit (Mt. 19,23) bedeutet die Wiederherstellung seiner Herrschaft nach Vernichtung aller Macht des Bösen (S. 478, 17–26).

Warum erregt sich Konstantin und wirft Arius anläßlich der Erwähnung des Gottesthrones vor, daß er Gott und *τόπος* zusammenbringt? Hatte Arius eine spekulative Bemerkung über *τόπος* einfließen lassen?

Solche Spekulationen waren in Alexandria bekannt. Philo, der übrigens nie vom Throne Gottes spricht, bezeichnet Gott als „Ort" seiner selbst: *αὐτὸς ἑαυτοῦ τόπος*[220], was bei Theophilus von Antiochien wiederkehrt[221]. Und Arius sagt ähnlich: *ὅς* (der Vater) *ἐστιν ἐφ' ἑαυτοῦ*[222]. Philo unterscheidet drei Bedeutungen von *τόπος*: den räumlichen Ort, den göttlichen Logos als „Ort" der unkörperlichen Kräfte, und *τόπος* als Gottesnamen, da Gott alles umfaßt[223]. Die dritte Bedeutung entspricht der rabbinischen Ersatzbezeichnung hammāqōm (der Ort) für Gott[224]. Die jüdischen Spekulationen, über den „Ort" gingen in die Gnosis ein. Das „Unbekannte altgnostische Werk"[225] unterscheidet den Vater des Alls als selbstentstandenen (ersten) Topos vom Demiurgen-Logos als entstandenem, zweiten Topos[226]. In der koptisch-gnostischen Schrift ohne Titel aus Kodex II von Nag Hammadi[227] erschafft sich Sabaoth (der Sohn des Archonten Jaldabaoth) vor seinem Wohnort (ma) einen Cherubenthron, Seraphen und Engel (eine Engelkirche), die ihn preisen. Er schuf auch einen Erstgeborenen „Israel" (der Mensch, der Gott sieht) und einen anderen Jesus Christus, der dem Soter in der Achtheit gleicht. Dieser sitzt zu seiner Rechten auf einem herrlichen Thron, die Jungfrau des heiligen Geistes zur Linken, welche ihn preist.

219 AaO. S. 474,4–476,15 Klostermann.
220 Philo v. Alex., Leg. alleg. 1,44.
221 Theophilus, Ad Autol. 2,10 Anfang.
222 Arius, Thalia bei Athan., De syn. 15 S. 243,17 Opitz.
223 Philo, De somn. 1,62 f.
224 Dazu s. Billerbeck II,309 f.
225 Herausgegeben von C. Schmidt u. W. Till, GCS, 1962.
226 AaO. S. 335,12.21.
227 Herausgegeben (mit Übersetzung) von A. Böhlig und P. Labib, Berlin 1962, fol. 153,1–30.

Besonders bemerkenswert ist die Toposspekulation in den Auszügen, die Klemens von Alexandrien aus Theodot gemacht hat. Der Demiurg des Alten Testaments wird „Topos“ genannt. Er ist feurig (vgl. Dan. 7,9 f.) und unter seinem Thron fließen Feuerströme hervor. Nur der „Erzengel“ hat Zutritt zu ihm. Auch Jesus wird herbeigerufen und setzt sich zur Rechten des Topos[228]. Das geschieht nach der Auferstehung[229]. Hier sind jüdische Anschauungen aufgenommen, die Stelle ist durchtränkt von jüdischer Merkabamystik[230].
Philosophisch abgewandelt findet sich Toposspekulation in den Pseudoklementinen: Wenn Gott eine Gestalt hat, dann ist er auch *ἐν τόπῳ*[231]. Wie ist das möglich? Gott ist der Seiende, der „Ort“ ist das Nichtseiende (*τὸ μὴ ὄν*), das Leere, welches ausgefüllt wird[232]. Gott, der eine Form und Gestalt hat, erstreckt als Herz des Alls seine Seinsmacht und lebenspendende Natur unbegrenzt nach oben, unten und in die Breite[233].
Freilich bietet der Konstantintext, von dem wir ausgingen, keine Handhabe, Arius mit diesen Spekulationen unmittelbar in Verbindung zu bringen. Mit „Topos“ ist der Thron Gottes gemeint und Konstantin wirft Arius vor, er grenze Gott räumlich, körperlich ein. Die Anklage, Gott werde räumliche Bewegung zugeschrieben, kann kaum das Sitzen auf dem Throne meinen, sondern ist vermutlich aus dem Begriff *σύνοδος* (Weggenosse) abgeleitet. Wenn Arius diesen gebraucht hat, muß er ihn ähnlich verstanden haben, wie Philo, De migr. Abr. 173, wo der, welcher Gott nachfolgt, als Weggenossen (*συνοδοιπόροι*) die Logoi hat, welche Engel heißen und Gottes Gefolge bilden. Der Sohn als *σύνοδος* wäre dann „der Engel“ im Gefolge Gottes[234].
Zum Verständnis der Haltung Konstantins, der sicherlich die kirchliche Rede vom Throne und Sitzen zur Rechten Gottes kannte, sei darauf hingewiesen, daß im nicänischen Glaubensbekenntnis dieses Sitzen zur Rechten Gottes fehlt. Schon Euseb von Cäsarea hatte es in dem Bekenntnis, welches er der Synode in Nicäa vorlegte, wegge-

228 Klemens v. Alex., Exc. ex Theod. 37–39 S. 118,25–119,12 Stählin.
229 Exc. ex Theod. 62,1–2 S. 128 Stählin.
230 G. Scholem, Jewish Gnosticism, Merkabah Mysticism and Talmudic Tradition, New York 1960, S. 34 f. Zum Feuerstrom unter Gottes Thron und dem Vorhang (der auch Exc. ex Theod. 38,2 vorkommt) s. G. Scholem, Die jüdische Mystik, Frankfurt (Main) 1957, S. 77.
231 Ps.klem., Hom. 17,8,1 ff. S. 233,4 ff. Rehm.
232 Ebd. S. 233,11.
233 Ebd. S. 234,1–9.
234 Das sei mit allem Vorbehalt gesagt. Es ist nicht ausgeschlossen, daß Konstantin (*οἶμαι*, Urk. 34 S. 72,27 Opitz) dem Arius das Wort *σύνοδος* einfach in den Mund legt.

lassen[235]. Das deutet auf gewisse Vorbehalte. Offenbar vermißte Konstantin ein vergeistigendes Abstandnehmen bei Arius. Dieser wehrte an sich „körperliche" Vorgänge wie Ausströmen oder Teilung der Substanz entschieden von Gott ab. Es läge deshalb nahe, anzunehmen, daß sich seine Haltung zum Thron und „Ort" Gottes nicht von der Eusebs und des Origenes unterschied. Aber so wie im Bekenntnis seines Lehrers Lukian das Sitzen zur Rechten Gottes vorkam[236], so scheint Arius das Reden der christlichen Apokalyptik und Liturgie vom Thronen Gottes[237] und von Christus als lobpreisendem Engel übernommen zu haben. Auch der thronende Gott in der himmlischen Welt der Apokalypsen ist transzendent, unaussagbar (*ἄρρητος*) wie der Gott der Thalia. Am Rande sei bemerkt, daß einer der Mitlukianisten des Arius, Leontius, der schon in den Anfängen des Streites zu Arius hielt[238], sich besonders mit der Auslegung des Propheten Hesekiel (also auch mit dessen Thronvision) befaßte[239]. Auch Asterius spricht unter Berufung auf Psalm 102 (103), 21 davon, daß den Engeln und den von Gott geschaffenen Mächten, deren erste der Christus ist, das Loben Gottes (*αἰνεῖν*, *ὕμνος*) aufgetragen ist[240].

Über das Fortleben von Traditionen, die aus der Apokalyptik und aus dem Judenchristentum kamen, bei ägyptischen Christen gibt der Streit um Nepos von Arsinoë Aufschluß[241]. Nepos legte die Verheißung der heiligen Schrift in „jüdischer Weise" aus, lehrte ein tausendjähriges Reich mit leiblichen Genüssen auf dieser Erde und bekämpfte die allegorische Auslegung dieser Verheißungen, wobei er sich auf die Offenbarung des Johannes stützte. Außerdem dachte er nicht „hoch und erhaben" über die göttliche Erscheinung unseres Herrn[242], das heißt, er vertrat eine ebionitische Christologie[243]. Dagegen wendete sich der Origenist Dionys von Alexandrien.

235 Brief Eusebs v. Cäsarea an seine Gemeinde, Urk. 22 S. 43,14 Opitz.
236 Hahn, Bibliothek S. 185 Zeile 13 f.
237 Vgl. Apost. Konstit. 7,35,3 S. 430,10 f. Funk. Nach dem Trishagion rufen die Mächte: *εὐλογημένη ἡ δόξα κυρίου ἐκ τοῦ τόπου αὐτοῦ.*
238 Epiphanius, haer. 69,5 S. 156,7 Holl.
239 Philostorgius, Kirchengeschichte 3,15 S. 46,10–12 Bidez. In der Einleitung seiner Ausgabe weist Bidez S. CXIII-CXXI auf die starken apokalyptischen Interessen des Arianers Philostorgius hin.
240 Asterius, bei Athan., De syn. 18 S. 246,18–21 Opitz = Frg. 2a Bardy, Lucien, S. 342 f.
241 Euseb, Kirchengeschichte 7,24,1 ff. S. 684 ff. Schwartz. Die Nachrichten über Nepos bei A. Harnack, Geschichte der altchristl. Literatur I,1 S. 427 f.
242 Euseb, Kirchengesch. 7,24,5 S. 688,1 f. Schwartz.
243 Vgl. Euseb, Kirchengesch. 3,27,1 S. 256,1 Schwartz: die Ebionäer denken „arm und niedrig" über Christus.

Das eschatologische Mahl spielt auch bei den Valentinianern eine Rolle. Bei der Endvollendung (συντέλεια) findet das Hochzeitsmahl aller Geretteten statt[244].
Ein später Gewährsmann, Asch-Schahrastani (1076–1153) berichtet, daß Arius solche eschatologischen Vorstellungen vergeistigt habe. Eine armenische Sekte (Baljaris (?) und seine Anhänger) lehrte: „wenn die Menschen ins Himmelreich kommen, so essen sie tausend Jahre und trinken und genießen Liebeslust; dann aber kommen sie zu dem Angenehmen, welches Arius ihnen verheißen hat, als lauter Wonne, Vergnügen, Genuß und Freude, wobei kein Essen und Trinken und keine Liebeslust stattfindet“[245]. Mit „Baljaris“ dürfte Apollinaris von Laodikea gemeint sein, dem in der Tat Träumereien über die Endzeit und das tausenjährige Reich nachgesagt werden[245a]. Daß Arius der Lehre von den letzten Dingen Aufmerksamkeit schenkte, bezeugt das Bekenntnis, welches er mit Euzoius an Konstantin schickte: „wir glauben an die Auferstehung des Fleisches und an das Leben der zukünftigen Welt und an das himmlische Reich (εἰς βασιλείαν τῶν οὐρανῶν)“[246]. Der Text des Nicänum, auf den Arius in diesem Bekenntnis Rücksicht zu nehmen hatte, bot keinen Anlaß zu dieser reicheren Ausgestaltung des eschatologischen Teils.
d) Das wichtigste Zeugnis für die arianische Engelchristologie bietet Athanasius, or. c. Ar. 1,53–57[247]. Er beschäftigt sich hier mit dem arianischen Schriftbeweis für die Geschöpflichkeit des Sohnes (Sprüche 8,22; Hebr. 1,4; 3,1; Apg. 2,36). Hebräer 1,4 („Er ist um soviel erhabener geworden als die Engel wie er einen vorzüglicheren

244 Klemens v. Alex., Exc. ex Theod. 63,1–2; 65,1 S. 128,9–14,20–23 Stählin.

245 Schahrastani, Religionsparteien und Philosophenschulen, übersetzt von Th. Harbrücker, 1. Teil, Halle 1850, S. 269 f. – Über Verpflanzung von Sekten nach Armenien berichtet Epiphanius, haer. 39,1–2 S. 80–82 Holl: ein Armenier Eutaktos habe, von Ägypten kommend, in Palästina gegen Ende der Regierung des Konstantius von einem Anachoreten die Lehre der Archontiker (welche auch die „Himmelfahrt des Jesaja“ benutzten) kennengelernt und dann nach Groß- und Kleinarmenien gebracht.

245a Über Millenarismus und Eschatologie des Apollinaris: Hieronymus, In Is. 18. MPL 24,627b c; Basilius v. Cäsarea, ep. 263. MPG 32,980c; ep. 265 col. 988a b; Gregor v. Nazianz, ep. 101. MPG 37,192a; ep. 102 col. 197c. Vgl. J.M. Magnin, PrOrChr 27 (1977) 275 A. 5.

246 Arius, Urk. 30 S. 64,10 f. Opitz. Vgl. damit das Taufbekenntnis, Apost. Konst. 7,41,8 S. 448,2 Funk: εἰς βασιλείαν τῶν οὐρανῶν καὶ εἰς ζωὴν τοῦ μέλλοντος αἰῶνος.

247 MPG 26,121–152. Die Stellen zur arianischen Engelchristologie und der Polemik des Athanasius gegen sie s. bei G. Müller, Lexicon Athanasianum, Berlin 1952, s.v. ἄγγελος II,1b und 2e. Besprochen ist das Material von M. Werner, Entstehung des christl. Dogmas S. 371 ff.

Namen als sie empfangen hat") wird von den Arianern als Vergleich (συγκριτικῶς εἴρηκε) des Sohnes mit den Engeln verstanden, wobei das Verglichene derselben Gattung angehört[248]. Damit – so Athanasius – lehrten die Arianer so wie die Gnostiker Valentin und Karpokrates, welche den Logos auf die Stufe der Engel stellen[249]. Athanasius unterschlägt dabei, daß für Arius der Sohn keine προβολή ist, wie der valentinianische Engel-Soter.
M. Werner hat sich ein unzweifelhaftes Verdienst damit erworben, daß er die bis dahin vernachlässigte Engelchristologie ins Licht gestellt hat. Ist nun seinem Urteil zuzustimmen, daß diese der Kern der arianischen Lehre und die Geschöpflichkeit des Sohnes aus der Engelchristologie abgeleitet sei[250]? Die Beweisführung Werners wirkt zunächst bestechend. Doch werden seine weittragenden Behauptungen durch die Ergebnisse Barbels auf ein bescheideneres Maß zurückgeführt[251]. Dieser hebt mit Recht den Unterschied zwischen „Engel" als Engelnatur und „Engel" als Amts- und Tätigkeitsbezeichnung (Bote) hervor. Von daher ergibt sich, daß die Betrachtung Christi als Engel bei den Apologeten, Novatian, Klemens von Alexandrien, Origenes, Methodius[252] zwar eine Unterordnung des Sohnes zum Ausdruck bringt, seine Zugehörigkeit zu Gott aber nicht in Frage stellt. Das ist schon in der Logoslehre Philos vorgebildet, wo der Logos „Engel" und „Erzengel" genannt wird[253] und gleichzeitig eine von Gott als Quelle ausgehende Kraft ist[254]. Auch bei Justin ist der „Engel" genannte Sohn eine aus Gott selbst gezeugte Kraft[255]. Die frühchristliche Deutung des Engels in den Gotteserscheinungen des Alten Testaments auf den Logos, wirkt allerdings in subordinatianischem Sinne

248 Athan., Or. c. Ar. 1,55. MPG 26,128a. Über den Unterschied zwischen dem Sohn und den Engeln verbreitet sich Athanasius in or. 3,12–14. MPG 26, 345–352.
249 Athan., Or. c. Ar. 1,56. MPG 26,129c. Athanasius stützt sich hier auf Irenäus, Adv. haer. 1,2,6 Bd. 1 S. 23 Harvey: aus dem valentinianischen Pleroma werden mit dem Soter Jesus ὁμογενεῖς ἄγγελοι ausgeströmt. Vgl. Klemens v. Alex., Exc. ex Theod. 35,1 S.118,11 f. Stählin (Jesus als Engel des Pleroma); 43,2 S. 120,11 (der Engel des Rates als Haupt des Alls nach dem Soter, mit Zitat von Phil. 2,9–11).
250 M. Werner, Entstehung des christl. Dogmas S. 379 u. 376.
251 J. Barbel, Christos Angelos, Bonn 1941 (Nachdruck 1964 mit einem Anhang).
252 Barbel S. 52 ff. (Justin); 84 ff. (Novatian); 95 ff. (Klemens); 98 ff. (Origenes); 181 ff. (Methodius).
253 Philo, De conf. ling. 146; De somn. 1,239; Quis rer. div. h. 205. Vgl. die Stellen bei Barbel S. 26 A. 120.
254 Philo, De mut. nom. 14–15. Vgl. oben Kap. 5,2.
255 Justin, Dial. 61,1 Goodspeed.

auf die Wesensbestimmung des Sohnes und ist auch nach Barbel für den Werdegang des Arianismus zu berücksichtigen, wenn es auch vielleicht nicht die wichtigste Erklärung sei[256]. Die Engelchristologie hat zur „Schaffung einer arianischen Atmosphäre" beigetragen[257].
Die großkirchlichen Vertreter der Engelchristologie sind keine Arianer vor Arius, sondern halten an der Gottheit des Sohnes fest. Werner stellt dies als Kompromiß mit der Logoslehre hin[258]. Aber auch Arius hat mit der Logoslehre einen Ausgleich gesucht, gab jedoch die wahre Gottheit des Sohnes preis. Wodurch wird er zu dieser anderen Lösung bestimmt?
Überblickt man das Material zur „Engelchristologie", so stellt sich heraus, daß die größte Nähe zu Arius in judenchristlichen Kreisen besteht[259]. Dort ist der Christus ein von Gott geschaffener Erzengel, der über die Engel und alle Geschöpfe herrscht. Jesus wird zum Sohn durch sittliche Leistung und durch Erwählung. Die Erlösung geschieht nicht „physisch" durch Inkarnation der Gottheit, sondern durch sittlichen Gehorsam (Gesetzeserfüllung). Die weltschöpferische Rolle des Christusengels, welche bei den Ebioniten fehlt, ergab sich aus der Übernahme der spätjüdischen Weisheitsspekulation. Arius brauchte hier keine Anleihe bei der Gnosis zu machen, sondern empfing den Schöpfungsmittler aus der kirchlichen Überlieferung.
Nicht Engelchristologie führt zur Geschöpflichkeit des Sohnes, sondern die Nähe zu jüdischem Denken.

9. Arius und die Magharier

Der schon erwähnte Schahrastani[260] behauptet, daß Arius von einer jüdischen Sekte, den Magharija (Schahrastani schreibt Makariba) beeinflußt worden sei[261]. Diese Sekte glaubte, daß Gott mit den Propheten

256 Barbel, Christos Angelos S. 179. Zum vornicänischen Theophanieverständnis s.B. Studer, Zur Theophanieexegese Augustins, Rom 1971, S. 53–69.
257 Barbel aaO. Anhang (1964) S. 350 (= Die Engel in der Welt von heute, herausgegeben v. Th. Bogler, Maria Laach 1957, S. 87).
258 M. Werner, Entstehung des christl. Dogmas S. 345 ff.
259 Vgl. oben Abschnitt 4 dieses Kapitels.
260 S.o. zu Anm. 245. Über die Makariba (Magharija) S. 255–57 Haarbrücker.
261 S. 257 Haarbrücker. Auf diese Notiz wiesen hin M. Black, The Pauline Doctrine of the Second Adam, Scottish Journal of Theol. 7 (1957) 170–79, auf S. 177 f. und T.E. Pollard, Johannine Christology and the Early Church, Cambridge 1970 S. 234 A. 3. Lit.: S. Poznanski, Philon dans l'ancienne littérature judéo-arabe, Rev. des Etudes Juives 49/50 (1904/5) 10–31. – L. Nemoy, Al-Quirqisani's Account of the Jewish Sects and Christianity, Hebrew Union

durch einen Engel spräche, welchen er ausgewählt, allen Geschöpfen vorgesetzt und zu seinem Statthalter für sie gemacht habe. Die anthropomorphen Beschreibungen Gottes in der Thora bezögen sich auf diesen Engel. Dieser habe auch mit Mose geredet (er ist also auch als Gesetzgeber aufgetreten). „Sie sagen, es sei gewöhnlich zulässig, einen Boten aus dem Kreise seiner (Gottes) Umgebung zu senden und ihm seinen Namen zuzuteilen und zu sagen: dies ist mein Gesandter und sein Platz unter euch ist mein Platz und sein Wort und Befehl mein Wort und Befehl und seine Erscheinung vor euch meine Erscheinung; und das sei die Lage dieses Engels gewesen. Man erzählt, daß Arius, welcher vom Messias behauptete, er sei (der Engel) Gott(es) und der Auserwählte der geschaffenen Welt[262], seine Behauptung von jenen entnommen habe, welche vierhundert Jahre vor Arius gelebt und der Enthaltsamkeit und einer sehr einfachen Lebensweise sich befleißigt hätten"[263]. Der etwa zwei Jahrhunderte vor Schahrastani schreibende al Kirkisani, der als zuverlässiger Häresiologe gilt[264], sagt in seinem Bericht, daß der Engel der Magharier die Welt geschaffen habe, stellt jedoch keine Beziehung zu Arius her. Kirkisani[265] überliefert lediglich, Konstantin der Aussätzige (hier spielt die Silvesterlegende herein) habe Arius getötet, weil dieser behauptete, daß der Messias geschaffen sei.

Die Stelle über die Magharier lautet[266]: Daūd ibn Marwān al-Muqammis[267] says in one of his books that the Sadducees ascribe corporality to God and understand all the Scriptural descriptions of Him which imply anthropomorphism in their literal sense. The Magharians are said to be opposed to this, i.e. they do not profess anthro-

College Annual 7 (1930) 317–97, auf S. 326 f. 363 f. – P. Kahle, The Age of the Scrolls, Vetus Test. 1 (1951) 38–48 auf S. 44 ff. – E. Bammel, Höhlenmenschen, ZNW 49 (1958) 77–88. – N. Golb, Who were the Magharya? The Journal of the American Oriental Society 80 (1960) 347–359. – H.A. Wolfson, The Pre-Existent Angel of the Magharians and Al-Nahawandi, The Jewish Quarterly Review 51 (1960/1) 89–106.

262 Wolfson (s.A. 261) S. 92 übersetzt: ... Arius, who states concerning the Messiah that he is God in the sense that he is the elect one of the world ...

263 Schahrastani S. 257 Haarbrücker. Schahrastani bezeichnet im Folgenden fälschlich Benjamin an-Nahawandi, der im 9. Jahrhundert lebte, als Urheber dieser Ansichten.

264 Golb S. 348 f.

265 Bei Nemoy (s.o. A. 261) S. 367.

266 Nemoy, S. 363 f.

267 Lebte im 9. Jahrhundert. Er war Jude, bekehrte sich in Nisibis zum Christentum, fiel aber später wieder dem Judentum zu. Nemoy S. 366. Zu Muqammis siehe M. Steinschneider, Die arabische Literatur der Juden, Frankfurt (Main) 1902, S. 37.

pomorphism; yet they also do not take these descriptions (of God) out of their literal meaning, but assert instead that these descriptions refer to one of the angels, namely to the one who created the world. This (opinion) is similar to the view of Benjamin al-Nahawandi which we shall explain later. An einer früheren Stelle[268] erwähnt Kirkisani daß unter den Büchern der Magharier, die in einer Höhle gefunden wurden[269], sich das Buch des „Alexandriners" befunden habe. Unter dem Alexandriner hat man Philo verstehen wollen[270]. Außerdem hatten die Magharier ein kleines Buch, genannt sēfer iaddu'a, Buch des Jaddua. Die Vokalisation iādu'a („bekanntes Buch") wird von Poznanski abgelehnt, da ein solcher Buchtitel in damaliger Zeit nicht üblich sei[271]. Golb punktiert die Form als iādō'a, „Buch des Wissens, der Gnosis"[272]. Das ist eine ansprechende Vermutung. Der Tadel, mit dem Kirkisani die übrigen Schriften der Sekte bedenkt (wertlos und Märchen ähnelnd) wird von Golb auf gnostisch-mythologische Spekulationen bezogen. So hält dieser Autor die Magharier für eine asketische, jüdisch-gnostische Sekte und möchte sie, auch wegen der Berührungen mit Philo, in Ägypten ansiedeln[273]. Auch Wolfson rückt die Gruppe in die Nähe einer synkretistischen zuerst jüdisch, dann christlich beeinflußten Gnosis und setzt sie (obwohl er den „Alexandriner" nicht für Philo hält) nach Alexandrien[274].

Eine Gewißheit darüber, ob Arius von diesen Sektenleuten abhängig war, läßt sich nicht erreichen. Abgesehen davon, daß Schahrastanis Nachricht über den Einfluß der Magharier auf Arius sehr spät ist, könnte sie auch nichts weiter sein, als eine gelehrte Spekulation seines Gewährsmannes. Doch können die Magharier als Analogie herangezogen werden. Ihr Beispiel erhärtet, daß ein christologischer Entwurf wie der des Arius, mit einem jüdischen Denken verwandt ist, welches Anregungen der philosophischen Gnosis in sich aufgenommen hat.

268 Bei Nemoy S. 326 f.
269 Daher der Name Magharija, „Höhlenleute".
270 So Poznanski (s.o. A. 261). Dagegen Wolfson, The Pre-Existent Angel S. 95 f. – Golb S. 355–57 findet neben Unterschieden auch Berührungen mit Philo in der Lehre der Magharier.
271 Poznanski S. 14 A. 1. Nemoy (S. 327 A. 26) spricht sich jedoch dafür aus und versteht es als „Buch des Bekannten", womit gemäß einer Redefigur „Buch des Unbekannten" gemeint sei.
272 Golb S. 357.
273 Golb S. 358 u. 359 A. 71. Golb möchte die Sekte nicht mit Qumran in Verbindung bringen, S. 352 ff. Er lehnt auch eine Datierung der Magharier ins Mittelalter, wie sie Bammel (s.o. A. 261) wieder versuchte, ab.
274 Wolfson, aaO. S. 98 f.

10. Zusammenfassung

Der Bericht Eusebs von Cäsarea über ein zweites göttliches Prinzip bei den Juden gibt kein Bild jüdischer Theologie, sondern jüdischer und christlicher alexandrinischer Religionsphilosophie. Jüdisches Denken widerstrebt der Annahme eines zweiten Prinzips neben Gott. Die in spätjüdischer Theologie zwischen dem jenseitigen Gott und der irdischen Welt vermittelnden Wesen (vor allem die „Weisheit" und die Engel) sind Geschöpfe Gottes, streng von Gottes Sein getrennt. Auch der Messias, dessen Präexistenz zu einer bloß ideellen herabgedrückt wird, ist kein göttliches Wesen. Die kosmologischen Spekulationen, welche mit der Gestalt der „Weisheit" verbunden waren, wurden schon Jahrhunderte vor Arius auf Christus übertragen. Doch kennt Arius spätjüdische Weisheitsliteratur und deutet deren Sophia (die für ihn Christus ist) im Geiste des jüdischen Monotheismus. Den Engeln wird im orthodoxen Rabbinat keine selbständige Beteiligung am Schöpfungswerk eingeräumt. Lediglich Spuren einer Lehre von weltschöpferischen Engeln in ketzerischen jüdischen Kreisen sind erkennbar. Deutlich tritt sie in der Gnosis hervor. Die Engelmacht (oder die Mehrzahl von Engeln), welche die Welt erschafft, wird hier jedoch nicht mit Christus gleichgesetzt.

Dagegen wird der Christus, der im irdischen Jesus Wohnung nimmt, als Engel und Geschöpf bei den Ebioniten und anderen Zweigen des Judenchristentums vorgestellt. Der irdische Jesus wird auf Grund sittlicher Leistung (Gesetzeserfüllung) zur Wohnstatt des Christus und zum Sohne Gottes erwählt.

Bei den Ebioniten des Epiphanius und in den Pseudoklementinen steht die Betrachtung Christi als Engel im Rahmen des spätjüdischen Dualismus zweier erschaffener Engelfürsten. Die Christologie der pseudoklementinischen Homilien in ihrer gegenwärtigen Gestalt zeigt einerseits Ähnlichkeiten mit dem Arianismus: strengen Monotheismus, Engelchristologie, Bestreitung der Gottheit des Sohnes; andererseits wird die Homousie des Sohnes gelehrt. Das „Arianische" der Pseudoklementinen beschränkt sich also (wenn man von den eunomianischen Einschaltungen absieht) auf judenchristliches Gut.

Im Umkreis des Judentums und im Judenchristentum werden so Elemente „arianischer" Lehre sichtbar: die Vorstellung des erschaffenen Schöpfungsmittlers in der jüdischen Sophiaspekulation; im Judenchristentum die Gedanken von Christus als geschaffenem Engel und von der Erwählung zum Sohn durch ethische Bewährung. Engeldemiurgen ohne christologische Beziehung finden sich in der Gnosis und sind vermutlich aus ketzerischem Judentum übernommen.

In der Zeit des Arius bietet Afrahat das Beispiel eines Christen, der jüdische Theologie kennt und in reinem Monotheismus keine vorzeitliche, zweite göttliche Wesenheit annimmt. Einige Berührungen mit den Pseudoklementinen lassen sich feststellen. Afrahat verwendet die philosophische Logoslehre nicht, was ihn sowohl von Tatian mit dem einzelne Ähnlichkeiten bestehen, als auch von Arius trennt. Die Christologie des Syrers ist weder arianisch noch nicänisch.

„Arianisches" neben Anschauungen, die im Judentum oder Judenchristentum wurzeln, läßt sich bei Laktanz und dem Verfasser der Schrift „Von den dreierlei Früchten des christlichen Lebens" beobachten.

Laktanz benutzt die Pseudoklementinen, aus denen er den Dualismus der beiden Engelfürsten, des Sohnes und des Diabolos, übernimmt. „Arianisch" wirkt die Ansicht, daß der Sohn wegen seiner Bewährung zum Gott erhoben wird. Die Frage stellt sich, ob Laktanz in Nikomedien, wo er gleichzeitig mit Lukian anwesend war, mit diesen Anschauungen bekannt wurde. Die „arianisierende" Lehre, daß der Sohn geschaffen sei und durch den Hauch des „Mundes" Gottes entstand (was jüdische Wurzeln hat), wird jedoch von Laktanz im Sinne Tertullians als Zeugung verstanden, wobei Gleichheit der Substanz von Vater und Sohn vorausgesetzt wird.

Die pseudocyprianische Schrift „Von den dreierlei Früchten" bildet, auch wenn sie aus arianischen Kreisen stammen sollte, ein weiteres Beispiel dafür, wie innerhalb jüdisch gefärbter Überlieferungen der Sohn als Engel und als Geschöpf verstanden wird.

Entgegen der Meinung Barbels[275] läßt sich aus den Fragmenten des Arius nachweisen, daß Arius den Christus als höchsten Engel ansah. Die Vorstellungen jüdischer Apokalyptik und Merkabamystik über die himmlische Thronwelt waren zur Zeit des Arius in christlichen Kreisen Alexandriens bekannt. Arius übernimmt die Rede christlicher Liturgie und jüdisch-christlicher Apokalyptik vom Thronen des unaussagbaren Gottes und von Christus als lobpreisendem Engel. Es läßt sich nichts Sicheres darüber sagen, ob er diese Aussagen in der Weise des Origenes und Eusebs von Cäsarea allegorisierte. Arius scheint altertümliche Vorstellungen über die himmlische Welt und die Endzeit in vergeistigter Weise vertreten zu haben.

Das von Barbel gesammelte Material beweist, daß die Geschöpflichkeit des Sohnes nicht aus der Engelchristologie an sich abzuleiten ist. Die Betrachtung des Engel-Sohnes bei Arius als Geschöpf zeigt eine

275 J. Barbel, Christos Angelos ^{2}1964, Anhang S. 349: wir wissen nicht, „ob Arius und die ersten Arianer so etwas wie eine Engelchristologie vertraten".

gewisse Nähe zu jüdischem und judenchristlichem Denken. Diese Analogie läßt sich auch der späten Nachricht entnehmen, daß Arius von der jüdischen Sekte der Magharier beeinflußt worden sei.
Die Beantwortung der Frage, auf welchem Wege jüdische oder judenchristliche Einflüsse auf Arius gewirkt haben könnten, stößt auf Schwierigkeiten. Arius bezeugt nicht nur, daß er Schüler Lukians war[276], sondern spricht von einer Mehrzahl weiser und geisterfüllter Männer, denen er nachfolgte[277]. Vielleicht gehörte sein „Vater" Ammonius zu ihnen[278]. Man könnte vermuten, daß die Vermittlung jüdischer oder judenchristlicher Theologie an Arius über diesen Kreis erfolgte. Aber da die anderen Schüler Lukians im Wesentlichen ebenso dachten, wie Arius, müßte dieser judaisierende Einfluß bis auf Lukian zurückgeschoben werden. Es muß deshalb das Verhältnis des Arius zur lukianistischen Tradition ins Auge gefaßt werden. Diese Untersuchung wird zu dem Problem „Arius und Origenes" zurückführen.

276 Arius, Urk. 1 S. 3,7 Opitz.
277 Arius, Anfang der Thalia. MPG 26,20c–21a = Bardy, Lucien S. 252.
278 Ammonius: Urk. 1 S. 1,4 Opitz. Da Arius zu Beginn des arianischen Streites bereits in vorgerücktem Alter stand (Epiphanius, haer. 69,3,1 S. 154,12 Holl: γέρων), wird es sich nicht um seinen leiblichen, sondern um einen geistlichen Vater handeln. Athanasius, Ep. encycl. 7, MPG 25,237c berichtet, daß ein von Bischof Alexander exkommunizierter Ammon (Ammonius) Sekretär des zum Bischof von Alexandrien eingesetzten Arianers Gregor (339–346) gewesen sei. E. Schwartz, Ges. Schr. 3, 120 hält ihn für den von Arius erwähnten „Vater" Ammonius, was voraussetzt, daß diesem ein hohes, rüstiges Alter beschieden war.

9. KAPITEL

Abschließende Bestimmung des Verhältnisses von Arianismus und Origenismus

1. Arius und Lukian von Antiochien[1]

a) Da Lukians Lehre aus Äußerungen seiner Schüler erschlossen werden muß, stelle ich die Hauptgedanken aus den Bruchstücken des Schrifttums von Euseb von Nikomedien und Asterius im Vergleich mit Arius synoptisch zusammen. Es ist dabei zu beachten, daß die Fragmente des Asterius aus verschiedenen Schriften stammen, die sich über einen längeren Zeitraum erstrecken, in dem die Anschauungen des Asterius Wandlungen erfuhren[2]. Einige Parallelen aus der zweiten antiochenischen Formel von 341 (Bekenntnis Lukians) sind beigefügt[3]. Die Reihenfolge der Bruchstücke ist notgedrungen willkürlich. Ich folge zunächst dem Gedankengang des Briefes des nikomedischen Euseb an Paulin von Tyrus, wo ein kurzer Lehrabriß gegeben wird[3a] und stelle dann die übrigen Äußerungen in der Abfolge der göttlichen Hypostasen zusammen.

b) Vor der Auswertung der Tabelle II ist zu erwägen, inwieweit die Lukianisten sich gegenseitig beeinflußt haben. So nimmt Euseb von Nikomedien in seinem Schreiben an Arius (Urk. 2) ganz deutlich Wendungen aus dessen Brief an ihn (Urk. 1) auf[4]. Arius seinerseits

1 G. Bardy, Recherches sur s. Lucien d'Antioche et son école, Paris 1936.

2 Vgl. Philostorgius, Kirchengeschichte 2,15. S. 25,25–27 Bidez. Das von Bardy, Lucien S. 353 als Nr. 36 gebuchte Fragment gehört nicht Asterius, sondern Markell von Ankyra. Denn die Bezeichnung Christi als ἡμέρα geht auf ein apokryphes Jesuswort („Ich bin der Tag") zurück, das von Markell zitiert wird (Frg. 30 Klostermann S. 189,26 = Euseb, C. Marcell. 1,2 S. 12,25 Klostermann).

3 Hierzu siehe F. Loofs, Das Bekenntnis Lukians des Märtyrers, SB der Preuß. Akademie d. Wiss., Berlin 1915 S. 576–603; G. Bardy, Lucien S. 85–132.

3a Die von P. Nautin (Note critique sur la lettre d'Eusèbe de Nicomédie à Paulin, VigChr 17 (1963) 24–27) vorgeschlagene Textverbesserung betrifft nicht den dogmatischen Teil des Briefes.

4 S. Tabelle II Nr. 5.

Tabelle II

Euseb v. Nikomedien	Arius	Asterius	Bekenntnis Lukians (2. Formel v. Antiochia 341)
Brief an Paulin v. Tyrus (Opitz Urk. 8 S. 15–17).	*Brief an Euseb v. Nik.* (Opitz Urk. 1 S. 1–3) in durchgehenden Zeilen. *Fragmente aus anderen Schriften eingerückt.*	*Fragmente* bei G. Bardy, Lucien S. 341–357. Sy. = Syntagmation des Asterius.	nach Hahn, Bibliothek § 154 S. 184–7. Ausgewählte Parallelen zu Asterius nach F. Loofs, Das Bekenntnis Lukians S. 597–9 (wiederholt bei Bardy, Lucien S. 125–7).
1) *Gott.*			
Es gibt nicht zwei ἀγέννητα	Gott ist anfangslos vor dem Sohn. Der Sohn ist nicht ἀγέννητος Es gibt nicht zwei ἀγεννήτους ἀρχάς (Urk. 6 S. 13,12)	Asterius sagt: ἓν εἶναι τὸ ἀγένητον (MPG 26,77a). Sy. Die Dynamis u. Weisheit Gottes ist anfangslos u. ἀγέννητος (Frg. 1 u. 2a). Sy.	
noch ein ἀγέννητον, das in zwei geteilt wird	noch ein Teil des ἀγέννητος (S. 2, 10 f.).		
	Gott ist ἀγέννητος, anfangslos, ewig. (Thalia, Athan. De syn. 15 S. 242,11–13 Opitz)	Definition von ἀγέννητος: τὸ μὴ ποιηθὲν, ἀλλ' ἀεὶ ὄν (Frg. 7). Sy.	
noch ein ἀγέννητον, das körperliche Affekte erleidet (S. 16,1–2).	Gott erleidet nichts Körperliches (Urk. 6 S. 13,20; Urk. 34 S. 73,6–8.19).	Gott ist bei der Zeugung (des Sohnes) nicht dem körperlichen πάθος unterworfen wie bei einer προβολή (Frg. 34)	
2) *Ursprung und Natur des Sohnes.*			
Das eine durch das Ungewordene wahrhaft (ἀληθῶς) Gewordene hat keinen Anteil an der Natur des Ungewordenen und ist nicht aus seiner Usia (Z. 3 f.) (Das heisst in der Auslegung des	Der Sohn ist keine προβολή (S. 2,8). Er ist nicht ἐξ ὑποκειμένου τινός (S. 3,1). Der Sohn hat keinen Anteil an der Usia des Vaters (Thalia, siehe Tabelle 1 Nr. V).	(Keine προβολή, siehe Frg. 34)	

Forts. Tab. II

Euseb v. Nikomedien	Arius	Asterius	Bekenntnis Lukians
Asterius, Frg. 18: es ist keine *προβολή*).	Er ist nicht *ἐκ τοῦ θεοῦ* (im Sinne substantieller Abspaltung) Urk. 13 S. 19,3; Urk. 6 S. 13,17 f., 12,11; vgl. Urk. 34 S. 73,9).		
Es ist *ἕτερον τῇ φύσει καὶ τῇ δυνάμει* (Z. 4)	Der Sohn ist fremd (*ξένος*) der Usia des Vaters (Thalia, Tab. 1 Nr. V u. IX)		
besitzt aber *τελείαν ὁμοιότητα διαθέσεώς τε καὶ δυνάμεως* mit seinem Schöpfer (Z.5)	Der Logos ist *ἀνόμοιος κατὰ πάντα τῆς τοῦ πατρὸς οὐσίας* (Thalia, Tab. 1 Nr. V u. II). Zu den *ἐπίνοιαι* des Sohnes gehört *εἰκών* (Gottes). (Thalia, Athan. De syn. 15 S. 243,6–8 Opitz).	Asterius vertritt *τὸ κατ' οὐσίαν ὅμοιον* (Philostorgius, Kirchengesch. 4,4 S. 60,15 Bidez). Ein anderer ist der Vater, der aus sich selbst zeugte den eingeborenen Logos u. Erstgeborenen der ganzen Schöpfung (Kol. 1,15), *μόνος μόνον, τέλειος τέλειον, βασιλεὺς βασιλέα, κύριος κύριον, θεὸς θεόν, οὐσίας τε καὶ βουλῆς καὶ δυνάμεως καὶ δόξης ἀπαράλλακτον εἰκόνα*. Frg. 21 (vgl. bei Euseb, C. Markell. den Nachtrag zu S. 205,30 Klostermann-Hansen).	(Wir glauben an den Sohn) *θεὸν ἐκ θεοῦ, ὅλον ἐξ ὅλου, μόνον ἐκ μόνου, τέλειον ἐκ τελείου, βασιλέα ἐκ βασιλέως, κύριον ἀπὸ κυρίου, λόγον ζῶντα, σοφίαν ζῶσαν ... τῆς θεότητος οὐσίας τε καὶ βουλῆς καὶ δυνάμεως καὶ δόξης ἀπαράλλακτον εἰκόνα, τὸν πρωτότοκον πάσης κτίσεως* (Kol. 1,15) (Hahn S. 184,5–185,5).
Seine Natur ist unwandelbar (*ἀναλλοίωτος*) (Z. 9)	Der Sohn ist *ἀναλλοίωτος* (S. 3,3) (Wir wissen den Sohn) *ἄτρεπτον καὶ ἀναλλοίωτον* (Urk. 6 S. 12,9). Der Sohn ist wandelbar seiner Natur nach, bleibt aber durch seinen Willen gut. (Thalia, s. Tab. I Nr. IV).		*ἄτρεπτόν τε καὶ ἀναλλοίωτον* (Hahn S. 185,3).

Forts. Tab. II

Euseb v. Nikomedien	Arius	Asterius	Bekenntnis Lukians
Sein Ursprung ist unaussagbar und unbegreiflich für Menschen und höhere Wesen als Menschen (Z. 6). Gott ist sein Schöpfer. (Z. 10–11).	Er ist aus Nichts geschaffen (da weder aus Gott noch aus einem Substrat) (S. 3,3–5)	Der Sohn ist geschaffen (Frg. 2a; 5; 6; 8). Sy.	
3) *Begründung der Lehre.*			
Euseb v. Nik. hat diese Lehre aus der hl. Schrift (S. 16,8)	Arius lernte von Weisen (Thalia, MPG 26,20c). Sein Glaube stammt von den Vorvätern (Urk. 6 S. 12,3) u. aus dem hl. Evangelium (Urk. 30 S. 64,12). Er ist von Gott gelehrt (Thalia, MPG 26,21a).	Asterius hat seinen Glauben aus der Schrift (Frg. 20b). Er beruft sich auf die Schriften der weisesten Väter (Frg. 18).	ἀκολούθως τῇ εὐαγγελικῇ καὶ ἀποστολικῇ παραδόσει (Hahn S. 184,7).
Aus ihr lernte er, dass der Herr geschaffen (*κτιστός*) u. gegründet u. gezeugt ist. Das sagt der Herr selbst von sich (Spr. 8,22 f.) (S. 16,9–12)	Der Sohn war nicht, bevor er geschaffen oder bestimmt oder gegründet wurde (Spr. 8,22–5) (S. 3,3). Arius hat Vorbehalte gegen Herkunft des Sohnes aus einer „Aussprudelung“ (ἐρυγή) Gottes (Ps. 44,2) (S. 2,7)	Asterius kennt geschaffene Sophiai, zu denen Christus gehört (also Spr. 8,22) (Frg. 1; 2a; 10c). Sy.	
„Gezeugt“ (Spr. 8,25) bedeutet nicht Ursprung aus der väterlichen Usia und nicht *ταυτότητα τῆς φύσεως* (S. 16,15–17)	und gegen seine Zeugung *ἐκ γαστρός* (Ps. 109,3) (Urk. 6 S. 13,17).	Asterius benutzt Ps. 109 (110), 3 *ἐκ γαστρὸς πρὸ ἑωσφόρου ἐγέννησα σε* (statt *ἐξεγέννησα* – mit cod. A: Lesart Lukians) (Frg. 34. Vgl. Eusebius, C. Marcell. S. 189,18 Klostermann u. Nachtrag S. 260). (auch Origenes verwendet ohne Bedenken Ps. 109,3: Matthäuserklärung,	

Forts. Tab. II

Euseb v. Nikomedien	Arius	Asterius	Bekenntnis Lukians
		Werke Bd. 11. S. 11,14–18 Klostermann).	
Die Schrift gebraucht „von Gott gezeugt" nicht nur vom Herrn, sondern auch von Geschöpfen, die Gott von Natur völlig unähnlich sind, wie Menschen (Jes. 1,2) und Tautropfen (Hiob 38,28)	Arius habe solches von Asterius übernommen. (Athan. De decr. 20 S. 17,4 Opitz – mit Textänderung. Vgl. Bardy, Lucien S. 264 f. = Frg. 8 des Arius. Zuschreibung unsicher).	Die Schrift gebraucht „Gott ähnlich", „Eikon" und „Dynamis" Gottes, „ewig sein" und „in Gott sein" auch von Menschen und Geschöpfen (Raupe, Heuschrecke, Volk als Dynameis) (Frg. 16). Sy.	
„Gezeugt" bedeutet: Entstehung durch den Willen Gottes (und nicht: φύσιν ἐκ φύσεως) (S. 16,17–17,5).	Der Sohn ist durch den Willen u. Ratschluss Gottes ins Dasein getreten (ὑπέστη) (S. 3,1) Ebenso Thalia (Athanasius, De syn. 15 S. 243,3.5. 11.19. Opitz) u. Urk. 6 S. 12,9).	Der Sohn ist durch den Willen Gottes geschaffen (Frg. 6; 15 [Sy]; Frg. 18: Zustimmung zum Briefe Eusebs v. Nikomedien).	
4) *Der Logos und die vernünftigen Wesen*			
Die Geschöpfe sind zum Teil (d.h. die Menschen) dazu bestimmt, Gott ähnlich zu werden, indem sie dem Logos ähnlich werden (S. 17,3).	Arius u. seine Anhänger behaupten, wir könnten Söhne Gottes werden wie Christus. (Urk. 14 S. 21,15).		
	πολλοὺς λαλεῖ λόγους ὁ θεός (Thalia und in den Liedern des Arius. Athan., De decr. 16 S. 13,29 f. Opitz)	Die παῖδες θεοῦ (vgl. Arius am Anfang der Thalia: παῖδες ἅγιοι) sind keine Logoi u. Sophiai. (Frg. 12). Sy.	
	Der Sohn heisst Logos διὰ τὰ λογικά u. Sophia διὰ τὰ σοφιζόμενα	Es gibt einen Logos u. viele λογικά und eine Usia u. Natur der	

Forts. Tab. II

Euseb v. Nikomedien	Arius	Asterius	Bekenntnis Lukians
	(Thalia, MPG 25, 565a; 26,228a)	Sophia und viele *σοφὰ καὶ καλά*. (Frg. 11) Sy. – Das Frg. 10 (*διὰ τὰ λογικὰ λόγος, καὶ διὰ τὰ σοφιζόμενα σοφία*) ist nicht sicher von Asterius.	
	Die Erwählten Gottes (die *συνετοί*, die Anteil an der Weisheit haben) sind *παῖδες ἅγιοι* (Thalia, MPG 26,20c). s. oben: *σοφία διὰ τὰ σοφιζόμενα*	Der Sohn, die erste der geistigen geschaffenen Naturen, ist die Sonne des *νοητὸς κόσμος*. (Frg. 3) Sy. (Vgl. Origenes, In Joh. 1,160–1 S. 30, 29–31,5 Preuschen: Der Sohn ist die Sonne des *νοητὸς κόσμος*, d.h. der vernünftigen Seelen in der sichtbaren Welt u. erleuchtet sie).	
5) *Der Sohn hat einen Anfang und ist Schöpfungsmittler*			
Alles ist durch den Logos von Gott geschaffen (S. 17,7)	Der Sohn ist Werkzeug Gottes bei der Erschaffung des Menschen u. gemacht, damit er den Menschen schüfe. (Thalia, s. Tab. I Nr. VIII). Gott hat durch ihn die Äonen u. das All erschaffen (Urk. 6 S. 12,7 f.)	Der Sohn ist Schöpfungsmittler u. geschaffen, damit er das All erschaffe. (Frg. 8). Sy.	
	Nur der Sohn ist vom Vater selbst geschaffen (Urk. 6 S. 13,10). Arius habe dies von Asterius übernommen (Athan. De decr. 8 S. 5.7, 18–21).	Weil die Geschöpfe die Hand Gottes nicht ertragen könnten, wurde allein der Sohn von Gott geschaffen, das Übrige durch den Sohn. (Frg. 8 und Athan. De decr. 8	

Forts. Tab. II

Euseb v. Nikomedien	Arius	Asterius	Bekenntnis Lukians
		S. 7,18–21 Opitz). Sy.	
... τὸ πεποιημένον οὐκ ἦν, πρὶν γενέσθαι. τὸ γενόμενον δὲ ἀρχὴν ἔχει τοῦ εἶναι (Brief an Arius, Urk. 2 S. 3 unten).	πρὶν γεννηθῇ ... οὐκ ἦν ... ἀρχὴν ἔχει ὁ υἱός (S. 3,3 f.).	Als Gott die Welt erschaffen will, macht er zuerst den Schöpfungsmittler. (Frg. 8) Sy.	
	Der Sohn ist πρὸ χρόνων καὶ αἰώνων geschaffen (Urk. 6 S. 13,4).		
	(Wir glauben) τὸν ἐξ αὐτοῦ πρὸ πάντων τῶν αἰώνων γεγεννημένον (Urk. 30 S. 64,6 f.).	Das geschieht πρὸ τῶν αἰώνων (Frg. 23)	τὸν γεννηθέντα πρὸ τῶν αἰώνων ἐκ τοῦ πατρός (Hahn, S. 184,5)
	Gott war nicht immer Vater (s. Tab. I Nr. I). Erst als der Sohn geschaffen wurde, wurde Gott sein Vater genannt (Athan. De decr. 6 S. 5,25 Opitz).	Asterius lehrt die ideelle Präexistenz des vorzeitlichen Sohnes. Gott hatte vor der Zeugung des Sohnes das Wissen um die Zeugung (Frg. 4). Sy. – Vgl. Theognis v. Nikäa (Philostorgius, Kirchengesch. 2, 15 S. 25,23 Bidez): Gott ist Vater, ehe er den Sohn zeugt, da er die Dynamis des Zeugens hat. – Origenes (bei Markell, Frg. 39 S. 191,20 Klostermann): Gott hat immer die Dynamis, Vater zu sein (und verwirklicht dies in der ewigen Zeugung). Ebenso wie Theognis: Euseb v. Cäsarea im Brief über das Nikänum (Urk. 22 S. 46, 18–20 Opitz).	

Forts. Tab. II

Euseb v. Nikomedien	Arius	Asterius	Bekenntnis Lukians
6) *Die Lehre von den zwei Logoi.*			
Vollkommene Ähnlichkeit der Dynamis der 2. Hypostase mit ihrem Schöpfer (d.h. mit der Dynamis des Schöpfers) (Urk. 8 S. 16,5)	Arius lehrt zwei Logoi und Sophiai (s. Tab. I Nr. III)	Lehre von der Dynamis u. Sophia Gottes und der Dynamis u. Sophia Christi (Frg. 1). Sy.	
	Gott nennt sein Geschöpf Logos u. Sophia (Thalia, MPG 26,21b. Siehe Tab. I Nr. III).	Gott nennt sein Geschöpf Sohn und Logos (Frg. 8) Sy.	
	Der Sohn empfängt Sein, Doxa, Leben und alles vom Vater (Urk. 6 S. 13,15)	Der Sohn ist im Vater, weil sein Wort das des Vaters ist u. der Vater ihm die Dynamis zu seinen Werken gibt (Frg. 13) Sy.	
	Gott ist Lehrer der Weisheit (Thalia, Athan. De syn. 15 S. 242,18 Opitz).	Der Sohn lernt von Gott das Erschaffen (Frg. 9). Er lernt seine Lehren vom Vater (Frg. 14). Sy.	
	7) *Christologie „von unten“*		
	Gott gibt dem Sohn vorwegnehmend Doxa (Thalia, MPG 26,21c. s. Tabelle I Nr. IV)	Der Sohn erhält vorweltliche Doxa (Frg. 33).	
	Er tut dies auf Grund der Werke des Menschen Jesus (Thalia, MPG 26,21c).	Asterius denkt vom Leben des Sohnes im Fleische her. Deshalb schreibt er dem Sohn eine gesonderte Hypostase neben Gott zu, als „Menschensohn“ (Frg. 30 in Markells Deutung; Frg. 27).	

Forts. Tab. II

Euseb v. Nikomedien	Arius	Asterius	Bekenntnis Lukians
		Er bestreitet, dass der Präexistente wirklich „Logos" sei u. nennt ihn Sohn. Dadurch erweckt er bei den Hörern den Eindruck einer menschlichen Erscheinung (Frg. 25).	
vgl. Brief an Paulin: τελεία ὁμοιότης διαθέσεως (Urk. 8 S. 16,5).	Der Sohn bleibt durch seinen Willen gut (Thalia, s. Tabelle I Nr. IV)	Joh. 10,30 (Ich und der Vater sind eins) bezieht sich auf die Übereinstimmung (συμφωνία) beider in Worten u. Taten (Frg. 32)–Frg. 19 (Willenseinheit) ist nicht sicher von Asterius. (Vgl. Origenes, C. Cels, 8,12 S. 229,31–230,2 Koetschau).	
	8) *Das Gotteslob in der himmlichen Welt.*		
	Der Sohn lobt (ὑμνεῖ) Gott (Thalia, Athan. De syn. 15 S. 243,13 Opitz)	David fordert in mehreren Psalmen nicht nur die Engel, sondern auch die Dynameis, zu denen der Sohn gehört, zum Lob Gottes und Hymnus auf. Er nennt sie Diener Gottes (λειτουργούς) (Frg. 2a).	
9) *Die Menschwerdung des Sohnes*			
siehe Spalte 4 (die 2. antiochenische Formel wurde von Euseb v. Nik. gebilligt)	(Wir glauben) τὸν κατελθόντα καὶ σάρκα ἀναλαβόντα καὶ παθόντα (Urk. 30 S. 64,8)	Der Logos kam am Ende der Tage herab u. wurde aus einer Jungfrau geboren (Frg. 26).	(Der Logos) der am Ende der Tage von oben herabkam u. aus einer Jungfrau geboren wurde nach der Schrift (Hahn S. 185,7)

Forts. Tab. II

Euseb v. Nikomedien	Arius	Asterius	Bekenntnis Lukians
	Der Sohn kam in die Herberge des Leibes zur Ausführung (*οἰκονομία*) seines göttlichen Wirkens (Urk. 34 S. 70,33). Christus litt um unseretwillen (ebd. S. 73,17)		*τὸν παθόντα ὑπὲρ ἡμῶν* (S. 185,12).
10) *Drei Hypostasen*			
siehe Spalte 4	Bekenntnis zu drei Hypostasen (Thalia, Athan. De syn. 15 S. 242,24 Opitz; Urk. 6 S. 13,7).		
... *τὸ ὑπ' αὐτοῦ* (Gott) *ἀ λ η θ ῶ ς* ... *γεγονός* (Urk. 8 S. 16,3)	Diesen Glauben (an Vater, Sohn u. hl. Geist) haben wir aus den Evangelien empfangen, wie der Herr *Mt. 28,19* sagt ... *ἀποδεχόμεθα ἀ λ η θ ῶ ς πατέρα καὶ υἱὸν καὶ πνεῦμα ἅγιον*. (Urk. 30 S. 64,12–15)	Man muss glauben, dass der Vater wirklich (*ἀ λ η θ ῶ ς*) Vater ist u. der Sohn wirklich Sohn u. der hl. Geist ebenso. (Frg. 20).	Der Glaube an den hl. Geist wird mit *Mt. 28,19* belegt. „Dabei ist ganz offenbar der Vater wirklich (*ἀ λ η θ ῶ ς*) Vater, der Sohn wirklich Sohn, der hl. Geist wirklich heiliger Geist. (Hahn S. 185,15 ff.).
		συμφωνία in Worten u. Werken zwischen Vater u. Sohn (Frg. 32)	*τῇ μὲν ὑποστάσει τρία, τῇ δὲ συμφωνίᾳ ἕν* (S. 186,2 f.).
		(Vgl. die drei Usiai, zu denen sich Narziss v. Neronias bekennt. Markell, Frg. 81 S. 202,33 ff. Klostermann).	
	11) *Der heilige Geist*		
	τὸ πνεῦμα τῆς ἀϊδιότητος ἐν τῷ ὑπερέχοντι λόγῳ γεγενῆσθαι (Urk. 34 S. 71,1).	Der hl. Geist geht vom Vater aus (Frg. 31)	

versucht gegenüber Euseb, Lehren, die besonderen Anstoß erregt hatten, zu entschärfen. Er nennt den Sohn *ἀναλλοίωτος*[5], wobei er sich die Doppelbedeutung „unwandelbar“ und „ungewandelt“ zunutze macht. Er erläutert die Erschaffung des Sohnes aus Nichts, indem er sie als die allein verbleibende Möglichkeit hinstellt, wenn man bestreitet, daß er ein Teil der Substanz Gottes sei oder aus einem Substrat gebildet[6].
Andererseits bemerkt Athanasius mehrfach, daß Arius Gedanken von Asterius entlehnt habe und auch, daß Asterius von anderen lernte[7].
Hält man sich an diese Angaben, so hat Arius zweierlei aus Asterius entnommen: die spekulative Begründung der Erschaffung des Schöpfungsmittlers mit der Erhabenheit Gottes (die Schöpfung kann die unmittelbare Tätigkeit der Hand Gottes nicht ertragen)[8], und die exegetische Begründung für den abgeschwächten Sinn christologischer Hoheitstitel[9]. Diese Behauptungen des Athanasius, der sich zudem auf Gerüchte (*ὥσπερ εἴρηται*)[10] zurückzieht, müssen zurückhaltend aufgenommen werden. Die abschwächende Exegese von *δύναμις θεοῦ* (nicht nur der Sohn ist eine „Kraft“ Gottes, sondern auch Heuschrecke und Raupe (Joel 2,25)) unterbricht die Auszüge aus der Thalia bei Athanasius, or. c. Ar. 1,5[11], und wird mit den Worten eingeführt: „in anderen Schriften von ihnen“. Sie hat also nicht in der Thalia gestanden[12]. Und die spekulative Begründung, welche Arius nach De decr. 8[13] von Asterius, „der geopfert hat“ übernommen haben soll, wird in or. c. Ar. 2,24[14], den Schriften von Euseb v. Nikomedien, Arius und Asterius („der geopfert hat“) zugeteilt. Der Verdacht regt sich, daß es Athanasius garnicht um fest umrissene Einzelheiten geht, sondern lediglich darum, daß die Genannten ein „Geschöpf“ für den Sohn und Schöpfungsmittler halten. Es ist mißlich, daraus quellen-

5 Arius, Urk. 1 S. 3,3 Opitz.
6 Ebd. S. 3,5 f.
7 *τοιαῦτα γὰρ καὶ Ἀστέριος ... παρ' αὐτῶν μαθὼν ἔγραψε καὶ ⟨παρ' αὐτοῦ⟩ δὲ Ἄρειος μαθών, ὥσπερ εἴρηται.* Athan., De decr. 20 S. 17,3–5. Opitz hat *πρὸ αὐτοῦ* in *παρ' αὐτοῦ* geändert. Vgl. De decr. 8 S. 7,20 f. Opitz: dies schrieb Asterius, der geopfert hat, und Arius schrieb es in seiner Weise nach (*μεταγράψας*) und vermachte es seinen Anhängern.
8 S. Tabelle II Nr. 5 Absatz 2.
9 S. Tabelle II Nr. 3 vorletzter Absatz.
10 S. Anm. 7.
11 MPG 26,21b.
12 Man kann dies nicht mit Bardy, Lucien S. 265 (zu Frg. 8 des Arius) beiseite schieben.
13 S. 7,18–21 Opitz.
14 MPG 26,200a.

kritische Schlüsse zu ziehen[15]. Athanasius kam es in erster Linie darauf an, den Arius in die Gefolgschaft eines Mannes zu versetzen, der in der Verfolgung gefallen war.

Das Zeugnis des Athanasius für eine Benutzung von Asterius' Syntagmation[16] in der Thalia verdient kein Vertrauen, zumal wenn die Abfassung der Thalia früh angesetzt werden muß[17]. Es bestehen aber, wie Tabelle II zeigt, zahlreiche sachliche Übereinstimmungen zwischen beiden Schriften. Das „Syntagmation" dürfte in Verbindung mit dem Brieffeldzug Eusebs von Nikomedien zu Gunsten des Arius entstanden sein. Die sachlichen Übereinstimmungen mit Arius werden zum Teil auf dessen Einfluß, zum Teil auf Lukian beruhen[18].

c) Die Tabelle II enthüllt zunächst, wenn man Nr. 10, Spalte 2 und 4 vergleicht, daß Arius das Bekenntnis Lukians, welches die Grundlage der zweiten Glaubensformel der antiochenischen Kirchweihsynode von 341 bildete, gekannt hat. Zur Verdeutlichung stelle ich das Nicänum, das Bekenntnis des Arius und Euzoius, die entscheidenden Wendungen der zweiten antiochenischen Formel und das Bekenntnis Eusebs von Cäsarea (in dem Briefe an seine Gemeinde über das nicänische Symbol) nebeneinander[19]. Ich gebe den Text des Nicänums nach Hahn § 142. Die Abweichungen der kritischen Ausgabe von Dossetti sind für unsere Untersuchung unerheblich.

Man hält das Nicänum für den Ausgangspunkt des Bekenntnisses von Arius und Euzoius[20]. Das ist in einem gewissen Maße richtig; Arius nimmt dort, wo für ihn kein Streit ist, Wendungen des Nicänums auf – so vor allem bei der Beschreibung der Schöpfungstätigkeit und heilsgeschichtlichen Rolle des Sohnes im 2. Artikel. Ebenso ist die Fortlassung des Sitzens zur Rechten Gottes eine Anlehnung an das Nicänum. Aber stärker als die Berührung mit diesem ist die Übereinstimmung mit der zweiten antiochenischen Formel. Schon einige Parallelen mit dem Nicänum finden sich ebenso im antiochenischen Bekenntnis, so der erste Artikel (wobei Arius, ebenso wie in seinem

15 Z.B. läßt sich das, was Asterius „allein" geschrieben haben soll (daß der Sohn ein Geschöpf des Willens Gottes ist) (Athan., De syn. 19 S. 246,30–32 Opitz) bei mehreren Autoren belegen. S. Tab. II Nr. 3 letzter Absatz.

16 So nennt Athanasius, De syn. 18 S. 245,23 Opitz, die Schrift des Asterius.

17 S.o. Kap. 2,2.

18 Daß Arius dann später auch Gedanken des Syntagmation aufnahm, ist möglich, aber das geschah nicht in der Thalia.

19 Hierzu H.v. Campenhausen, Das Bekenntnis Eusebs von Cäsarea (Nicaea 325), ZNW 67 (1976) 123–39. – J.N.D. Kelly, Early Christian Creeds [3]London 1972. – G.L. Dossetti, Il simbolo di Nicea e di Costantinopoli. Rom 1967.

20 S. Bardy, Lucien S. 276.

Tabelle III

Nikänum (Hahn, § 142 S. 160–1)	Bekenntnis des Arius und Euzoius (Opitz, Urk. 30 S. 64; auch bei Hahn § 187 S. 256 f.)	Zweite antioch. Formel (Bekenntnis Lukians) (Hahn § 154 S. 184–6).	Bekenntnis Eusebs v. Cäsarea (Opitz Urk. 22 S. 43,9–19. Hahn § 188 S. 257).
πιστεύομεν εἰς ἕνα θεὸν πατέρα παντοκράτορα	πιστεύομεν εἰς ἕνα θεὸν πατέρα παντοκράτορα	πιστεύομεν ἀκολούθως τῇ εὐαγγελικῇ παραδόσει εἰς ἕνα θεὸν πατέρα παντοκράτορα	πιστεύομεν εἰς ἕνα θεὸν πατέρα παντοκράτορα
πάντων ὁρατῶν τε καὶ ἀοράτων ποιητήν		τὸν τῶν ὅλων δημιουργόν τε καὶ ποιητὴν καὶ προνοήτην	τὸν τῶν ἁπάντων ὁρατῶν τε καὶ ἀοράτων ποιητήν
καὶ εἰς ἕνα κύριον Ἰησοῦν χριστὸν τὸν υἱὸν τοῦ θεοῦ γεννηθέντα ἐκ τοῦ πατρὸς μονογενῆ	καὶ εἰς κύριον Ἰησοῦν χριστὸν τὸν υἱὸν αὐτοῦ τὸν μονογενῆ, τὸν ἐξ αὐτοῦ πρὸ πάντων τῶν αἰώνων γεγεννημένον θεὸν λόγον	καὶ εἰς ἕνα κύριον Ἰησοῦν χριστὸν τὸν υἱὸν αὐτοῦ τὸν μονογενῆ θεόν, δι' οὗ τὰ πάντα, τὸν γεννηθέντα πρὸ (πάντων Sokrates) τῶν αἰώνων ἐκ τοῦ πατρός	καὶ εἰς ἕνα κύριον Ἰησοῦν χριστὸν τὸν τοῦ θεοῦ λόγον
τουτέστι ἐκ τῆς οὐσίας τοῦ πατρός, θεὸν ἐκ θεοῦ, φῶς ἐκ φωτός, θεὸν ἀληθινὸν ἐκ θεοῦ ἀληθινοῦ, γεννηθέντα, οὐ ποιηθέντα, ὁμοούσιον τῷ πατρί		θεὸν ἐκ θεοῦ, ὅλον ἐξ ὅλου κτλ. (siehe Tab. II Nr. 2 Sp. 4). ... τὸν πρωτότοκον πάσης κτίσεως ... θεὸν λόγον (folgt Joh. 1,1.3).	θεὸν ἐκ θεοῦ, φῶς ἐκ φωτός, ζωὴν ἐκ ζωῆς, υἱὸν μονογενῆ, πρωτότοκον πάσης κτίσεως, πρὸ πάντων τῶν αἰώνων ἐκ τοῦ πατρὸς γεγεννημένον
δι' οὗ τὰ πάντα ἐγένετο, τά τε ἐν τῷ οὐρανῷ καὶ τὰ ἐν τῇ γῇ	δι' οὗ τὰ πάντα ἐγένετο τά τε ἐν τοῖς οὐρανοῖς καὶ τὰ ἐπὶ τῆς γῆς	δι' οὗ τὰ πάντα ἐγένετο καὶ ἐν ᾧ τὰ πάντα συνέστηκε	δι' οὗ καὶ ἐγένετο τὰ πάντα
τὸν δι' ἡμᾶς τοὺς ἀνθρώπους καὶ διὰ τὴν ἡμετέραν σωτηρίαν κατελθόντα καὶ σαρκωθέντα, ἐνανθρωπήσαντα	τὸν κατελθόντα καὶ σάρκα ἀναλαβόντα (σαρκωθέντα Sokr.)	τὸν ἐπ' ἐσχάτων τῶν ἡμερῶν κατελθόντα ἄνωθεν καὶ γεννηθέντα ἐκ παρθένου κατὰ τὰς γραφάς, καὶ ἄνθρωπον γενόμενον	τὸν διὰ τὴν ἡμετέραν σωτηρίαν σαρκωθέντα καὶ ἐν ἀνθρώποις πολιτευσάμενον

Forts. Tab. III

Nikänum	Bekenntnis des Arius und Euzoius	Zweite antioch. Formel (Bekenntnis Lukians)	Bekenntnis Eusebs v. Cäsarea
παθόντα καὶ ἀναστάντα τῇ τρίτῃ ἡμέρᾳ, ἀνελθόντα εἰς (+ τοὺς Dosetti) οὐρανούς	καὶ παθόντα καὶ ἀναστάντα καὶ ἀνελθόντα εἰς τοὺς οὐρανούς	τὸν παθόντα ὑπὲρ ἡμῶν καὶ ἀναστάντα τῇ τρίτῃ ἡμέρᾳ καὶ ἀνελθόντα εἰς οὐρανοὺς καὶ καθεσθέντα ἐν δεξιᾷ τοῦ πατρός	καὶ παθόντα καὶ ἀναστάντα τῇ τρίτῃ ἡμέρᾳ καὶ ἀνελθόντα πρὸς τὸν πατέρα
καὶ ἐρχόμενον κρῖναι ζῶντας καὶ νεκρούς	καὶ πάλιν ἐρχόμενον κρῖναι ζῶντας καὶ νεκρούς	καὶ πάλιν ἐρχόμενον μετὰ δόξης καὶ δυνάμεως κρῖναι ζῶντας καὶ νεκρούς	καὶ ἥξοντα πάλιν ἐν δόξῃ κρῖναι ζῶντας καὶ νεκρούς.
καὶ εἰς τὸ ἅγιον πνεῦμα (Es folgen die Anathematismen).	καὶ εἰς τὸ ἅγιον πνεῦμα καὶ εἰς σαρκὸς ἀνάστασιν καὶ εἰς ζῳὴν τοῦ μέλλοντος αἰῶνος καὶ εἰς βασιλείαν οὐρανῶν καὶ εἰς μίαν καθολικὴν ἐκκλησίαν, τοῦ θεοῦ τὴν ἀπὸ περάτων ἕως περάτων	καὶ εἰς τὸ πνεῦμα τὸ ἅγιον, τὸ εἰς παράκλησιν καὶ ἁγιασμὸν καὶ τελείωσιν τοῖς πιστεύουσι διδόμενον	πιστεύομεν (+ δὲ Opitz) καὶ εἰς ἓν πνεῦμα ἅγιον
	ταύτην δὲ τὴν πίστιν παρειλήφαμεν ἐκ τῶν ἁγίων εὐαγγελίων, λέγοντος τοῦ κυρίου τοῖς ἑαυτοῦ μαθηταῖς πορευθέντες μαθητεύσατε πάντα τὰ ἔθνη βαπτίζοντες αὐτοὺς εἰς τὸ ὄνομα τοῦ πατρὸς καὶ τοῦ υἱοῦ καὶ τοῦ ἁγίου πνεύματος (Matth. 28,19)	καθὼς καὶ ὁ κύριος ἡμῶν Ἰησοῦς χριστὸς διετάξατο τοῖς μαθηταῖς λέγων· πορευθέντες μαθητεύσατε ... (Matth. 28,19)	τούτων ἕκαστον εἶναι καὶ ὑπάρχειν πιστεύοντες πατέρα ἀληθῶς πατέρα καὶ υἱὸν ἀληθῶς υἱὸν καὶ πνεῦμα ἅγιον ἀληθῶς πνεῦμα ἅγιον.
	εἰ δὲ μὴ ταῦτα οὕτως πιστεύομεν καὶ ἀποδεχόμεθα ἀληθῶς	δηλονότι πατρὸς ἀληθῶς πατρὸς ὄντος, υἱοῦ δὲ	καθὼς καὶ ὁ κύριος ἡμῶν ἀποστέλλων εἰς τὸ κήρυγμα τοὺς ἑαυτοῦ μαθητὰς εἶπε πορευθέντες

Forts. Tab. III

Nikänum	Bekenntnis des Arius und Euzoius	Zweite antioch. Formel (Bekenntnis Lukians)	Bekenntnis Eusebs v. Cäsarca
	πατέρα καὶ υἱὸν καὶ πνεῦμα ἅγιον	ἀληθῶς υἱοῦ ὄντος, τοῦ δὲ ἁγίου πνεύματος ἀληθῶς ἁγίου πνεύματος ὄντος	μαθητεύσατε ... (Matth. 28,19)
	ὡς πᾶσα ἡ καθολικὴ ἐκκλησία καὶ αἱ γραφαὶ διδάσκουσιν, αἷς κατὰ πάντα πιστεύομεν, κριτὴς ἡμῶν ἐστιν ὁ θεὸς καὶ νῦν καὶ ἐν τῇ μελλούσῃ ἡμέρᾳ. (Es folgt ein Nachwort an den Kaiser).	... ἡμεῖς γὰρ πᾶσι τοῖς ἐκ τῶν ἁγίων γραφῶν παραδιδομένοις ... καὶ πιστεύομεν καὶ ἀκολουθοῦμεν (S. 186,12 f.).	

Bekenntnis an Bischof Alexander[21], die Bezeichnung Gottes als Schöpfer ausläßt, die in den übrigen verglichenen Bekenntnissen vorhanden ist) und einige Wendungen im zweiten („durch den das All geworden ist"; „der herabgekommen ist"). Der Abschnitt „der gelitten hat und auferstanden ist und aufgefahren ist zum Himmel" entspricht ebenso dem Nicänum wie dem antiochenischen Bekenntnis. Arius kürzt jedoch und läßt „am dritten Tage" fort. Dazu kommen nun die in der Übersicht unterstrichenen Parallelen. Besonders auffällig ist die Verbindung von Mt. 28,19 mit dem Bekenntnis zu drei Hypostasen, deren jede „wirklich" selbständig ist. Arius muß das etwas verschleiert ausdrücken, das Stichwort ἀληθῶς ist jedoch da und kommt auch in der Thalia vor[22]. Auch bei Euseb von Cäsarea findet sich diese Verknüpfung. Da bei Arius die Reihenfolge: erst der Taufbefehl von Mt. 28,19, dann das Bekenntnis zum wirklichen Sonderdasein von Vater, Sohn und Geist, dieselbe ist wie in der

21 Urk. 6 S. 12,4–7 Opitz.
22 Thalia, Athan., De syn. 15 S. 243,19 Opitz.

antiochenischen Formel, während Euseb sie umkehrt, muß die Abhängigkeit des Arius von Euseb verneint werden[23]. Endlich tritt die Berufung auf die Schrift sowohl im arianischen wie im antiochenischen Bekenntnis am Schluß noch einmal hervor.
Für den lukianischen Ursprung der zweiten Formel von Antiochien fielen bisher (neben den äußeren Zeugnissen, die Loofs gesammelt hat[24]) vor allem die Entsprechungen bei Asterius[25] ins Gewicht. Jetzt kommt Arius als Zeuge hinzu[26].
Die Anlehnung des Bekenntnisses von Arius und Euzoius an Lukian wird auf den Rat Eusebs von Nikomedien erfolgt sein. Schon die Bezeichnung des Sohnes als *ἄτρεπτος* und *ἀναλλοίωτος* im Bekenntnis des Arius an Alexander dürfte auf das lukianische Bekenntnis zurückgehen[27] und im Einvernehmen mit Euseb von Nikomedien erfolgt sein. Euseb steht sicher auch hinter den zur lukianischen Formel im Jahre 341 zu Antiochien hinzugefügten Anathematismen, welche antiarianischen Theaterdonner ertönen lassen. Sie greifen auf Arius' Bekenntnis an Alexander zurück (es gibt keine Zeit vor der Erzeugung des Sohnes; er ist kein Geschöpf wie eines der Geschöpfe, kein Gezeugtes wie eines der (übrigen) Gezeugten[28] und lassen dieses als rechtgläubig erscheinen.
Wie sind nun die Parallelen Eusebs von Cäsarea zur antiochenischen Formel (in der Übersicht durch gestrichelte Linien gekennzeichnet) zu erklären? Die letztere kann nicht von Euseb von Cäsarea abhängen, wenn sie lukianisch ist. Die Verbindung des Taufbefehls mit dem *ἀληθῶς πατήρ, υἱός, πνεῦμα ἅγιον* (das auch bei Asterius, Tabelle II Nr. 10 Spalte 3 vorkommt[29] wird, wie oben gezeigt, durch Arius als lukianisch erwiesen. Die Abhängigkeit liegt auf Seiten Eusebs von Cäsarea[30], was umso begreiflicher wird, wenn sein Bekenntnis nicht das Taufsymbol von Cäsarea, sondern ein privates Bekenntnis war[30a]. Er

23 Arius hat auch in größerer Nähe zu Antiochia als zu Euseb die Reihenfolge: *υἱὸν μονογενῆ; προ πάντων τῶν αἰώνων; θεὸν λόγον*. Das Fehlen mancher Parallelen zu Antiochia, die Euseb hat, erklärt sich daraus, daß Arius kürzt.
24 Loofs (s.o. A. 3) S. 576; 579 ff.
25 S. Loofs S. 597–99 und oben Tabelle II, Spalte 3 u. 4.
26 In dem Bekenntnis, von welchem Konstantin Bruchstücke in einem Brief an Arius erhalten hat, scheint Arius zum Sitzen des Christus zur Rechten Gottes zurückzukehren (Urk. 34 S. 72,27 Opitz: der thronende Gott erwählt sich den Sohn als Gefährten), das im lukianischen Bekenntnis stand (Hahn S. 185,12; s. Tabelle III Spalte 3).
27 S. Tabelle II, Spalte 2 u. 4 Nr. 2 unten.
28 Antiochenisches Symbol, Hahn S. 186,6–8; Arius Urk. 6 S. 12,7. 10 Opitz.
29 Frg. 20c Bardy, Lucien S. 349.
30 Gegen G. Kretschmar, Studien S. 9 A. 2 – Vergleicht man in Tabelle III in

wird nach seiner Verurteilung zu Antiochia (Anfang 325) in der für ihn schwierigen Zeit vor dem Konzil zu Nicäa durch den Kreis um Euseb von Nikomedien auf Lukians Bekenntnis geführt worden sein. Zudem ist die Unterscheidung der drei Hypostasen gut origenistisch, und in der Tat nimmt Euseb von Cäsarea die Lehre, der Vater sei wirklich Vater, der Sohn wirklich Sohn, der hl. Geist wirklich heiliger Geist, für Origenes in Anspruch[31].

Wir haben damit in der zweiten antiochenischen Formel einen Prüfstein für die Auswertung von Tabelle II gewonnen. Die mit „Antiochia" zusammengehenden Aussagen des Asterius (und Arius) dürfen als lukianisch gelten. Das ermöglicht eine gewisse Kontrolle für das zweite Mittel zur Bestimmung lukianischen Gutes: die Übereinstimmung von Euseb v. Nikomedien, Arius und Asterius oder zweier von ihnen, bei welcher die Möglichkeit gegenseitiger Beeinflussung eine Unsicherheit bedeuten kann.

d) Auf Grund der gemeinsamen Aussagen der drei Lukianisten können folgende Lehren Lukians festgestellt werden. Gott allein ist anfangslos, ungeschaffen, ἀγέννητος. Er erleidet keine Minderung, keine Teilung seiner Substanz noch körperliche Affekte; von ihm geht keine Ausstoßung von Substanz wie bei einer gnostischen προβολή aus[32]. Diese Gedanken finden sich ebenso bei Origenes. Mit Origenes vertritt Lukian auch die hypostatische Selbständigkeit des Sohnes[33] und des heiligen Geistes, also die Lehre von den drei Hypostasen[34].

Er weicht aber von Origenes ab, indem er dem Sohne einen Anfang zuschreibt, zwar vor der Zeit, jedoch in Verbindung mit der Absicht Gottes, die Welt zu schaffen. Dieser Sohn ist Schöpfungsmittler[35]. Das begründete sicher schon Lukian mit Sprüche 8,22[36]. Zweifellos

Spalte 2 bis 4 den Schluß des zweiten Artikels, so hat Arius mit Antiochien πάλιν ἐρχόμενον, während Euseb ἥξοντα πάλιν bietet. Dagegen hat Euseb ἐν δόξῃ, was Antiochien entspricht und bei dem kürzenden Arius fehlt. Dieser Befund erklärt sich am besten, wenn „Antiochia", d.h. Lukian, die gemeinsame Quelle beider ist. Eine ähnliche Beobachtung gilt für die Christustitel zu Anfang des 2. Artikels (Tab. III Sp. 2–4): Übereinstimmung aller drei Bekenntnisse in den Ausdrücken; Arius beobachtet die Reihenfolge von „Antiochien" treuer; Euseb hat infolge größerer Ausführlichkeit einige Parallelen, die bei Arius fehlen. Daß Arius in der Form γεγεννημένον mit Euseb übereinstimmt, dürfte Zufall sein.

30a So von Campenhausen (s.o. Anm. 19) S. 128–134.

31 Euseb. C. Marcell. 1,4 S. 18,30 – 19,2 Klostermann.

32 Tab. II Nr. 1.

33 Tab. II Nr. 2.

34 Tab. II Nr. 10.

35 Tab. II Nr. 5.

36 Tab. II Nr. 3.

verrät sich die exegetische Schulung durch Lukian auch in der Weise, wie Euseb von Nikomedien und Asterius die Bedeutung der auf den Sohn angewendeten Bezeichnungen durch Einordnung in den Sprachgebrauch der Schrift feststellen[37]. Der Sohn wird Weisheit und Logos genannt[38]. Er hat seinen Ursprung aus dem Willen des Vaters[39] und ist geeint mit dem Vater durch die Gleichheit der Willenshaltung[40]. Diese Lehrstücke sind wiederum bei Origenes anzutreffen.

e) Es fragt sich nun, ob einige Lehren, die nur von Asterius und Arius beglaubigt sind, auf Lukian zurückgeführt werden dürfen. Ich nenne hier zunächst die Beeinflussung der Christologie durch die Gestalt des irdischen Jesus, die Übertragung der Begnadung, Begabung und Erhöhung des Menschen Jesus Christus durch Gott auf den Präexistenten[41]. Da parallele Aussagen in Bezug auf den Menschen Jesus bei Paul von Samosata nachgewiesen wurden[42], dürfte es berechtigt sein, die adoptianistischen Behauptungen über den Präexistenten schon Lukian zuzuschreiben. Sie sind ein Rest des „paulinianischen" Erbes bei ihm.

Die Unterscheidung des Logos und der Sophia Gottes selbst von der geschaffenen Vernunft (Logos) und Weisheit bei Arius und Asterius[43] – wobei Asterius diese Trennung vor allem am Begriff der Kraft (Dynamis) Gottes durchführt – ist aus der Sonderung der beiden Wesenheiten des Vaters und des Sohnes erwachsen. Ob Lukian diese Doppelung des Logos und der Weisheit zuzuschreiben ist, hängt davon ab, wie er das Verhältnis der Hypostasen Gottes und des Sohnes zueinander bestimmt hat.

In den Äußerungen seiner Schüler zu dieser Frage zeigen sich Unklarheiten und gewisse Abweichungen. Alle drei, die wir hier betrachten, nennen den Sohn „geschaffen" und „Geschöpf"[44]. Aber die Behauptung des Arius, daß er aus Nichts geschaffen sei, suchen wir bei Euseb von Nikomedien und Asterius vergeblich. Euseb erklärt den Ursprung des Sohnes für ein unaussprechliches Geheimnis, das dem

37 Tab. III Nr. 3 vorletzter Absatz.

38 Euseb v. Nikomedien, Urk. 8 S. 16,10–12; 17,6 Opitz; Asterius u. Arius, Tab. II Nr. 6. – Verbum und Sapientia wird Christus auch in der Verteidigungsrede Lukians genannt (bei Rufin, Kirchengeschichte 9,6 S. 813–815 Mommsen. Abgedruckt, mit Kommentar, bei Bardy, Lucien S. 134–49).

39 Tab. II Nr. 3.

40 Tab. II Nr. 7.

41 Tab. II Nr. 7.

42 S.o. Kap. 6,4.

43 Tab. II Nr. 6.

44 Tab. II Nr. 5.

menschlichen Begreifen unzugänglich sei[45]. Asterius äußert sich nicht genauer. Wenn er den Sohn durch den Willen Gottes geschaffen sein läßt[46], scheint er sich Arius (vielleicht unter dessen Einfluß) anzunähern. Im Grunde sagt er damit nicht mehr, als wenn Euseb von Nikomedien die Entstehung aus dem Willen Gottes als „Zeugung" bezeichnet. Wie sich das vollzog, bleibt im Dunkeln. Arius paßt sich dem an, indem er sowohl im Briefe an Euseb von Nikomedien[47], wie im Bekenntnis an Alexander, bei dem Euseb zweifellos beratend mitwirkte, den Begriff „geschaffen" einnebelt, dadurch daß er ihn neben „gezeugt" und „gegründet" stellt[48]. Er fühlt sich auch gedrängt, die Erschaffung des Sohnes aus dem Nichtseienden gegenüber Euseb von Nikomedien zu rechtfertigen, indem er sie als die logische Folge aus den beiden Obersätzen: „Der Sohn ist kein Teil Gottes" und „er ist nicht aus einem Zugrundeliegenden gemacht" darstellt. Aber gerade diesen Schritt vollzogen die anderen Lukianschüler nicht. Asterius gebrauchte auch nicht die Formel *ἦν ποτε ὅτε οὐκ ἦν*. Athanasius kann kein Asteriuszitat dafür beibringen, sondern muß sie erst in eine Asteriusstelle hineindeuten, die in Wahrheit die Behauptung des Arius aufweicht, der Vater sei nicht immer Vater gewesen[49].

Aus diesem Befund ist folgender Schluß zu ziehen. Lukian hat den Sohn in Anlehnung an Sprüche 8,22 als *κτίσμα* bezeichnet. Aber er tat es ebenso beiläufig wie Origenes und hat die Art und Weise dieser „Schöpfung" im Geheimnis belassen. Dazu war er umso mehr genötigt, als die Ablehnung des Gedankens der ewigen Zeugung die Schwierigkeiten erhöhte, den Anfang des Sohnes denkend zu begreifen. Nichts berechtigt dazu, ihm die Lehre, der Sohn sei *ἐξ οὐκ ὄντων* erschaffen oder die Formel *ἦν ποτε ὅτε οὐκ ἦν* beizulegen. Vielmehr dachte Lukian in diesem Punkte ähnlich wie Euseb von Cäsarea.

Außer der eben berührten Besonderheit des Arius gibt es noch andere Unterschiede. Alle drei „Lukianisten" betonen die Unterordnung des Sohnes und legen ihm ein vom Sein des Vaters verschiedenes Sein bei[50]. Arius vertieft diese Kluft. Der Logos ist dem Sein des Vaters in jeder Hinsicht unähnlich. Asterius hingegen gibt eine Ähnlichkeit des Seins zu. Der Logos ist das vollkommen ähnliche Bild

45 Tab. II Nr. 2 unten.
46 Tab. II Nr. 3.
47 Arius, Urk. 1 S. 3,3 Opitz.
48 Arius, Urk. 6 S. 13,9 Opitz. Alle Begriffe sind aus Spr. 8,22 ff. genommen.
49 Tab. II Nr. 5. – Athan., De syn. 19 S. 246,27 Opitz: *πάλιν τέ φησιν* (Asterius)· *ἦν ποτε ὅτε οὐκ ἦν οὕτω γράφων· καὶ πρὶν τῆς γενέσεως τοῦ υἱοῦ ὁ πατὴρ προυπάρχουσαν εἶχε τὴν τοῦ γεννᾶν ἐπιστήμην·* = Asterius, Frg. 4 Bardy.
50 Tab. II Nr. 2.

(*ἀπαράλλακτος εἰκών*) des Seins und Willens, der Kraft und Herrlichkeit Gottes. Die Übereinstimmung mit der zweiten antiochenischen Formel erweist diese Lehre des Asterius als lukianisch[51]. Der Einwand, daß Asterius, der auf der Kirchweihsynode von 341 anwesend war[52], diese Wendung erst in die zweite Formel von Antiochien gebracht haben könnte, erledigt sich durch die Parallele bei Euseb von Nikomedien, welcher zwischen Gott und dem Sohn eine „vollkommene Ähnlichkeit der Kraft" feststellt[53]. Arius macht hier ein Zugeständnis und nennt den Sohn Eikon. Aber das ist eine bloß veranschaulichende „Vorstellung" (*ἐπίνοια*) für ihn.

Philostorgius[53a] überliefert, daß Euseb von Nikomedien mit den Lukianisten Leontius und Antonius nicht die Ansicht des Arius teilte, Gott sei für den Sohn unerkennbar.

Nach Arius' Meinung ist die Natur des Sohnes wandelbar, er bleibt jedoch durch seinen Willen gut und somit *ἄτρεπτος* und *ἀναλλοίωτος*. Euseb von Nikomedien spricht dagegen von der *ἀναλλοίωτος φύσις* des Herrn[54]. Diese Verschiedenheit wird aber geringer, wenn man sich daran erinnert, daß „Natur" auch die durch Übung erworbene Gewohnheit sein kann. In diesem Sinne wendet Origenes den Physisbegriff auf die Seele des Christus an. Diese ist als Geschöpf wandelbar wie die übrigen Menschenseelen. Durch die aus der Liebe fließende Unerschütterlichkeit ihres Vorsatzes (propositum = *προαίρεσις*) mit welcher sie der Gerechtigkeit anhangt, wird ihr die Unwandelbarkeit zur Natur[55]. Dem Logos selbst jedoch schreibt Origenes wesenhafte Unwandelbarkeit zu[56]. Es könnte sein, daß Euseb von Nikomedien diese „erworbene" Natur im Auge hat. Der Fortgang unserer Untersuchung wird diese Vermutung bestätigen und ihren weiteren Zusammenhang erhellen.

Fragt man nun, ob Lukian die Lehre vom doppelten Logos hatte, so ist dies als Möglichkeit durchaus zuzugeben. Er sprach mit Sicherheit von zwei Dynameis[57]. Die Lehre folgt aus der wesenhaften Scheidung der Usia des Logos von der Usia Gottes: Gottes Sein kann nicht ohne

51 Tab. II Nr. 2.

52 Libellus Synodicus, Mansi 2,1350d.

53 Tab. II Nr. 2. – Wenn Philostorgius, Kirchengeschichte 2,15 S. 25,25 f. Bidez, dem Asterius die *ἀπαράλλακτος εἰκών* als Abweichung von Lukian vorwirft, so geschieht das, weil Philostorgius den Anhomöer Eunomius als Richtschnur nimmt und dessen Lehre auch bei Lukian voraussetzt. Bardy, Lucien S. 195 f.

53a Philostorgius 2,3 S. 14,1–9 Bidez.

54 Tab. II Nr. 2.

55 Origenes, princ. 2,6,5 S. 144,18–145,4 Koetschau.

56 Origenes, princ. 1,8,3 S. 100,11–16 Koetschau.

57 Tab. II Nr. 6.

Logos und Weisheit gedacht werden. Aber es ist zu vermuten, daß die scharfe Gegenüberstellung der beiden Logoi erst durch die Polemik hervorgetrieben wurde, in die Arius verwickelt wurde.
Asterius stellt seinerseits, offenbar unter dem Druck der Angriffe auf Arius, dessen Behauptung in Frage, daß der Vater nicht immer Vater war. Er bedient sich dabei des origenistischen Gedankens, daß Gott der Potenz nach stets Vater sei, läßt aber das für Origenes Entscheidende: daß diese Potenz stets in der ewigen Zeugung verwirklicht wird, fallen[58].
Das vorgeführte Material erweckt den Eindruck, daß Lukian trotz der klaren Scheidung zwischen Gott und dem Sohn doch einer Auseinanderreißung beider entgegenarbeiten will. Er bedient sich dazu der Begriffe des göttlichen Willens und des göttlichen Abbildes. Gott stellt durch seinen Willen ein vollkommen ähnliches Abbild seiner selbst neben sich. Das ist „Zeugung", „Schöpfung" – aber verschieden von der „Schöpfung" aller übrigen Dinge, welche durch den Sohn erfolgt. Offenbar hat Lukian auf eine begriffliche Klärung verzichtet. Insofern ist Arius folgerichtiger, wenn er eine „Zeugung" durch Gottes Willen, bei welcher das „Gezeugte" weder aus der Substanz Gottes noch aus einem zugrundeliegenden Stoff gebildet wird, als „Schöpfung aus Nichts" kennzeichnet. Die andere denkerische Möglichkeit wäre eine Abwandelung der neuplatonischen *νόησις νοήσεως*. So wie im Neuplatonismus der denkende Nus sich als Denken des „Einen" hypostasiert, so wäre der denkende Wille Gottes die „Substanz" des Sohnes. Das Sein des Sohnes entspricht dem darauf gerichteten Willen Gottes. Das ist die Lösung des Origenes.
f) Wenn man die Parallelen zwischen Lukian und Origenes, auf die schon hingewiesen wurde, nochmals zusammenfaßt, so tritt hervor, daß sie vor allem in der Gotteslehre liegen: alleinige Agennesie des Vaters, Abwehr jeder Vorstellung körperlicher Zeugung, jeder Teilung der göttlichen Substanz, die wichtige Rolle des Willens Gottes, Annahme dreier, klar unterschiedener göttlicher Hypostasen. Hinzu kommt die bei den „Lukianisten" nur noch in Resten erkennbare Lehre vom Verhältnis des Logos zu den geistigen Wesenheiten[59]. Sie enthält deutlich origenistische Züge. Der Sohn als Werkzeug seines Vaters hat, wie alle Dinge, so auch die vernünftigen Wesen geschaffen, deshalb trägt er den Namen „Logos" und „Sophia" (*λόγος διὰ τὰ λογικά*). Er ist die Sonne der geistigen Welt[60]. Unter dieser

58 S.o. A. 49.
59 S. Tab. II Nr. 4.
60 Asterius, Frg. 3 Tab. II Nr. 4.

Welt sind wohl, ähnlich wie bei Origenes, die geistigen Wesen zu verstehen[61]. Dieser *κόσμος νοητός* ähnelt dem unsichtbaren, von Engeln bewohnten Himmel der Pseudoklementinen, welcher vor der sichtbaren Welt geschaffen wurde[62]. Bei Arius werden die vernünftigen Wesen der Natur des Logos-Sohnes trotz dessen Erhabenheit angenähert: Gott „spricht" viele Logoi aus[63]. Die geistigen Geschöpfe können sich dem Logos verähnlichen und angleichen (Arius, Euseb v. Nikomedien). Asterius erkennt ihnen dagegen nicht die Bezeichnung und das Wesen von „Logos" und „Sophia" zu[64]. Vermutlich versteht er dabei unter Logos und Weisheit die Gott selbst innewohnende Vernunft. Denn sonst sagt er vom Sohn, daß er *εἷς τῶν νοητῶν φύσεών ἐστι*[65]. Athanasius verschleiert das hier absichtlich, weil er seinem Gegner Widersprüche nachweisen will.

Der Origenismus Lukians und der Lukianisten ist aber mehrfach gebrochen. Die Ablehnung der ewigen Zeugung des Sohnes nimmt eine tragende Säule aus dem System heraus. Ein weiterer Unterschied zu Origenes besteht in der Kosmologie. Nach Asterius und Arius bringt Gott den Sohn hervor, weil er durch ihn die Welt schaffen will. Dabei ist die sichtbare Welt eingeschlossen und es scheint in erster Linie an die Schöpfung des Menschen gedacht zu sein[66]. Es ist

61 Origenes, In Joh. 1,160–61 S. 30,29–31,5 Preuschen.

62 Pseudoklement., Hom. 11,22,2 f. S. 165,16–22 Rehm.

63 Tab. II Nr. 4 Absatz 2. Dieses Ariusfragment fehlt in der Sammlung Bardys (Lucien S. 246–74).

64 Asterius, Frg. 12. MPG 26,232ab.

65 Asterius, Frg. 3 Tab. II Nr. 4 letzter Absatz.

66 Arius lehrte nach dem Zeugnis Alexanders: der Sohn ist um (der Erschaffung) des Menschen willen gemacht (s. Tab. I Spalte 1 Nr. VIII). Aber auch die Ausdrucksweise des Asterius (die gewordene Natur kann die unmittelbare Hand Gottes nicht ertragen, deshalb ist der Sohn als vermittelnder Helfer erforderlich, Frg. 8; Tab. II Nr. 5) weist auf die Schöpfung des Menschen hin. Denn nach verbreiteter Vorstellung ist der Mensch, gemäß Gen. 2,7, durch Gottes Hand (aus Erde) gebildet (z.B. 1 Klem. 33,4; Irenäus, Erweis 1,1 S. 9 Weber, BKV; Methodius, Symp. 2,2 S. 17,5–12 Bonwetsch; De resurr. 2,22 S. 376, 9–11; Afrahat, Dem. 13,11 S. 565,1 Parisot = Bert 13,6 S. 203; 17,4 S. 793, 22 f. Parisot = Bert 17,4 S. 282). Da aber der erhabene Gott die Materie nicht berührt, (Philo, De spec. leg. 1,329), treten als „Hand" Gottes seine „Kräfte" (Aristobul bei Euseb, Praep. ev. 8,10,7 ff. S. 452,10–22 Mras; Philo, De plant. 50), der Logos (Philo, Quod deus sit imm. 57; Laktanz, Inst. 4,6,9 S. 291,7 ff. Brandt) oder Logos und Pneuma (Irenäus, Adv. haer. 4,20,1 Bd. 2 S. 213 Harvey) auf. In den Pseudoklementinen (hom. 11,22,1–3 S. 165, 15–20 Rehm) ist das Pneuma, welches von Gott nicht losgelöst, sondern von ihm „ausgestreckt" wird, die schöpferische Hand Gottes. Es ist die Sophia Gottes (Ps.klem., Hom. 16,12,1 S. 223,29–224,1 Rehm). Auch Asterius trennt nicht zwischen „Hand" und Gott, unterscheidet aber den Demiurgen von der

also nicht, wie bei Origenes, der Fall der Geister die Ursache für die Hervorbringung der Körperwelt. Sondern der Wille Gottes zielt von vornherein auf die Erschaffung des Menschen in seiner körperlichen Gestalt und die Erschaffung der Welt, die für den Menschen da ist. Der Systemgedanke ist also anders als bei Origenes. Für diesen ist zwar die Schöpfertätigkeit Gottes in seinem Wesen begründet[67], und in Voraussicht des Falles entwirft Gott von Anfang an die Körperwelt[68], indem er die Ideen der Dinge im Logos niederlegt. Aber der Fall der Geister ist die auslösende Ursache der Schaffung des Körperlichen. Die Schöpfung der materiellen Welt beruht auf einer Störung der ursprünglichen Ordnung.

Dazu kommt der Adoptianismus in der Logoslehre Lukians, während Origenes dem Adoptianismus kritisch begegnet[69].

Origenistische Züge stehen also bei Lukian neben solchen, die Origenes zu widersprechen scheinen. Er hat den Origenismus übernommen, aber von einem christologischen Entwurf her, welcher das origenistische System zu sprengen droht. Damit hat sich von einer breiteren Grundlage her bestätigt, was oben bereits über das Verhältnis zwischen Arius und der Logoslehre des Origenes erhoben wurde. Doch soll noch eine Gegenprobe vorgenommen werden, indem die Lukianisten mit dem Origenisten Euseb von Cäsarea verglichen werden.

2. Euseb von Cäsarea[70] und die Lukianisten

a) Wir beginnen mit den Übereinstimmungen. Für Euseb ist Gott allein anfangslos und ἀγέν(ν)ητος[71]. Es kann nicht zwei Ungewordene ge-

„Hand“. Dementsprechend stellt die pseudoathanasianische Disputatio c. Arium n. 31 (MPG 28,480bc) als arianische Meinung hin: Die Rechte des Herrn erschuf eine Macht (Ps. 117,16) nämlich den Sohn, durch den das All wurde.

67 S. Redepenning, Origenes Bd. 2, S. 292 f.

68 Origenes, princ. 3,5,5 S. 276,1–11 Koetschau.

69 S.o. Kap. 4,1e.

70 Lit.: M. Weis, Die Stellung des Eusebius v. Cäsarea im arianischen Streit. Diss. Freiburg/Br. 1919. – H. Berkhof, Die Theologie des Eusebius v. Cäsarea, Amsterdam 1939 (besonders Kap. 7: Eusebius und der arianische Streit, S. 163–204). – A. Weber, APXH. Ein Beitrag zur Christologie des Eusebius v. Cäsarea, München 1965. – T.E. Pollard, Johannine Christology and the Early Church, Cambridge 1970, S. 122–30; 266–98. – G. Curti, Il linguaggio relativo al Padre e al Figlio in alcuni passi dei „Commentarii in Psalmos“ di Eusebio di Cesarea, Augustinianum 13 (1973) 483–506.

71 Zum Sprachgebrauch s. L. Prestige: ἀγέν(ν)ητος and γεν(ν)ητός and kindred words in Eusebius and the early Arians. JThS. 24 (1922/3) 486–96.

ben[72], um der Einzigkeit und μοναρχία Gottes willen[73]. Die Zeugung des Sohnes ist kein körperlicher Vorgang, sie geschieht ohne πάθος. Der Sohn ist nicht aus der Usia des Ungewordenen durch Teilung, Abtrennung oder Ausstoßung (προβολή) hervorgegangen. Er ist nicht anfangslos mit dem Vater, sondern er hat sein Sein durch den Willen des Vaters[74]. Das alles sind origenistische Gedanken[75]. Die Zeugung des Sohnes bildet ein unerforschliches Geheimnis für Menschen und Engel[77].

Der Sohn ist eine selbständige Hypostase neben dem Vater[78] und diesem untergeordnet[79]. Gott ist der Herr und Gott des Logos[80]. Der Sohn ist (nach Joh. 17,3) nicht ἀληθινὸς θεός[81], sondern zweiter Gott[82]. Er empfängt sein Sein und Wesen vom Vater[83] und ist Gott durch Teilhabe an ihm[84]. Auch diese Lehren bleiben im Rahmen des Origenismus.

Das gilt auch von der kosmologischen Mittlerrolle des Sohnes. Der jenseitige Gott kann nicht mit stofflichem und körperlichem Sein zusammengebracht werden. Deshalb stellt er den Logos als vermittelnde

72 Euseb, De eccl. theol. 2,23 S. 133,12 Klostermann.

73 Euseb, Dem. ev. 4,1,2 S. 150.5–8 Heikel; De eccl. theol. 2,7,1 S. 104,5 f. Klostermann.

74 Belege für diese Sätze bei den Lukianisten s. Tabelle II Nr. 1 und Nr. 3 letzter Absatz. – Euseb: Dem. ev. 4,15,52 S. 181,18–23 (zur hier gegebenen Deutung der „Aussprudelung“ von Ps. 44,2 – keine προβολή und Teilung – vgl. Arius, Urk. 1 S. 2,7 u. Urk. 6 S. 13,17–20 Opitz); Dem. ev. 5,1,20 S. 213,15–30; 4,3,7 S. 153,14 (Wille); 4,3,13 S. 154,11–24 (Wille).

75 Vgl. Origenes bei Markell, Frg. 37 S. 191,8–12 Klostermann (der Sohn keine probolē); De princ. 1,2,6 S. 34,4.16 Koetschau (Wille), und den Origenisten Paulin v. Tyrus, Urk. 9 S. 17 f. Opitz (keine Teilung Gottes, keine probolē).

76 Euseb, Dem. ev. 5,1,18 S. 212,34–213,8 Heikel; De eccl. theol. 1,12 S. 70, 26 ff. Klostermann.

77 Die höheren Mächte, De eccl. theol. S. 71,9. Vgl. Euseb v. Nikomedien, Urk. 8 S. 16,7 Opitz: unbegreiflich auch für die, welche über den Menschen stehen.

78 καθ' ἑαυτὸν οὐσίωταί τε καὶ ὑφέστηκεν Euseb, Dem. ev. 5,1,19 S. 213,19–21 Heikel. Vgl. 4,3,4 S. 153,1–4.

79 De Montfaucon hat die subordinatianischen Stellen bei Euseb gesammelt in der Vorrede seiner Ausgabe des Psalmenkommentars, s. MPG 23,29–42. Vgl. auch Berkhof, Theologie S. 79 f. (s.o. A. 70).

80 Euseb, Dem. ev. 5,8,2 S. 230,22–25 Heikel; De eccl. theol. 2,7 S. 104, 17–19 Klostermann. Vgl. Arius. Urk. 6 S. 13,16 Opitz.

81 Euseb, Brief an Euphration, Urk. 3 S. 5,5–10 u. S. 4,6 Opitz; De eccl. theol. 2,22 S. 132,15–17; 2,23 S. 133,25–29 Klostermann. – Arius, s. Tab. I Nr. V Sp. 2.4.5.

82 Euseb, Dem. ev. 1,4,10 S. 21,35; 5,4,9 S. 225,8–10 Heikel.

83 εἶναι und τοιῶσδε εἶναι Euseb, Urk. 3 S. 4,10 Opitz; Dem. ev. 4,3,6 S. 153, 11 f.; 5,4,9 S. 225,13 f. Heikel. – Vgl. Arius, Urk. 6 S. 13,5.15 Opitz: der Sohn hat Leben, Sein und Herrlichkeit vom Vater.

84 Euseb, Dem. ev. 5,4,9 S. 225,8–10 Heikel. Vgl. Arius, Tab. I Spalte 2 Nr. V.

Macht zwischen sich und die Schöpfung[85]. Er hat den Sohn als Diener und Werkzeug für die Schöpfung des Körperlichen und Geistigen hervorgebracht[86]. Der Logos als Ort, in dem Gott die Ideen der Schöpfung und Vorsehung (*διοίκησις*) bereitstellt[87], ist zwar in den Resten, die uns von den Schriften der Lukianisten geblieben sind, nicht bezeugt, ließe sich aber mit ihnen vereinbaren. Denn der damit zusammenhängende Gedanke vom Logos als geistiger Wesenheit[88] und erleuchtender Sonne der intelligiblen Welt, das heißt, der unkörperlichen Mächte und Wesen[89], findet sich bei den Schülern Lukians. Durch den Sohn, der Sophia ist, werden die Heiligen weise, durch ihn als Logos werden sie „logoshaft" (*λόγιοι*)[90].

Aus dem Vergleich geht hervor, daß alle Übereinstimmungen zwischen Euseb und den Lukianisten auf dem gemeinsamen origenistischen Gut beruhen.

b) Es zeigen sich Abweichungen in der näheren Bestimmung des „Anfangs" des Sohnes. Zwar besteht Einvernehmen darin, daß der Sohn nicht anfangslos und ungeworden im Vater war und dann hervortrat[91], und daß er die Ersthervorbringung des Vaters ist[92]. Auch über die Ausschaltung des Zeitbegriffes beim „Anfang" des Sohnes konnte man sich verständigen, indem man die dehnbare Formel „vor allen Zeiten", die sich an Sprüche 8,23 anlehnt, gebrauchte[93]. Athanasius berichtet, daß die Arianer den Gebrauch des

85 Euseb, Laus Const. 11,12 S. 227,9–15 Heikel. – Vgl. Asterius, Frg. 8: *τούτου* (scil. der Demiurg) *μέσου γενομένου* Tab. II Nr. 5.

86 Euseb, Dem. ev. 4,2 S. 152,11–14 Heikel. Vgl. Asterius, Frg. 8. Asterius verwendet die Ausdrücke *ὑπουργός* und *βοηθός*: Athanasius, MPG 26,197c, wo schon auf den Asteriustext Bezug genommen wird. Arius hat *ὄργανον* (bei Alexander, Urk. 4b S. 8,6 f. Opitz) und *βοήθεια* (bei Konstantin, Urk. 34 S. 73,8 Opitz).

87 Euseb, Dem. ev. 4,5,13 S. 158,2–5.

88 *οὐσία νοερά*: Euseb, Dem. ev. 5, Vorrede 1 S. 202,3–7; *νοητὴ φύσις*: Asterius, Frg. 3 Bardy; *πνεῦμα*: Arius, Thalia (Athan., De syn. 15 S. 243,6 Opitz.

89 Euseb, Dem. ev. 4,6,1 S. 158,13–16 Heikel.

90 Euseb, Dem. ev. 3,15 S. 173,1–3. Dieselben Gedanken bei Arius und Asterius: s. Tab. II Nr. 4.

91 Euseb, Dem. ev. 5,1,13 S. 212,12–14 Heikel; Arius, Urk. 6 S. 13,1 f. Opitz: (und wir bekennen nicht) daß der, welcher zuvor war, später zum Sohn gezeugt oder neubegründet (*ἐπικτισθέντα*) wurde. – Das schließt in sich die Ablehnung der Lehre vom Logos prophorikos. (Euseb, Laus Const. 12,4 S. 230,19 Heikel).

92 Euseb. Dem. ev. 4,5,13 S. 158,2 Heikel; Asterius Frg. 8 Bardy; 15 (*πρῶτον γέννημα*).

93 Sie kommt auch bei Alexander v. Alexandrien vor: Urk. 14 S. 27,20; 28,4. Vgl. Berkhof, Theologie S. 73. – Euseb, Dem. ev. 5,1,19 S. 213,21 f.; Arius Urk. 1 S. 3,2: „vor den Zeiten und Äonen"; Urk. 6 S. 12,7 Opitz.

Wortes „Zeit" sorgfältig vermieden[94]. Arius dachte aber anders und sagte anfänglich auch, der Sohn sei „in der Zeit" geschaffen[95]. Dagegen will Euseb von Cäsarea mit der Wendung „der Vater ist vor dem Sohn" in erster Linie zum Ausdruck bringen, daß der Vater ungeworden, der Sohn dagegen geworden ist, und daß der Vater die Ursache ist, welche den Sohn erzeugt[96]. Euseb spricht nicht von der ewigen Zeugung des Sohnes. Aber er nimmt „Ewigkeit" des Sohnes an. Indem die Weisheit (der Sohn) in den Sprüchen (8,27) sagt: „Als er den Himmel bereitete, war ich bei ihm", will sie die Ewigkeit ihrer Dauer seit unendlichen Äonen und ihres Verweilens beim Vater hervorheben[97]. Wenn der Sohn immer mit dem Vater zusammen ist, aber als „Gezeugter" (wie die Bilder vom Licht und Abglanz, vom Salböl und seinem Durft andeuten)[98], dann ist das im Grunde ewige Zeugung. Euseb spricht sich jedoch gegen das ewige Zusammensein zweier gleichstehender Wesenheiten aus[99]. Er setzt also im Verhältnis von Erzeuger und Gezeugtem die logische mit der ontologischen Priorität gleich. So auch in seinem Brief an Alexander von Alexandrien: „Du klagtest sie (die Arianer) wiederum an, daß sie sagen: Er der ist (Ex. 3,14) zeugte den, der nicht war. Ich wundere mich, ob man sich überhaupt anders ausdrücken kann. Denn wenn der, welcher „ist", einer ist, dann ist klar, daß durch ihn alles entstanden ist, was nach ihm ist. Wenn er aber nicht der einzige ist, welcher „ist", sondern auch der Sohn „der welcher ist" war, wie zeugte dann der, welcher ist, denjenigen, welcher war?"[100]. Dementsprechend muß man die Ewigkeit des Sohnes als abgeleitet bezeichnen[101], oder das „Nichtsein" des Sohnes ist für Euseb lediglich virtuell und besteht darin, daß sein Sein der Hervorbringung bedarf[102].

94 Or. c. Ar. 1,14. MPG 26,41c.
95 Arius, Thalia, bei Athan., De syn. 15 S. 242,13; 243,11 f. Opitz.
96 Euseb, Brief an Euphration, Urk. 3 S. 4,1–10 Opitz. Dem. ev. 4,3,5 S. 153,7; 5,1,20 S. 213,27–30 Heikel.
97 Euseb, Dem. ev. 5.1,27 S. 215,2–6 Heikel. Origenes deutet in ähnlicher Weise Sprüche 8,30 („an der ich mich freute") auf das ewige Zusammensein des Logos (der Weisheit) mit Gott, princ. 4,1 S. 350,14–17 Koetschau.
98 Euseb, Dem. ev. 4,3,13 S. 154,11–24, bes. Zeile 15–17. Die Bilder vom Licht und Salböl ebd. 4,3,2 ff. S. 152 ff. – De eccl. theol. 2,14 S. 116,35–117,1 Klostermann: der Sohn war immer und jederzeit beim Vater.
99 Euseb, Urk. 3 S. 4,1–10 Opitz.
100 Euseb, Urk. 7 S. 15,2–5 Opitz.
101 Berkhof, Theologie S. 75.
102 D.S. Wallace-Hadrill, Eusebius of Caesarea, London 1960, S. 132 wirft Euseb hier Unklarheit vor. Der Logos ist durch einen Akt vor der Zeit, mit dem man keinen Sinn verbinden könne, gezeugt.

Stärker scheinen sich die Wege zwischen Euseb von Cäsarea und den Lukianisten in der Auffassung des Sohnes als Geschöpf zu trennen. Euseb kann ihn zwar das vollkommene Geschöpf (*δημιούργημα*) des Vollkommenen und das weise Werk (*ἀρχιτεκτόνημα*) des Weisen, den guten Sproß (*γέννημα*) des guten Vaters nennen[103] und seine göttliche Macht zum „Erschaffenen" (*δημιουργήματα*) rechnen[104]. Aber das ist etwas ganz anderes als die Geschöpflichkeit der übrigen Wesen und Dinge: *ἄλλη γὰρ υἱοῦ γένεσις καὶ ἄλλη ἡ διὰ υἱοῦ δημιουργία*[105]. Diese Unterscheidung konnte von den Lukianisten ohne weiteres bejaht werden[106] und sogar Arius macht sie sich zu eigen[107]. Aber den Anschauungen des Arius lief die Begründung, welche Euseb von Cäsarea für die Unterscheidung gab, stracks zuwider: der Sohn ist nicht, wie die übrigen Geschöpfe, aus dem Nichts geschaffen[108]. Darin folgt Euseb dem Origenes[109] und er hat stets wiederholt, daß der Sohn kein *κτίσμα* aus dem Nichts ist[110]. Gott ist Vater des Sohnes, aber Schöpfer (*κτίστης*) der Welt. Dementsprechend deutet Euseb (wie Origenes) Sprüche 8,22 („Gott schuf mich") von Vers 25 („zeugte er mich") her[111]. Später greift er zu einer übertragenen Bedeutung von *κτίζειν* in Spr. 8,22 und versteht es als Einsetzung des Sohnes zur Herrschaft über die Schöpfung[112], was eine Parallele bei Theognost und Dionys von Rom hat[113].

103 Euseb, Dem. ev. 4,2,1 S. 152,3 f. Heikel.

104 Dem. ev. 4,5,1 S. 155,8 f. Das entspricht Origenes: der Demiurg ist *ἀρχὴ δημιουργημάτων* (In Joh. 1,17,102 S. 22,10 Preuschen), und es hat den gleichen, abgeschwächten Sinn wie bei Origenes. S. Redepenning, Origenes Bd. 2, S. 309 A. 1.

105 Euseb, Dem. ev. 5,1,15 S. 212,25 f. Heikel.

106 Sie ist 341 in Antiochien unter die Zusätze zum Bekenntnis Lukians aufgenommen worden, Hahn S. 186 Zeile 8.

107 Arius, Urk. 6 S. 12,9 f. Opitz: das vollkommene Geschöpf (ktisma) Gottes aber nicht wie eines der (übrigen) Geschöpfe, der Erzeugte (gennēma) aber nicht wie eines der übrigen Erzeugnisse.

108 *οὐκ ἀκίνδυνον καὶ ἁπλῶς οὕτως ἐξ οὐκ ὄντων γενητὸν τὸν υἱὸν τοῖς λοιποῖς γενητοῖς ὁμοίως ἀποφήνασθαι. ἄλλη γὰρ υἱοῦ γένεσις καὶ ἄλλη ἡ διὰ υἱοῦ δημιουργία.* Euseb, Dem. ev. 5,1,14 S. 212,24–26 Heikel.

109 Origenes, princ. 4,4,1 (28) S. 349,19 ff. Koetschau.

110 Euseb, De eccl. theol. 1,9 S. 67,4–10 Klostermann.

111 Euseb, Dem. ev. 5,1,7–8 S. 211,19–23 Heikel. Die Untersuchung zieht sich bis S. 214,31 hin und endet mit der Berufung auf die Unbegreiflichkeit der Erzeugung des Sohnes.

112 Euseb, De eccl. theol. 3,2 S. 141,13–15.17. – Über die Auslegung von Spr. 8,22–31 bei Euseb v. Cäsarea s. Weber, APXH, S. 123–58 (s.o. A. 70).

113 Theognost, Frg. 3 S. 77 Harnack: *τὸν θεὸν βουλόμενον τόδε τὸ πᾶν κατασκευάσαι πρῶτον τὸν υἱὸν οἷόν τινα κανόνα τῆς δημιουργίας προϋποστήσασθαι.* Dionys

Wenn Euseb von Cäsarea auch die Erschaffung des Sohnes aus Nichts ablehnt, so äußert er doch die Ansicht, daß Gott den Sohn, der nicht war, zum Sein gebracht hat[114]. Der Sohn kommt aus dem Nichtsein zum Sein, aber er ist nicht aus Nichts geschaffen. Dieses Rätsel kann nur aus Eusebs Lehre vom Willen und der Macht Gottes verstanden werden. Die Zeugung des Sohnes aus dem ungezeugten Vater bedeutet, daß er aus dem Willen und der Macht des Vaters sein Sein erhält[115]. Was Gott will, das ist auch [116]. Er setzt seinen Willen und seine Macht gleichsam als Stoff und Substanz für die Entstehung des Alls aus sich heraus (*προβεβλημένος*), so daß man nicht mehr sagen kann, irgendein Seiendes sei aus Nichtseiendem geworden. Der „welcher ist" (Ex. 3,14) schenkt aus sich das Sein allem was da ist, durch sein Wollen und Können. Als Erstes bringt er die Sophia (den Sohn) hervor, das Werkzeug für die Erschaffung des Übrigen[117]. Euseb wendet sich zwar gegen eine Emanation der Substanz Gottes[118], aber hier liegt ein dynamistischer Emanatismus vor, wie wir ihn bei Origenes festgestellt haben. Der Sohn ist nicht aus Nichts geschaffen, sondern der von Gott ausgehende Wille ist seine Usia. Dadurch wird es Euseb möglich, sich das nicänische Homousios zurechtzulegen.
Obwohl nach der (in Anm. 117) zitierten Stelle nichts Seiendes aus dem Nichtseienden (wobei dieses als „Ursache" gefaßt wird[119]) stammt, spricht Euseb doch von der Schöpfung aus Nichts und zwar in der

von Rom, Brief gegen die Sabellianer: (nach Zitat von Spr. 8,22) *ἔκτισε γὰρ ἐνταῦθα ἀκουστέον ἀντὶ τοῦ ἐπέστησε τοῖς ὑπ' αὐτοῦ γεγονόσι ἔργοις.* Feltoe, Dionysius of Alex., S. 180,12–181,3 = Athanasius, De decr. 26 S. 22, 29–23,3 Opitz.

114 Euseb, Urk. 3 S. 15,2–6 Opitz. Die Stelle ist oben übersetzt.

115 Die „Theologie" des Sohnes Gottes lehrt *γεννώμενον δ' ἐξ ἀγεννήτου πατρὸς... ἐκ τῆς τοῦ πατρὸς ἀνεκφράστου καὶ ἀπερινοήτου βουλῆς τε καὶ δυνάμεως οὐσιούμενον.* Dem. ev. 4,3,13 S. 154,11–21 Heikel.

116 Euseb, Dem. ev. 4,1,6 S. 151,13–15.

117 *ὕλην ὥσπερ τινὰ καὶ οὐσίαν τῆς τῶν ὅλων γενέσεώς τε καὶ συστάσεως τὴν ἑαυτοῦ βουλὴν καὶ δύναμιν προβεβλημένος, ὡς μηκέτι εὐλόγως φάναι δεῖν ἐξ οὐκ ὄντων εἶναί τι τῶν ὄντων... πᾶν δὲ ὅ τι ποτὲ καὶ ἔστιν ἐξ ἑνὸς τοῦ μόνου ὄντος καὶ προόντος, τοῦ δὴ καὶ φήσαντος »ἐγώ εἰμι ὁ ὤν«* (Ex. 3,14), *τὸ εἶναι λαβὸν ἔχει, ὅτι δὴ μόνος ὢν καὶ ἀεὶ ὢν αὐτὸς πᾶσι... αἴτιος τοῦ εἶναι κατέστη τῷ θέλειν καὶ τῷ δύνασθαι, καὶ τὴν οὐσίαν τοῖς πᾶσι καὶ τὰς δυνάμεις καὶ τὰ εἴδη... ἐξ αὐτοῦ κεχαρισμένος.* II. *καὶ δὴ τῶν ὄντων ἁπάντων πρῶτον ὑφίστησιν αὐτοῦ γέννημα τὴν πρωτότοκον σοφίαν.* Dem. ev. 4,1,6–2,1 S. 151,19–31.

118 (Der Sohn) *οὐδὲ γὰρ ἐξ οὐσίας τῆς ἀγενήτου κατά τι πάθος ἢ διαίρεσιν οὐσιωμένος...* Dem. ev. 5,1,20 S. 213,26 f. Heikel.

119 Euseb, Dem. ev. 4,1,7 S. 151,23: *πῶς γαρ τὸ μὴ ὂν ἑτέρῳ τοῦ εἶναι γένοιτ' ἂν αἴτιον;*

gleichen Schrift[120], häufiger jedoch in dem späten Werke gegen Markell[121]. Er bestimmt den Begriff „Schöpfung) (κτίσις) als „vom Nichtsein (dieses als „Zustand" gefaßt) zum Sein kommen"[122]. Die Aussagen Eusebs sind unklar. Wenn er an der Meinung festgehalten hat, daß Wille und Dynamis Gottes den Stoff alles Seienden bilden, dann ist nicht ersichtlich, wie die Hervorbringung des Sohnes, der ja auch vom Nichtsein zum Sein kommt, von der der übrigen Geschöpfe unterschieden sein soll – es sei denn, daß ein besonderer Wille Gottes am Werk ist. Aber auch diese Auskunft würde noch nicht von Arius, welcher den Sohn auf die Seite der Geschöpfe stellt, wegführen. Euseb läßt uns hier im Stich. Seine Schöpfungslehre ist von einem verborgenen Emanatismus durchzogen, der ihm ermöglicht, „Arianisches" (der Sohn kam vom Nichtsein zum Sein) unarianisch zu verstehen (die Substanz und das Sein des Sohnes ist der göttliche Wille). Diese begriffliche Unschärfe, die von Arius, der weit klarer dachte, ausgenutzt wurde, ist zur Erklärung von Eusebs Haltung im arianischen Streit zu berücksichtigen.

Jedenfalls betont Euseb von Cäsarea kräftig den Abstand des Sohnes von den übrigen Geschöpfen und wehrt vor allem in seinen späteren Schriften arianische Formeln ab: der Sohn ist kein *κτίσμα ἐξ οὐκ ὄντων*[123]; er ist nicht fern und abgetrennt (Euseb nimmt das von Arius verwendete Verb *ἀποσχοινίζω* auf) vom Vater[124]; er wird nicht nur mit Namen Gott und Sohn genannt[125], sondern ist *φύσει* Gott und Sohn[126], wie bei Origenes[127].

Euseb nähert den Sohn mit Hilfe des Bildbegriffs, der bei ihm und Origenes eine große Rolle spielt, dem Vater an. Durch den Willen Gottes kommt der Sohn als Bild des Vaters zum Sein[128] und ist als Bild in seinem Sein dem Vater ähnlich gemacht worden[129]. Als Bild Gottes ist er gezeugter Gott[130], Bild der Usia Gottes[131], nach dem

120 Dem. ev. 5,1,15 S. 212,24 f. Heikel: der Sohn ist nicht aus Nichts geschaffen, wie die übrigen Geschöpfe.

121 Euseb, De eccl. theol. 1,9 S. 67,5; 1,10 S. 69,7 Klostermann. Siehe daselbst d. Register s.v. *εἰμί*.

122 Euseb, De eccl. theol. 3,2 S. 143,14. Vgl. 1,12 S. 71,5 Klostermann.

123 De eccl. theol. 1,9 S. 67,4 f.; vgl. Dem. ev. 5,1,15 S. 212,24.

124 Euseb, De eccl. theol. 2,14 S. 116,30 Klostermann. – Arius, Tabelle I Spalte 1 Nr. V, Sp. 2 Nr. IX.

125 De eccl. theol. 1,10 S. 69,13 Klostermann.

126 Euseb, Dem. ev. 5,4,11 S. 225,27; vgl. dagegen Arius Tab. I Nr. III.

127 Origenes, In Joh. 2,10,76 S. 65,22 f. Preuschen. Siehe oben Kap. 4,1e.

128 Euseb, Dem. ev. 4,2,7 S. 153,14 f. Heikel.

129 Dem. ev. 5,1,21 S. 213,35.

130 Dem. ev. 4,2 S. 152,8–11.

131 Ebd. 4,3,8 S. 153,20 f.

Vater gestaltet[132], aus dem Vater geboren (*ἐξ αὐτοῦ φύντα*), wozu sich wiederum eine Parallele bei Theognost findet[133]. Der Sohn bildet auch die Einzigkeit Gottes ab und ist so auch der Zahl nach (*κατὰ ἀριθμόν*) nur einer – wie bei Theognost[134]. Er ist wesenhaft (*οὐσιώδης*) Logos[135], Autonus, Autologos, Autosophia[136], Dynamis Gottes[137]. Dieselben Bezeichnungen (*αὐτονοῦς, αὐτολόγος, αὐτοσοφία*) kann Euseb auf Gott selbst anwenden[138]. Aber er entwickelt keine Lehre von zwei Logoi und Sophiai.

Der Logos ist unveränderlich[139]. Das entspricht der alexandrinischen origenistischen Tradition (Theognost)[140].

c) Bei Euseb von Cäsarea ist im Ganzen die Nähe zu Origenes größer als bei Lukian. Er hält auch Origenes' Systemgedanken darin fest, daß er die Körper als Läuterungsorte für die gefallenen Geister betrachtet[141].

Euseb konnte mit den Lukianisten gehen, soweit sie die Gedankenwelt des Origenes übernommen hatten. Von seinem Origenismus aus rückt er aber auch den Sohn von den Kreaturen fort in die Nähe Gottes und gerät so in Gegensatz zu Arius. Die Spannungen, die zwischen Arianismus und Origenismus bestehen, werden auch durch das Zögern Paulins von Tyrus, sich für Arius einzusetzen, beleuchtet[142]. Arius konnte sich nur halten, wenn er sich soweit wie möglich dem Origenismus anglich, gleichsam eine origenistische Pseudomorphose einging.

132 Euseb, De eccl. theol. 1,20 S. 93,17 f.; 1,10 S. 69,16 Klostermann.

133 Euseb, De eccl. theol. 2,14 S. 115,20 Klostermann. Vgl. Theognost, Frg. 2 Zeile 2 S. 76 Harnack: *ἀλλὰ ἐκ τῆς τοῦ πατρὸς οὐσίας ἔφυ.*

134 Euseb, Dem. ev. 4,3,8 S. 153,20 f.; 4,6,1 S. 158,19–21 Heikel. – Theognost, Frg. 4 S. 78 Zeile 3 Harnack: *ἔχων τὴν ὁμοιότητα τοῦ πατρὸς κατὰ τὴν οὐσίαν ἔχοι ἂν καὶ κατὰ τὸν ἀριθμόν.*

135 Euseb, Dem. ev. 5 prooem. 1 S. 202,4.

136 Dem. ev. 4,2 S. 151,30 Heikel; De eccl. theol. 1,8 S. 67,1; 2,14 S. 115,20–25 Klostermann.

137 Euseb, Laus Const. 12,4 S. 230,22 Heikel.

138 De eccl. theol. 2,14 S. 115,15–17 Klostermann. Origenes nennt den Sohn Autologos (gegenüber dem Logos in den vernünftigen Geschöpfen): In Joh. 2,3,20 S. 55,20 Preuschen.

139 Euseb, Dem. ev. 4,13,6 S. 172,10.

140 Theognost, Frg. 4 S. 78,8 f. Harnack: *ἀναλλοίωτος ἂν εἴη ἀναλλοιώτου πατρὸς μίμημα ὤν.* Die Parallelen zu Theognost bestätigen die Beobachtungen von Weis (s.o. A. 70) S. 73 über die Berührungen Eusebs mit den alexandrinischen Schülern des Origenes.

141 Euseb, Dem. ev. 4,1,4 S. 150,18–151,1 Heikel.

142 S. Urk. 8 S. 15 Opitz.

Aber ist es wirklich eine Pseudomorphose? Der Origenismus der Lukianisten nötigt uns, das Verhältnis des Arius zu Origenes erneut zu überdenken. Während die bisherigen Betrachtungen der Gottes-, Logos- und Trinitätslehre galten, soll jetzt das Ergebnis des dritten Kapitels, daß die Christologie Ansatzpunkt und Mitte der Theologie des Arius ist, aufgenommen werden. Wir fragen, wie sich die Christologie im engeren Sinne, die Lehre von der Menschwerdung, bei Arius zu derjenigen des Origenes verhält.

3. *Vergleich der origenistischen Christologie im engeren Sinne (Lehre von der Menschwerdung) mit Arius*

a) σῶμα ἄψυχον

Über die Inkarnation lehrt Arius anders als Origenes. Dieser läßt den Gott-Logos einen sterblichen Leib und eine menschliche Seele annehmen[143], oder, unter Zugrundelegung einer trichotomischen Anthropologie, einen ganzen Menschen aus Leib, Seele, Geist (Pneuma)[144]. Denn der ganze Mensch kann nur gerettet werden, wenn der Heiland ihn vollständig annimmt[145] – ein Gedanke der von den Valentinianern kommt[146]. Für Arius dagegen läßt sich mit Sicherheit erschließen, daß sein Christus aus dem „Logos" bestand, der in einem seelenlosen Leib (*σῶμα ἄψυχον*) Wohnung nahm. Der früheste Beleg findet sich bei Eustathius von Antiochien: Sie (die Arianer) halten es für wichtig, zu beweisen, daß der Christus einen seelenlosen Leib angenommen hat[147]. Das darf auf Arius selbst bezogen werden, der vom Logos be-

143 Origenes, C. Cels. 4,15 S. 285,14 f. Koetschau. Weitere Stellen bei Redepenning, Origenes Bd. 2, S. 384 A. 1 und de Riedmatten, Paul de Samosate S. 60 A. 50.

144 Origenes, Gespräch mit Heraklides 7,1–6 S. 70 Scherer. Vgl. princ. 2,8,4 S. 162,11–21 Koetschau.

145 Gespräch mit Heraklides aaO.

146 Irenäus, Adv. haer. 1,6,1. Bd. 1 S. 52 Harvey: die Valentinianer lehren, daß der Soter das annahm, was er retten wollte: von der Achamoth das Pneumatische, vom Demiurgen den psychischen Christus, von der *οἰκονομία* (der menschlichen Natur) einen seelischen Leib, der immateriell ist, aber mit unsäglicher Kunst sichtbar, tastbar und leidensfähig gemacht wurde.

147 Eustathius, Frg. 15 S. 100 Spanneut. Weitere Zeugnisse: Epiphanius, haer. 69,19,7–8 S. 169,4–13; 69,48,1–4 S. 195,5–18 Holl; Ps. Athanasius, C. Apollin. 2,3. MPG 26,1136cd; 1,15 col. 1121a. Vgl. de Riedmatten S. 113 ff.

kennt, er habe „Fleisch" angenommen[148], und den „Leib" als Herberge des Logos bezeichnet[149].

Dieselbe Lehre findet sich bei Lukian von Antiochien[150] und bei Euseb von Cäsarea[151]. Euseb will den rechten Mittelweg zwischen den Ketzereien des Sabellius (wozu in seinen Augen Markell von Ankyra gehört) und des Paulus v. Samosata gehen. Wenn der Logos keine selbständige Wesenheit neben Gott ist, sondern mit ihm zusammenfällt, wie Sabellius lehrt, dann wohnt der Vater selbst in Jesus und ihm widerfährt alles Menschliche. Nimmt man dagegen an, der irdische Christus habe aus Leib und Seele bestanden, so macht man ihn zu einem bloßen Menschen (*ψιλὸς ἄνθρωπος*) und verfällt damit in die Irrlehre der Ebionäer und des Paulus von Samosata. Da nun das Fleisch, das seelen- und vernunftlos ist (*ἄψυχὸν οὖσαν καὶ ἄλογον*) von selbst sich nicht bewegen und wirken kann, bleibt als einzige Möglichkeit, daß der lebendige und für sich seiende (*ὑφεστώς*) Sohn Gottes, der Logos, das Fleisch in der Art einer Seele bewegte. Diese Lehre wahrt die hypostatische Selbständigkeit des Logos[152].

Freilich kehrt jetzt die Frage wieder, ob damit der unstoffliche, göttliche Logos nicht dem körperlichen Leiden und dem Tode ausgesetzt werde[153]. Euseb verneint dies. Das Göttliche (der Logos) nimmt das Menschliche an, ohne dadurch geändert zu werden. Der Logos, im Leibe weilend, behält sein allgegenwärtiges Wesen. Er wirkt im Fleische, wird aber von ihm in keiner Weise beeinträchtigt und nimmt nichts von ihm an[154]. Der Leib ist bloß Werkzeug des Logos[155]. Euseb

148 Arius, Urk. 30 S. 64,8 Opitz. Arius läßt hier die vom Nicänum hinzugefügte Erläuterung „der Mensch geworden ist", fort.

149 Arius bei Konstantin, Urk. 34 S. 70,33 Opitz.

150 Epiphanius, Ancoratus 33,4 S. 42,19 Holl.

151 Euseb, De eccl. theol. 1,20 S. 87,24–88,22 Klostermann; Berkhof, Theologie S. 119–26; de Riedmatten S. 71–81. – M. Richard, S. Athanase et la psychologie du Christ selon les Ariens, Mél. de Science rel. 4 (1947) 5–54 zeigt, daß Athanasius bis 362 (Tomus ad Antiochenos) die menschliche Seele des Erlösers nicht erwähnt und den Arianern den „seelenlosen Leib" nie vorwirft, so daß eine Christologie, die ein *σῶμα ἄψυχον* voraussetzt (oder eine Logos-Sarx Christologie, wie Grillmeier sagt) bis 362 bei ihm vermutet werden kann. A. Grillmeier, Christ in Christian Tradition S. 308–26 zieht nach erneuter Untersuchung den Schluß, daß die Logos-Sarx Christologie des Athanasius für die Lehre von einer (menschlichen) Seele Christi offen war, die Christologie des Apollinaris hingegen nicht.

152 Euseb, De eccl. theol. 1,20 S. 87,24–88,22 Klostermann. Vgl. C. Marcell. 2,4 S. 57,8: (*ὁ λόγος*) *ψυχῆς δίκην οἰκῶν ἐν αὐτῷ* (scil. *τῷ σώματι*).

153 Euseb, Dem. ev. 4,13,1 ff. S. 170,28 ff. Heikel.

154 Dem. ev. 4,13,6–7 S. 172,7–32. Vgl. Berkhof, Theologie S. 121 f. Diese Lehren der Dem. ev. gelten auch für die spätere eccl. theol.

folgt hier dem Origenes, welcher den Logos, der im Leibe Jesu wohnt, zugleich das All durchwalten läßt[156], ohne daß ihn die Affekte und Leiden der Seele und des Körpers Jesu berühren[157].
In diesem Punkte unterscheidet sich Arius von Euseb von Cäsarea. Er leitet aus der Annahme, daß der Logos im Leibe Jesu die Stelle der Seele vertritt, Gründe gegen die Gottheit des Logos ab. Da die Seele und nicht das Fleisch Träger der Empfindungen und Wahrnehmungen ist[158], müssen die Niedrigkeitsaussagen der Schrift über den Herrn: daß er hungerte, dürstete, müde war und litt, vom Logos (als der Seele dieses Fleisches) gelten[159]. Athanasius hat in der 3. Rede gegen die Arianer[160], wo er sich mit dieser These auseinandersetzt, zwar die späteren Arianer im Auge. Doch geht aus der Polemik Alexanders von Alexandrien hervor, daß Arius selbst die Niedrigkeitsaussagen auf den Logos bezogen hat[161]. Er bedient sich dazu der von Lukian übernommenen Lehre vom Logos als Seele im seelenlosen Leib.
Wie ist es möglich, daß die Anschauung vom *σῶμα ἄψυχον* bei einem ausgesprochenen Origenisten wie Euseb von Cäsarea auftritt? Eine Erklärung bietet der Nachweis von H. de Riedmatten[162], daß die origenistischen Gegner des Paulus von Samosata (das heißt ihr Sprecher Malchion) sich bei den Verhandlungen auf der antiochenischen Synode von 268 schon im gleichen Sinne äußerten. Nach ihnen stellt im irdischen Christus der Gott-Logos das dar, was in uns der innere Mensch – womit die Seele gemeint ist[163]. Der Christus ist zusammengesetzt aus Logos und Leib. Letzteres hatte auch Loofs schon beobachtet, aber er war der Meinung, daß Malchion nicht an ein *σῶμα ἄψυχον* dachte[164] und berief sich dafür auf das sogenannte Fragment

155 Dem. ev. 4,13,4 S. 171,25 Heikel.
156 Origenes, princ. 4,4,3 (30) S. 352,14–29 Koetschau.
157 Ebd. S. 352,18–353,3; C. Cels. 4,15 S. 285,17 Koetschau.
158 Die Seele empfindet: Origenes, C. Cels. 2,9 S. 135,16 Koetschau. Die Sarx und der Leib sind von sich aus unfähig zu Bewegung und Handeln: Euseb, De eccl. theol. 1,20 S. 88,11 ff.; vgl. S. 87,26 Klostermann.
159 Athanasius, Or. c. Ar. 3,27. MPG 26,380c–381c. Auch Eustathius v. Antiochien wendet sich dagegen, daß die Arianer dem Logos Affekte zuschreiben. Frg. 15 S. 100 Spanneut.
160 N. 26 ff., besonders n. 28 und 37.
161 Alexander, Urk. 14 S. 20,7–10 Opitz.
162 H. de Riedmatten, Les actes du procès de Paul de S., S. 51–58.
163 Fragment 17 Loofs (Paulus v. Samosata S. 79) = Frg. 30 Bardy (Paul de Samosate). Vgl. de Riedmatten S. 52 f. und Ps. Athanasius, C. Apollin. 2,3. MPG 26,1136cd: (Arius) *ἀντὶ δὲ τοῦ ἔσωθεν ἐν ἡμῖν ἀνθρώπου, τουτέστι τῆς ψυχῆς, τὸν Λόγον ἐν τῇ σαρκὶ λέγει γεγονέναι.*
164 Loofs, Paulus v. S., S. 260.

29a: „wesenhaft (*οὐσιωδῶς*) verband er (der Logos) sich mit dem Fleische, das mit vernünftiger Seele beseelt war"[165]. Dieses Fragment ist jedoch die Einleitung des Sammlers zu der folgenden Reihe von Auszügen und besagt nichts über die Lehre der Bischöfe, welche sich gegen Paulus von Samosata wandten[166].
Die Feststellung von Loofs, daß die Zusammensetzung des Christus aus dem Logos-Gott und dem Leib, die uns in den Malchionfragmenten begegnet[167], in der Christologie des Origenes wurzelt[168], wurde von de Riedmatten aufgenommen[169]. Die antiochenischen Gegner Pauls von Samosata haben den zusammengesetzten Christus mit Origenes gemein[170]. An den „Schlüsselbegriff" der Zusammensetzung knüpft die Theorie vom Ersatz der Seele in Jesus durch den Logos an[171]. Man muß noch einen Schritt weiter gehen. Zwar lehrt Origenes die volle Menschheit Christi. Aber die menschliche Seele Jesu, welche der Logos annimmt, hängt seit Anfang der Schöpfung – also seit ihrer Erschaffung[172] – und im Zustand der Präexistenz mit unzertrennlicher Liebe am Logos, nimmt ihn ganz in sich auf und ist mit ihm ein Geist (*ἓν πνεῦμα*, 1 Kor. 6,17) geworden. Diese Seele vermittelt zwischen dem göttlichen Logos und dem Fleisch[173]. Psalm 44,8 (Du hast die Gerechtigkeit geliebt und das Unrecht gehaßt. Deshalb salbte dich Gott, dein Gott, mit Freudenöl, mehr als deine Genossen) bezieht sich auf die Seele Jesu. Salbung und Freudenöl bedeutet Empfang des heiligen Geistes. Aber der Seele Jesu wird als Lohn für ihr liebendes Anhangen nicht die Gnade des Geistes (wie den Propheten), sondern die Einwohnung des Logos in seiner

165 Bei Loofs S. 88. Der syrische Text bei de Riedmatten S. 141, nach Frg. S. 15. da iadu'tānāit Adverb ist, empfiehlt sich die Übersetzung: „das auf geistige Weise beseelt wurde".
166 G. Bardy, Paul de S., S. 48 A. 2.
167 Frg. 12 Loofs S. 76 (= Frg. 25 Bardy): Ex simplicibus fit certe compositum; sicut in Christo Jesu, qui ex Deo Verbo et humano corpore, quod est ex semine David, unus factus est, nequaquam ulterius divisione aliqua, sed unitate subsistens.
168 „Das ist vergröberter Origenismus, eine dem späteren Apollinarismus eng verwandte Anschauung" aaO. S. 260.
169 Actes du procès S. 59–62.
170 Origenes, C. Cels. 1,66 S. 119,21 Koetschau: *συνθετόν τι χρῆμά φαμεν αὐτὸν γεγονέναι.* Die Bestandteile Mensch und Logos werden jedoch zu einer Einheit zusammengefügt: In Joh. 1,28,195 f. S. 36,3–11 Preuschen.
171 De Riedmatten S. 58 f.
172 Belege für die Kreatürlichkeit der Seele des Christus bei Redepenning, Origenes Bd. 2, S. 387 A. 2.
173 Origenes, princ. 2,6,3 S. 142,2–143,17 Koetschau. Die Hauptstellen sind abgedruckt bei Harnack, DG Bd. 1 S. 687 A. 3.

substantialis (οὐσιώδης) plenitudo zuteil[174]. Der mit der Seele Jesu bereits vereinte Logos nimmt einen menschlichen Leib an[175].
Von der Einheit von Logos und Seele („ein Geist"), die sich inkarniert, zur Lehre vom σῶμα ἄψυχον ist es nur ein kleiner Schritt. Er besteht darin, daß in diesem „einen Geist", in welchem die Seele ja ganz in den Logos eingegangen ist[176], nur noch der Logos hervorgehoben und berücksichtigt wird[177]. Wahrscheinlich ist dieser Schritt durch den Vorwurf veranlaßt worden, Origenes lehre zwei Christusse, den Logos und die Seele Jesu.

b) Die zwei Christusse

Origenes' Lehre über die Seele Jesu scheint früh Widerspruch erregt zu haben. Pamphilus[178] nennt in seiner Apologie für Origenes[179] die Anklagen, die man gegen den Alexandriner erhob. Der fünfte Punkt lautet: Eine andere Beschuldigung besteht darin, daß sie behaupten, er predige zwei Christusse[180]. Pamphilus führt zur Widerlegung drei Origenestexte an[181] und bemerkt darauf: Si quis sane offenditur, quod dixit Salvatorem etiam animam suscepisse: nihil de hoc amplius

174 Origenes, princ. 2,6,4 S. 143,18–144,17; 2,6,5 S. 145,24–146,9 Koetschau; substantialis steht S. 144,5. Diese Stelle kann zu Gunsten von Loofs, der eine ἕνωσις οὐσιώδης bei Origenes annimmt (F. Loofs, Die Ketzerei Justinians. Harnackehrung, Leipzig 1921, S. 232–48 auf S. 239), gegen de Riedmatten, der dies bestreitet (Paul de S., S. 61 A. 56) angeführt werden.

175 Origenes, princ. 4,4,4 (31) S. 353,8–13 Koetschau. Vgl. im Testimonienapparat zu Zeile 13: ὅτι ἡ τοῦ κυρίου ψυχὴ προϋπῆρχε καὶ ταύτῃ ὁ θεὸς λόγος ἥνωτο πρὸ τῆς ἐκ παρθένου σαρκώσεως, Justinian, ep. ad Menam, ACO III, 198, 31–33 (E. Schwartz). Origenes sagt C. Cels. 2,9 S. 136,31 f. Koetschau freilich, daß nach der Menschwerdung (οἰκονομία) der Logos Gottes mit der Seele und dem Leib Jesu eine Einheit bildet. Aber dieser Zeitpunkt gilt wegen der Einbeziehung des Leibes und widerspricht nicht einer vorhergehenden Einheit von Seele und Logos. Origenes kann deshalb von der menschgewordenen, heiligen Seele Jesu (ἐνανθρωπούσῃ ψυχῇ ἱερᾷ) sprechen, C. Cels. 7,17 S. 168,16. – Durch das Anhangen (κολλᾶσθαι) der Seele Jesu an den Logos sind beide nicht mehr zwei, sondern eines. Sie ist mit dem Logos durch Teilnahme (μετοχῇ) geeint (C. Cels. 6,47 S. 119,4) und kein von ihm verschiedenes Wesen mehr (μηδ' ἕτερον ἔτι τυγχάνειν αὐτοῦ), C. Cels. 6,48 S. 120,9.

176 Origenes, princ. 2,6,3 S. 142,14–143,5 Koetschau.

177 Origenes selbst begibt sich gelegentlich schon in die Nähe dieser Vorstellung. So wie die Seele den Leib belebt und bewegt, so bewegt der Logos seinen Leib, die Kirche. C. Cels. 6,48 S. 119,26–120,4 Koetschau.

178 Darauf hat de Riedmatten, Paul de S., S. 61 f. hingewiesen.

179 Pamphilus, Apol. 1,5. Lommatzsch Bd. 24 S. 353 f.

180 S. 354 Lommatzsch. Vgl. A. Orbe, La Unción del Verbo. Estudios Valentinianos 3, Rom 1961, S. 175–80: Los dos Cristos de Origenes.

181 S. 370–73 Lommatzsch.

respondendum puto, nisi quod huius sententiae non Origenes auctor est, sed ipsa sancta Scriptura testatur, ipso Domino et Salvatore dicente „Nemo tollet animam meam a me" (vgl. Joh. 10,18), et „Tristis est anima mea usque ad mortem" (Mt. 26,38), et „Nunc anima mea turbata est" (Joh. 12,27). Die Schriftzitate sind aus De principiis geschöpft[182]. De Riedmatten meint, Pamphilus nehme hier eine bloß gedachte Beschuldigung vorweg[183]. Es handele sich um Abwehr des Verdachts, Origenes stehe Paul von Samosata nahe[184], der ja an einer menschlichen Seele des Christus festhielt. Aber der Vorwurf des Samosatenismus zielt darauf, daß durch die menschliche Seele Christus zum bloßen Menschen gemacht werde – während Pamphilus die Kritik an der origenistischen Seele des Heilands in Zusammenhang mit der Anklage erwähnt, Origenes lehre zwei Christusse[185].
Die Beschuldigung, daß Origenes zwei Christusse annehme, tritt nun auch in den Anathematismen der konstantinopler Synode von 553 auf[186]. Die 7. bis 9. Verfluchung befaßt sich mit der Unterscheidung zweier Christusse. Der Gott-Logos wird von den Origenisten nur uneigentlich (*καταχρηστικῶς*) Christus genannt und zwar wegen des wirklichen Christus, des Nus, der mit dem Logos verbunden ist. Der Logos hat also vom Nus her die Bezeichnung „Christus"; der Nus wiederum (der kein Gott ist) heißt um seiner Vereinigung mit dem Logos willen „Gott" (Anathem VIII). Dieser Nus ist das einzige der vernünftigen Wesen (*λογικά*), welches nicht gefallen ist und unerschüttert in der Liebe und Schau Gottes verharrte. So wurde er Christus, König und Schöpfer der körperlichen Welt (Anathem VI). Dieser Christus, der in göttlicher Gestalt war, hat sich am Ende der Tage entäußert zum Menschlichen (Phil. 2,6 f.) (Anathem VII). In der Endvollendung werden alle *λογικά* (Engel, Menschen und Dämonen) mit Christus vereint und ihm gleich sein (Anathem. XII und XIII).

182 Origenes, princ. 4,4,4 (31) S. 353,14–18; vgl. 2,8,4 S. 162,16–18 Koetschau. – Pamphilus, Apol. S. 373 Lommatzsch Bd. 24.
183 De Riedmatten, S. 62 u. 72.
184 Vgl. Punkt 3 der Vorwürfe: dicunt eum (scil. Origenem), secundum Artemam vel Paulum Samosatenum, purum hominem, id est, non etiam Deum dicere Christum Filium Dei. Lommatzsch, Bd. 24 S. 354.
185 Ich werde unten auf diese Frage zurückkommen.
186 Text bei Hahn § 175 S. 227–29 und E. Schwartz-J. Straub, ACO IV,1 (1971) S. 248–49. Text und deutsche Übersetzung in H. Görgemanns-H. Karpp (Herausgeber), Origenes' vier Bücher von den Prinzipien, Darmstadt 1976, S. 824–31, – F. Diekamp, Die origenistischen Streitigkeiten im 6. Jahrhundert und das 5. allgemeine Konzil, Münster i.W. 1899, wies nach, daß die 15 Anathematismen der Synode von 553 und nicht von 543 gehören. Ergänzend hierzu J. Straub, Praef. zu ACO IV,1 S. XXVII f.

Während H. Jonas, der sich auf Koetschau stützt[187], das System des Origenes unter Zugrundelegung der Anathematismen[188] darstellt, meinte Diekamp, es handele sich dabei um die Lehre von Origenisten des 6. Jahrhunderts. Auch A. Guillaumont ordnet die Christologie der 15 Anathematismen, welche sich auf die Unterscheidung des göttlichen Logos und der geschaffenen Natur des Christus gründet, dem späten Origenismus zu[189]. Sie ist bei Origenes nicht nachweisbar, findet sich aber bei Euagrius Ponticus, und zwar in der von Guillaumont veröffentlichten syrischen Übersetzung S_2 der Kephalaia Gnostica[190]. Von Euagrius kam diese Christologie zu den palästinensischen Mönchen, gegen welche sich die 15 Anathematismen richten. Sie ist auch nicht in Justinians Brief an Menas vom Jahre 543 erwähnt[191].

Es lohnt sich nun, der von Guillaumont ausgeklammerten Frage nachzugehen, ob die von den Anathematismen gebrandmarkte Christologie Ansatzpunkte in Origenes' Anschauungen über die präexistente Seele Christi hat. Einige Vergleichspunkte sind schon in den obigen Ausführungen enthalten. Ich wiederhole und ergänze diese Berührungen, wobei ich Koetschaus Einschaltungen aus den Anathematismen und den justinianischen Origenesfragmenten in den Text von De principiis unberücksichtigt lasse.

1. Origenes: Die Seele Jesu ist kein Gott[192] und vom Gott-Logos unterschieden[193]. – Der Nus-Christus[194] ist nicht der Gott-Logos (Anathem VII) und wird nur (uneigentlich) Gott genannt (Anathem VIII).

2. Origenes: Die Seele Jesu hängt ab initio creaturae et deinceps unzertrennlich am Logos und Sohne Gottes[195]. – Ein Nus unter

187 Siehe Koetschaus Einleitung zur Ausgabe von De princ., bes. S. CXIX ff. – H. Jonas, Gnosis Bd. 2 S. 175–203.

188 Der fünfzehn von 553 (ACO IV,1 S. 248 f.) und der neun von 543 (ACO III S. 213 f.), dazu nimmt Jonas (mit Koetschau) die Origenesfragmente im Briefe Justinians an Menas (ACO III S. 208–13).

189 A. Guillaumont, Evagre et les anathématismes antiorigénistes de 553, StudPatr 3 (1961) 219–26. – Ders., Les „Kephalaia Gnostica" d'Evagre le Pontique et l'histoire de l'origénisme chez les Grecs et chez les Syriens, Paris 1962. Die Christologie des Euagrius auf S. 117–19; 151–56.

190 Patrol. Orientalis 28,1 Paris 1958.

191 Guillaumont, StudPatr. 3 S. 221.

192 C. Cels. 2,9 S. 135,14–17 Koetschau.

193 S. die folgende Nr. 2.

194 Die Gleichsetzung von Nus und Christus erhellt aus Anathem VI.

195 Origenes, princ. 2,6,3 S. 142,5 Koetschau. Vgl. 2,6,6 S. 143,18: illa anima ... semper in verbo, semper in sapientia, semper in deo posita est. Durch diese Parallele erledigt sich die Bemerkung von E. de Faye, Origène Bd. 3, Paris

allen Logika bleibt unverrückt in der göttlichen Liebe und wird zum Christus (Anathem VI).

3. Origenes: Zwischen der Seele Jesu und dem Logos findet ein Austausch der Namen statt. Wegen ihres Bleibens im Logos wird diese Seele (unter Einbeziehung des später von ihr angenommenen Fleisches) Christus, Weisheit Gottes, Sohn und Kraft Gottes genannt. Andererseits heißt der Sohn (und Logos) Gottes „Jesus Christus" und „Menschensohn"[196]. – Der Gott-Logos wird wegen des mit ihm vereinten Nus als „Christus" bezeichnet und der Nus wiederum als „Gott" (Anathem VIII).

4. Origenes: Die (präexistente) Seele Jesu wird gesalbt, mehr als andere, nämlich mit dem Logos; das heißt, die Fülle des Logos wohnt in ihr[197]. – Der Christus (der präexistente Nus) wird mehr als andere gesalbt, nämlich mit der Gnosis (ida'tā) der heiligen Einheit (d.h. dem Logos). Er ist anfangs nicht der Logos und so wird er, der nicht Gott war, Gott um des Logos willen und dieser wird zum Christus[198].

5. Origenes: Phil. 2,6 f. (welcher, ob er wohl in göttlicher Gestalt war, hielt er's nicht für einen Raub, Gott gleich zu sein, sondern äußerte sich selbst und nahm Knechtsgestalt an) bezieht sich auf die Seele Jesu[199]. – Phil. 2,6 f. bezieht sich auf den Nus, der Christus heißt. Dieser war in der Gestalt Gottes und entäußerte sich selbst (Anatheme VII und VIII).

1928, S. 131 Anm.: Rufin habe (princ. S. 142,5) ab initio creaturae hinzugefügt, um den Unterschied zwischen dieser Seele und dem Logos zu verwischen.

196 Origenes, princ. 2,6,3 S. 142,14–143,6 Koetschau.

197 Origenes, princ. 2,6,4 S. 143,24–144,6 (S. 142,5 ff. zeigt, daß es die präexistente Seele ist); 4,4,4 (31) S. 353,8–354,18.

198 Euagrius Ponticus, Cent. IV,18.21. PO 28,1 S. 143 u. 145 Guillaumont. Der Christus hat den Logos in sich: Cent. IV,80 S. 171 Guillaumont. Vgl. Guillaumont, StudPatr. 3,223 u. 224 A. 1. – Cent. IV,9 S. 139: der Christus „erbt" den Logos. – Zum Gedanken einer vorzeitlichen Salbung s. Justin, 2. Apol. 6,3 (S. 83 Goodspeed): der Logos heißt „Christus", weil er gesalbt wurde (wohl mit dem hl. Geiste). Gnostisch: Salbung des Monogenes durch den unsichtbaren Geist (= Gott), im Apokryphon des Johannes BG (Papyrus Berolinensis 8502) 30,9 ff. (auch in: Die Gnosis, herausgegeben von W. Foerster, Bd. 1 S. 146, übersetzt von M. Krause). – Weil der Christus gesalbt ist (mit der Gnosis der Einheit) heißt es von ihm bei Euagrius, daß er zur Rechten Gottes sitzt. Die „Rechte" ist nach der Regel der Gnostiker die Monas (ḥᵉdā̱i̯uṯā̱) und Einheit (iḥiḏai̯uṯā̱), Euagrius, Cent. IV,21 S. 145 Guillaumont.

199 Origenes, princ. 4,4,5 (32) S. 355,14–356,2 Koetschau. Rufin entschärft, indem er durch „quidam dicunt" diese Lehre von Origenes fortschiebt. Vgl. die Testimonia aus Hieronymus und Theophilus, S. 355 Koetschau.

Pamphilus[200] zitiert eine Erklärung von Phil. 2,6–8 aus dem Matthäuskommentar des Origenes, um die Beschuldigung zu widerlegen, Origenes lehre zwei Christusse. Der Christus, der in der Gestalt Gottes war, ist auch der Fleischgewordene. Nach der Darstellung des Pamphilus sind die angeblichen zwei Christusse der Logos und der irdische Jesus[201]. Es ist allerdings unsinnig, aus der Präexistenz des Christus-Logos eine Anklage auf Behauptung zweier Christusse herzuleiten, denn die Unterscheidung zwischen dem präexistenten und dem irdischen Christus findet sich schon seit dem Neuen Testament. Wahrscheinlicher ist, daß der Anstoß, den die Kritiker an der von Origenes gelehrten Seele Christi nahmen[202], schon der gleiche ist, wie im VIII. Anathem (Christus ist der Gott-Logos und Christus ist das präexistente Geistwesen, die Seele), und daß Pamphilus mit einem apologetischen Kniff das Problem auf eine andere Ebene (präexistenter – irdischer Christus) verschob, wo sich die Gegner leichter schlagen ließen.

Die genannten fünf Vergleichspunkte beweisen, daß von der Christologie der origenistischen, von Euagrius beeinflußten Mönche in Palästina starke Verbindungsfäden zu Origenes laufen. Dabei soll nicht in Abrede gestellt werden, daß eine Weiterbildung der Lehre stattgefunden hat. Doch ist die Bezeichnung „Nus“ für die reine Seele des Erlösers durchaus origenistisch gedacht. Denn die geschaffenen Geistwesen werden zu Seelen (*ψυχαί*) erst durch das Erkalten (*ψυχοῦσθαι*) der Liebe zum Göttlichen: *νοῦς*, id est mens, corruens facta est anima et rursus anima instructa virtutibus mens fiet[203]. Da die Seele Jesu nicht fiel, ist sie Geist geblieben und „Seele“ nur durch ihre Bestimmung, in den Leib des Erlösers einzugehen, um zwischen Logos und Sarx zu vermitteln[204].

200 Pamphilus, Apologie, Lommatzsch Bd. 24 S. 372. Auch in Klostermanns Ausgabe des Matthäuskommentars, Origenes Werke Bd. 12 (GCS 41) S. 4.

201 Pamphilus, Apologie, aaO. S. 370: Sed persequamur consequenter etiam alia, in quibus accusatur quasi duos Christos dicens, unum Deum Verbum, et alium Jesum Christum, qui ex Maria natus est.

202 Lommatzsch Bd. 24 S. 373. Oben zitiert im Text zu Anm. 182.

203 Origenes, princ. 2,8,3 (Hieronymus) S. 161,6–8 Koetschau. – Der Seele des Erlösers wird manches unter dem Namen „Seele“ beigelegt, manches, indem man ihr den Namen „Geist“ (Pneuma) gibt, princ. 2,8,4 S. 162,11–21. – Abkühlung zu „Psyche“: Origenes, princ. 2,8,3 S. 157,15. Vgl. Redepenning, Origenes Bd. 2 S. 328; Theophilus v. Alexandrien bei Koetschau, Testimonia zu S. 157,14 und Anathem IV von 553.

204 Vgl. Redepenning, Bd. 2 S. 387 mit Anmerkungen.

c) Arius und Euagrius Ponticus

Zwischen dem von Euagrius herkommenden vorzeitlichen Christus der 15 Anatheme und der Lehre des Origenes von der Seele Christi einerseits, und dem „Sohn" des Arius andererseits besteht große Ähnlichkeit. Bei Euagrius, Origenes und Arius handelt es sich um ein vor allen Zeiten erschaffenes Geistwesen. Dieses ist nicht Gott und zu unterscheiden vom Logos Gottes. Es ist von Natur wandelbar, bleibt aber unverrückt in der göttlichen Liebe. Zum Lohn dafür wird es mit dem Würdenamen „Gott" (und anderen Namen) bedacht. Durch Teilhabe ist es mit dem Göttlichen verbunden[205]. Dieser Geist wird bei Origenes und Euagrius durch eine vorzeitliche Salbung (nach Ps. 44,8) zum Christus[205a]. Auch Arius lehrte so. Athanasius wirft den Arianern vor, daß sie die Salbung von Psalm 44,8 auf den präexistenten „Logos" beziehen, um seine veränderliche Natur zu beweisen. Als Lohn für seinen Willensentschluß, die Gerechtigkeit zu lieben und das Unrecht zu hassen, wird er gesalbt[205b]. Denselben Vorwurf erhebt schon Alexander von Alexandrien. Arius und seine Genossen führen Ps. 44,8 als Beleg für die Wandelbarkeit des Geschöpfes, welches sie Gottessohn und Logos nennen, an[205c]. Daraus geht hervor, daß Arius eine Salbung des präexistenten, geschaffenen Geistwesens zum Christus kannte[205d].

205 Origenes: Die Seele Jesu ist mit dem Logos *μετοχῇ* geeint, C. Cels. 6,47 S. 119,4 Koetschau. – Arius: (der Sohn) *μετοχῇ ἐθεοποιήθη*, bei Athanasius, Or. c. Ar. 1,9. MPG 26,29b. Siehe Tabelle I Spalte 2–4 Nr. V.

205a Belege s. Anm. 197 und 198. Besonders Origenes, princ. 2,6,4: Dilectionis igitur merito unguitur »oleo laetitiae«, it est anima cum verbo dei Christus efficitur, Koetschau S. 144,1 f.

205b Athan., Or. c. Ar. 1,37. MPG 26,88c–89a; 1,51 col. 117b. Athanasius hält den Arianern entgegen: Nicht der Logos wird gesalbt, sondern das Fleisch, ebd. 1,47 col. 109c.

205c Urk. 14 S. 21,7–22,3 Opitz, besonders S. 21,23–22,3 (vgl. die Parallele bei Origenes, Princ. 4,4,4 (31) S. 354,6–18 Koetschau). Daß es sich um den vorzeitlichen Gottessohn handelt, geht aus dem Parallelbericht Alexanders, Urk. 4 S. 7,19–8,10 Opitz, hervor. Sowohl bei Alexander (Urk. 14 aaO.) wie bei Athanasius, Or. c. Ar. 1,37 erscheint Jesaja 1,2 (vgl. Euseb v. Nikomedien, Urk. 8 S. 17,1 Opitz) neben Psalm 44,8.

205d Die Origenesparallelen (Salbung der Seele Jesu) siehe Anm. 174 und 197. – Wenn Origenes In Joh. 1,28,30 S. 35,16 ff. Preuschen, zu Ps. 44,8 sagt, der Mensch Jesu sei der „Gesalbte" (Athanasius spricht von der Salbung des „Fleisches"), so gilt die Bezeichnung „Gesalbter" von ihm im Hinblick auf seine Seele, die „menschlich" wurde (S. 35,25–27 Preuschen). Es steht also die Salbung der präexistenten Seele im Hintergrund. – Mit der Salbung des Präexistenten entfernt sich Arius von Paulus von Samosata, der nur eine Salbung des Menschen Jesus lehrte: *ὁ ἄνθρωπος Ἰησοῦς χρίεται, ὁ λόγος οὐ χρίεται.* Frg. 13a Loofs (F. Loofs, Paulus v. S., Leipzig 1924 S. 331,2).

Dieser vorzeitliche Christus führt das Erlösungswerk (gemäß Phil. 2,6 ff.) durch. Alle vernünftigen Geschöpfe können in der Vollendung zur gleichen Würde gelangen wie dieser geschaffene Geist (Christus)[206]. Arius, Euagrius und die 553 verurteilten palästinensischen Mönche sind „Isochristen“.

In den Anathemen, bei Euagrius und bei Arius ist gesagt, daß dieses Geschöpf (der Christus) der Demiurg der sichtbaren Welt ist. Origenes spricht nur von der Übertragung des Schöpfernamens auf die Christusseele[207]. Hier liegt bei Arius und Euagrius eine Weiterbildung des origenistischen Gedankens vom Logos als Schöpfer (Schöpfungsmittler) vor.

Da die origenistischen Mönche, welche die Christologie des Euagrius übernahmen, ebensowenig wie Euagrius Arianer waren, ist bei ihnen, Euagrius und Arius ein gemeinsames origenistisches Erbe vorhanden, das von Origenes selbst und der frühen Weiterentwicklung seiner Lehre stammt. Der Arianismus ist nicht aus der Logos- und Trinitätstheologie des Origenes, sondern aus dessen Lehre von der präexistenten Seele Christi erwachsen. Arius und Euagrius sind Sprosse aus demselben Stamm. Von hier aus scheint auch die „Gnosis“ des Arius[208] in die Geschichte des Origenismus zu gehören.

Die von Origenes hergestellte enge Verbindung der präexistenten Seele Jesu mit dem Logos, welche es nahe legt, die Seele im Logos aufgehen zu lassen, ist die Wurzel der Lehre vom *σῶμα ἄψυχον*, die Arianern und Apollinaristen gemeinsam ist. Arius hat dieses Stück schon von Lukian ererbt und verwendet es demgemäß, obwohl er den

206 Letzteres ist belegt: Anatheme XII-XIV (ACO IV,1 S. 249); Euagrius, Cent. III,72 S. 127; IV,8 S. 139 Guillaumont: Alle erlangen das gleiche Erbe wie Christus, die Gnosis der Einheit. – Christus hat keinen Vorzug vor den anderen Geistern, s. A. Guillaumont, Les Kephalaia Gnostica d'Evagre le Pontique et l'histoire de l'origénisme S. 155 f. – Arius sagt dasselbe nach Alexander von Alexandrien, Urk. 14 S. 21, 15.22 f. Opitz. – Für Origines ist Ähnliches zu erschließen aus der Wiederherstellung des ursprünglichen Zustandes aller *λογικά*. Vgl. princ. 3,6,4 S. 286,6–9: Cum vero res ad illud coeperint festinare »ut sint omnes unum« (Joh. 17,21) sicut est »pater cum filio unum« (Joh. 10,30), consequenter intelligi datur, quod, ubi omnes »unum« sunt, iam diversitas non erit.

207 Anathem VI, ACO IV,1 S. 248. – Euagrius, Cent. III,26 S. 107 Guillaumont; Christus schuf die Welten (Cent. II,2 S. 61). Dabei wirkt Gott in ihm und durch ihn (Cent. IV,58 S. 161). – Arius: Tabelle I Nr. VIII; Urk. 6 S. 12,8 Opitz. – Origenes, princ. 4,4,4 (31) S. 354,27 f. Koetschau: (die Seele Jesu) eius (scil. des Logos und des Sohnes) vocabulis nuncupatur et Jesus Christus appellatur per quem »omnia facta esse« dicuntur.

208 S.o. Kap. 6,2.

origenistischen engen Zusammenhang zwischen Logos und Seele löst – er läßt den Logos ganz in Gott zurückkehren und verselbständigt die Seele (den Nus) zum „Sohn". Das hängt sicher mit den Erörterungen über die „zwei Christusse" des Origenes zusammen, auf welche sich Pamphilus bezieht, und deren Echo auch über Theognost und Euseb von Cäsarea zu uns dringt, wenn beide betonen, daß der Sohn *κατὰ τὸν ἀριθμόν* einer sei[208a]. Arius gelangt durch diese Trennung zu „einem" Christus.

Euagrius dagegen sucht im Sinne des Origenes die Verbindung zwischen dem vorzeitlichen Nus-Christus und dem Logos festzuhalten und zu steigern. Leib und Seele des irdischen Christus sind von derselben Natur wie unser Leib und unsere Seele. Aber der Logos ist homousios ('iṯīā'iṯ bar 'iṯuṯā) mit dem Vater[209]. Seit der Erschaffung (hᵉu̯āi̯eh) des Christus ist der Logos in ihm[210]. Der präexistente Christus (welcher der Seele Jesu bei Origenes und dem „Sohn" bei Arius entspricht) ist durch die Vereinigung (mit dem Logos) von derselben Natur wie der Vater, weil er auch wesenhaft Erkenntnis ist[211]. So kann Euagrius das nicänische Homousios bejahen und bekämpft den Arianismus in dem ihm gehörigen 8. Brief des „Basilius"[212].

d) Ergebnis

Die Entdeckung, daß nicht die Logos- und Trinitätslehre des Origenes, sondern seine Christologie (Inkarnationslehre) die Wurzel des Arianismus ist, ermöglicht die Lösung der Aporie, daß Arius sowohl im Widerspruch zu Origenes, als auch in Gemeinschaft mit ihm steht – ohne daß man ihm die Zugehörigkeit zum Origenismus aberkennen müßte.

Die Lehre von der präexistenten Seele des Erlösers ist die Stelle, wo Origenes die adoptianistischen Überlieferungen, deren Anwendung auf den Logos er ablehnte, in sein System eingebaut hat[213]. Die Seele Jesu, ein Geschöpf, wird durch Salbung zum Christus und durch Annahme zum Sohn und Gott. Hier lag der Anknüpfungspunkt für Lukian (von Paul von Samosata her) und für Arius. Von hier aus wird deutlich, daß die „unveränderliche Natur" des Herrn, von welcher Euseb von

208a S.o. Anm. 134 und den Text dazu.

209 Euagrius, Cent. VI,79 S. 251 Guillaumont.

210 Euagrius, Cent. VI,18 S. 225 Guillaumont.

211 Cent. VI,14 S. 223.

212 MPG 32,245–68. Neue Ausgabe von Y. Courtonne, Lettres de s. Basile, Bd. 1, Paris 1957, S. 22–37. Siehe auch die Ausgabe der Basiliusbriefe von R.J. Deferrari und M.R.P.McGuire, 4 Bände, London (Loeb Class. Libr.) 1950/3.

213 Vgl. Harnack, DG Bd. I, S. 688.

Nikomedien spricht, die durch Beharren erworbene Unveränderlichkeit der präexistenten Jesusseele des Origenes ist[214]. Und von hier aus wird auch verständlich, warum Lukian und Arius den „Logos" als Seele im seelenlosen Leib des Menschgewordenen betrachten. Der Arianismus ist keine Verschärfung des Subordinatianismus der origenistischen Logoslehre, sondern der Ersatz der origenistischen Logoslehre durch die origenistische Christuspsyche. Erst Arius hat diese Lehre in klar durchdachten Formeln dargelegt – sonst wäre der arianische Streit schon eher ausgebrochen – und mit logischer Begründung versehen[215].

Wenn die arianische Sohnesgestalt aus der origenistischen Christusseele abgeleitet ist, so gewinnt die oben geäußerte Vermutung, daß in einigen Ariusfragmenten von einer Inspiration des Präexistenten gesprochen wird[216], an Wahrscheinlichkeit. Es handelt sich um einen Rest des engen Verhältnisses zwischen dem Logos und der vorzeitlichen Psyche Jesu bei Origenes.

Die kunstvolle Verbindung, welche Origenes zwischen dem Logos und der Christusseele hergestellt hatte, trübte dem Euseb von Cäsarea den Blick für den Schnitt, welchen Arius (Lukian) vollzogen hatte und bei dem „Origenistisches" übriggeblieben war, und erklärt seine Haltung mit.

Die Verselbständigung der origenistischen Jesusseele bei Arius gab den adoptianistischen Gedanken, welche Origenes verwendet, aber unschädlich gemacht hatte, neuen Auftrieb. Darin liegt die Erklärung für die oben getroffenen Feststellungen, daß die Christologie des Arius „von unten", vom Menschen Jesus her gedacht ist und Verwandtschaft mit judenchristlicher Christologie aufweist. Auch hier bot Origenes Anknüpfungspunkte. Er hat die Engelchristologie und eine Reihe judenchristlicher Traditionen in sein System eingebaut[217]

214 S.o. den Text zu A. 55.

215 So für die Schöpfung des „Sohnes" aus Nichts in Urk. 1 S. 3,5–7 Opitz und Urk. 14 S. 26,24–25 (Referat Alexanders): *δυοῖν θάτερον δεῖν εἶναι λέγοντες οἱ ἀπαίδευτοι ἢ ἐξ οὐκ ὄντων αὐτὸν εἶναι φρονεῖν ἢ πάντως ἀγέννητα λέγειν δύο.*

216 S.o. Kap. 4,1 h zu Anm. 214–219.

217 J. Barbel, Christos Angelos S. 97–107. – A. Harnack, Der kirchengeschichtliche Ertrag der exegetischen Arbeiten des Origenes, Leipzig (TU 42,3–4) 1919 (sammelt die Anspielungen des Origenes auf jüdische Traditionen). – G. Bardy, Les traditions juives dans l'oeuvre d'Origène, Rev. Biblique 34 (1925) 217–52. – M.P. Roncaglia, Origene e il Giudeo-Cristianesimo, Rendiconti del Istituto Lombardo di scienze e lettere. Classe di lettere e scienze morali e storiche 102 (1968) 473–82. – H. Bietenhard, Cäsarea, Origenes und die Juden. Stuttgart 1974. – N.R.M. de Lange, Jewish Influence

und zitiert jüdische Apokryphen, darunter das jüdische, von den Christen angeeignete „Gebet Josephs", wo Israel als präexistentes Geistwesen, Erzengel und oberster der Söhne Gottes auftritt[218]. Die Spielart des Origenismus, die von Lukian her auf Arius gekommen ist, und insbesondere die Lehre von dem Seele-Christus war anfällig für judenchristliche Tendenzen. Von Origenes aufgenommenes judenchristliches und adoptianisches Gedankengut wurde im Arianismus virulent.

Die Parallelen zwischen Arianismus und jüdischem Denken, welche in dieser Arbeit besprochen wurden, reichen nicht aus, Abhängigkeitsverhältnisse mit Bestimmtheit zu behaupten. Ihr Gewicht im Ganzen, die Abweichung vom origenistischen Systemgedanken, verbunden mit der Wahlverwandtschaft zwischen „Arianismus" und jüdisch-judenchristlichen Traditionen, die bei Laktanz, den Pseudoklementinen und Pseudo-Cyprian zu beobachten war, macht es nicht unwahrscheinlich, daß jüdisch-häretische und judenchristliche Einflüsse auf Lukian von Antiochien und Arius wirkten[219]. Entscheidend ist jedoch, daß Arius vom Origenismus ausging, wenngleich dies in anderer Weise geschah, als bisher angenommen wurde. Ein Zipfel der Decke lüftet sich, welche über der frühen Geschichte des Origenismus liegt.

on Origen. In: Origeniana (Quaderni di Vetera Christianorum 12) Bari 1975, 225–42. – Ders.: Origen and the Jews, Cambridge 1976 (Lit.).

218 Origenes, In Joh. 1,31,221 S. 34,18; 2,31,188 S. 88,18 ff. Preuschen. Vgl. Bietenhard (s. A. 217) S. 30–32: Die Apokryphen bei Origenes.

219 Zum Judentum und Judenchristentum in Antiochien vgl. C.H. Kraeling, The Jewish Community at Antioch, JBL 51 (1932) 130–60. – R.M. Grant, Jewish Christianity at Antioch in the Second Century, RechSR 60 (1972) 97–108. – Auf jüdischen Einfluß in Alexandrien und Ägypten wurde oben Kap. 7.8b hingewiesen.

Register

I. Ausgewählte Bibelstellen

(A. = Anmerkung; Sp. = Spalte)

Altes Testament

Genesis
1,1 65; 68; 82; 98; 136–40
1,3 108
1,26 145 A. 29; 146; 152
2,7 202 A. 66
Exodus
3,14 206; 208
7,1 154; 166
Deuteronomium
32,8 f. 151
2. Makkabäer
7,28 71
Psalm 22(23),1 115
22(23),10 42 Sp. 2
44(45),2 63; 64; 96 u.A. 237; 111; 184 Sp. 2; 204 A. 74
44(45),8
(= Hebr. 1,9) 124 A. 112; 214; 220 u.A. 205 c.d
102(103),21 171
109(110),1 141; 168
109(110),3 184 Sp. 2 u. 3
117(118),16 203 A. 66
135(136),2 151
Sprüche Salomos
8,2–4.9–12 122
8,22 65; 67–70; 82; 84 f.; 93; 98; 130 A. 152; 137; 144; 172; 184 Sp. 1–3; 197; 199 u.A. 48; 207 u.A. 112; 208 A. 113
8,23 205
8,27 206
8,30 69 f.; 88; 206 A. 97
9,1 ff. 122
Weisheit Salomos
1,6a 121
7,7 121
7,22 88 A. 182
7,25 73 A. 55; 75; 122
9,1 f.17 88 A. 182
9,4 168
18,16 149 A. 63
Jesus Sirach
24,3 160
39,6–8 122
Joel
2,25 42 Sp. 2; 45 Sp. 4; 191
Jesaja
1,2 124 u.A. 111; 112; 127 A. 135; 184 Sp. 1; 220 A. 205c
6,3 162; 165; 166 u. A. 203
9,5 163 f. u.A. 187
Hesekiel
1 u. 10 167; 171

Neues Testament

Matthäus
11,27 151; 164 A. 187
18,12 f. 114–16; 119
26,28 216
28,19 89; 190 Sp. 2 u. 4; 195; 196
Markus
10,18 77 A 92
Lukas
15,1–4 114–16; 119
Johannes
1,1 82 f.; 84 f.; 138
1,4 82
10,18 216
10,30 81; 91; 189 Sp. 3; 221 A. 206
12,27 216
16,14 f. 92 u.A. 217
17,3 76; 204

17,11 91 f.
17,21 221 A. 206
Apostelgeschichte
2,36 172
1 Korinther
6,17 214
2 Korinther
3,17 87
Epheser
4,24 102
Kolosser
1,15 76; 102; 137; 138; 183 Sp. 3 u. 4
1,16 90
Philipper
2,6 f. 218 f.
2,9 f. 124 A. 112
1 Timotheus
6,16 72 A. 39
Hebräer
1,4 172
1,9 siehe Ps. 44,8

II. Antike und mittelalterliche Personennamen

Afrahat 154–57; 164
Agapius v. Hierapolis (Menbidj) 68 u.A. 9
Akiba, Rabbi († 135 n. Chr.) 137; 145
Albinus (Platoniker) 55f.; 58; 66
Alexander von Alexandrien 24; 26; 32; 34; 47 f.; 50; 51; 57; 67; 69 f.; 72; 75; 77; 81; 124; 128; 206
Alexander v. Aphrodisias 58; 59
Alkibiades (Elkesait) 149
Ammonius (Aristoteleskommentator) 58
Ammonius (Adressat eines Briefes von Dionys v. Alex.) 95 A. 233
Ammonius („Vater" des Arius) 179 u.A. 278
Anthimus, Pseudo- 24
Antonius (Schüler Lukians) 200
Apelles (Markionit) 25; 115
Apollinaris v. Laodikea 172
Aristobul 142 A. 4
Ariston v. Pella 137
Aristoteos, Aristotelismus 24; 34; 35; 56; 57; 123 A. 103
Artemas, Artemon 24; 28; 128
Asterius (Schüler Lukians) 48; 66; 90; 106; 125 u.A. 119; 126 A. 129; 130; 171; 182–192; 197–202
Athanasius v. Alexandrien 24; 32; 48; 59 A. 44; 85; 86 u.A. 170; 91 f; 126 A. 125; 127; 128; 172; 173 u.A. 248; 249; 212 A. 151
Athanasius v. Anazarbos (Arianer) 114–16; 119
Athenagoras (Apologet) 33
Augustin v. Hippo 56; 61 A. 57; 78 A. 96
Bar Hebräus 134
Basilides, Basilidianer 108–11
Cyprian, Pseudo- 161–63
Dionysius v. Alexandrien 24; 32; 56; 94–100
Dionysius bar Salibi 147
Dionysius v. Rom 98
„Ebion", Ebioniten 24; 128; 134 f.; 148 f; 177
Epiphanius v. Salamis 24; 67
Euagrius Ponticus 217; 218 A. 198; 220–22
Eunomius (Arianer), Eunomianer 25; 89 A. 193; 90; 152; 200 A. 53
Euphranor (Adressat eines Briefes von Dionys v. Alex.) 95 A. 233
Euseb v. Cäsarea 24; 26; 60; 75; 78; 87; 88; 123; 141 f.; 168; 170; 193–97; 203–10; 212 f.; 222; 223
Euseb v. Nikomedien 24; 49; 54 A. 9; 124 A. 111; 125; 181–90; 198; 200; 202; 204 A. 77; 222 f.
Eustathius v. Antiochien 33; 61 A. 61; 87; 88; 211
Eutaktos (Archontiker) 172 A. 245
Georgius (alexandrin. Presbyter, später Bischof v. Laodikea) 54
Gregor der Wundertäter 71; 75
Henoch 92; 143 f.; 165
Herakleon (Gnostiker) 78 A. 96; 124 A. 111
Hermas, Hirt des 71; 149
Hermes Trismegistos 25; 118
Hermogenes (Gnostiker) 64 f.; 97

Hierokles (Neuplatoniker 71 A. 35
Hieronymus 24
Hippolyt v. Rom 99; 108 A. 4.5; 145 u.A. 28; 165
Hoscha'ja, Rabbi (Zeitgenosse des Origenes) 137 A. 12; 138
Irenäus v. Lyon 63 A. 76; 72; 88; 139 f.; 165
Jahoel 144
Jaldabaoth 169
Jesaja, Himmelfahrt des 165; 166 A. 198; 172 A. 245
Johannes Philoponus 56 A. 20; 58
Joseph, Gebet des 224
Justin (Apologet) 36; 67; 72; 146; 153; 173
Kalvisius Taurus 55
Karpokrates (Gnostiker), Karpokratianer 134; 146; 173
Kerinth (Gnostiker) 147 f. u.A. 49
Kirkisani, Al- 175
Klemens v. Alexandrien 88 A. 183; 96 f.; 101–3; 120 f; 139; 162; 165 f.; 170
Klemens (v. Rom), Pseudo- 28; 88; 149 u.A. 62; 150–54; 158; 159; 164; 170; 177; 202 u.A. 66
Konstantin d.Gr. 67; 87; 89 f.; 123; 167 f.; 175
Laktanz 63; 157–61; 178
Leontius (Schüler Lukians) 171; 200
Lukian v. Antiochien 24; 28–30; 32; 33; 128; 135; 159; 181; 196; 197–203; 212; 221; 222 f.
Malchion (antiochenischer Presbyter) 92 A. 217; 213 f.
Mani, Manichäer 25; 120 A. 80; 135
Markell v. Ankyra 24 A. 15
Markus (valentin. Gnostiker) 108
Melitius v. Lykopolis 68
Methodius (genannt v. Olympus) 56; 64; 70 A. 29; 97 A. 250; 115
Michael (Erzengel) 149 A. 68; 151 u.A.78; 160 A. 157; 165
Muqammis, Daūd ibn Marwān al- 175 f. u.A. 267
Narziß v. Neronias 190 Sp. 3
Nepos v. Arsinoë 171
Numenius v. Apamea 23; 61; 118
Origenes 26–30; 32; 36; 58; 61; 64; 67–94; 95; 107; 109 u.A. 19; 116; 122; 131; 136; 137; 166; 168 f.; 200; 201; 205; 210; 211; 214–24
Pamphilus (Lehrer Eusebs v. Cäsarea) 215 f.; 219; 220–22
Paulin v. Tyrus 204 A. 75; 210
Paulus u. Petrus (Apostel) 124; 134 u.A. 184
Paulus v. Samosata 24 f.; 28 f.; 33; 35 u.A. 78; 59; 128–35
Petrus v. Alexandrien 32 f.
Philo v. Alexandrien 35; 56; 103–6; 121; 126; 145 f.; 153; 169; 173
Philostorgius 171 A. 239
Plato, Platonismus 24 f. u.A. 15; 26; 32; 34; 56; 62–66; 146
Plotin 60; 61; 73 A. 57; 74; 80 A. 117
Porphyrius 57; 59
Ptolemäus (valentin. Gnostiker) 25; 83; 116–18
Rufin v. Aquileja 69; 87 A. 177
Sabaoth, Zebaoth 172 u.A. 166.172. 173; 168; 169
Sabellius, Sabellianismus 66; 73 u.A. 51; 85; 95; 212
Satornil (Gnostiker) 146
Schahrastani, Asch- 91; 92; 172; 174 f.
Simon magus, Simonianer 114; 146; 150 f.
Simplicius (Aristoteleskommentator) 57; 60
Sokrates Scholasticus 24
Sozomenus 24
Tatian (Apologet) 88; 138; 156
Tertullian 65; 97; 98 f.; 139; 161
Theodot (valentin. Gnostiker) 83; 170
Theodot (Adoptianischer Monarchianer) 28; 124 A. 113
Theognis v. Nicäa 187 Sp. 3
Theognost (Origenist in Alexandrien) 71; 75; 93; 99 f. u.A. 270.271; 207; 210 u.A. 140; 222
Theophilus v. Antiochien 63 f.; 87; 169
Tryphon (jüdischer Unterredner Justins) 144
Valentin, Valentinianer 25 f.; 78; 80 u.A. 114; 83; 110 u.A. 24.25; 111–14; 116; 172; 173
Xenokrates 60
Zephanja, Apokalypse des 165

Forschungen zur Kirchen- und Dogmengeschichte

16 **Ekkehard Mühlenberg · Die Unendlichkeit Gottes bei Gregor von Nyssa**
Gregors Kritik am Gottesbegriff der klassischen Metaphysik. 1966. 216 Seiten, broschiert

17 **Kjell Ove Nilsson · Simul**
Das Miteinander von Göttlichem und Menschlichem in Luthers Theologie. 1966. 457 Seiten, broschiert

18 **Friedrich Beisser · Claritas scripturae bei Martin Luther**
1966. 199 Seiten, broschiert

19 **Hans-Martin Barth**
Der Teufel und Jesus Christus in der Theologie Martin Luthers
1967. 222 Seiten, broschiert

20 **Matthias Kroeger · Rechtfertigung und Gesetz**
Studien zur Entwicklung der Rechtfertigungslehre beim jungen Luther. 1968. 246 Seiten, kartoniert

21 **Helmut Roscher · Papst Innozenz III. und die Kreuzzüge**
1969. 323 Seiten, broschiert

22 **Werner Affeldt · Die weltliche Gewalt in der Paulus-Exegese**
Römer 13,1–7 in den Römerbriefkommentaren der lateinischen Kirchen bis zum Ende des 13. Jahrhunderts. 1969. 317 Seiten, broschiert

23 **Ekkehard Mühlenberg · Apollinaris von Laodicea**
1969. 257 Seiten, kartoniert

24 **Oswald Bayer · Promissio**
Geschichte der reformatorischen Wende in Luthers Theologie. 1971. 376 Seiten, kartoniert

25 **Adolf-Martin Ritter**
Charisma im Verständnis des Joannes Chrysostomos und seiner Zeit
Ein Beitrag zur Erforschung der griechisch-orientalischen Ekklesiologie in der Frühzeit der Reichskirche. 1972. 232 Seiten, kartoniert

26 **Martin Schloemann · Siegmund Jacob Baumgarten**
System und Geschichte in der Theologie des Übergangs zum Neuprotestantismus
1974. 302 Seiten, kartoniert

27 **Johann-Christoph Emmelius · Tendenzkritik und Formengeschichte**
Der Beitrag Franz Overbecks zur Auslegung der Apostelgeschichte im 19. Jahrhundert.
1975. 321 Seiten, kartoniert

28 **Bernhard Brons · Gott und die Seienden**
Untersuchungen zum Verhältnis von neuplatonischer Metaphysik und christlicher Tradition bei Dionysius Areopagita. 1976. 346 Seiten, kartoniert

29 **Henning Paulsen · Studien zur Theologie des Ignatius von Antiochien**
1978. 226 Seiten, kartoniert

30 **Henning von Reventlow · Bibelautorität und Geist der Moderne**
Die Bedeutung des Bibelverständnisses für die geistesgeschichtliche und politische Entwicklung in England von der Reformation bis zur Aufklärung. 1979. Ca. 704 Seiten, geb.

Vandenhoeck & Ruprecht · Göttingen und Zürich